Y GAIR YN EI BRYD

Y GAIR YN EI BRYD

CASGLIAD O YMADRODDION O'R BEIBL

HUW JONES

GWASG PANTYCELYN

Argraffiad Cyntaf: Chwefror 1994

ISBN 1 874786 17 8

Cyhoeddwyd ac argraffwyd gan Wasg Pantycelyn, Caernarfon

I MEGAN
AM GYDYMDDWYN Â MEUDWYAETH EI GŴR
DROS LAWER O DDYDDIAU

BYRFODDAU

ALIC	*Ail Lyfr o Idiomau Cymraeg* (1987) R. E. Jones
BCN	Y Beibl Cymraeg Newydd (1988)
GNB	The Good News Bible (1976)
GPC	*Geiriadur Prifysgol Cymru*
HD	*Yr Hen Destament*
HFC	*Yr Hen Feibl Cymraeg (1588 a 1620)*
HFS	*Yr Hen Feibl Saesneg (A.V. 1909)*
JBP	*J. B. Phillips*
LLEM	*Llyfr Emynau'r Methodistiaid Calfinaidd a Wesleaidd*
LLIC	*Llyfr o Idiomau Cymraeg* (1975) R. E. Jones
NEB	The New English Bible (1970)
TN	Y Testament Newydd
WB	William Barclay

RHAGAIR

Yn sgîl cyhoeddi'r Beibl Cymraeg Newydd yn 1988 clywsom gryn lawer am gymwynas anferth yr Hen Feibl Cymraeg yn safoni'r iaith a rhoi anadl einioes newydd ynddi. Hyd y cofiaf, soniwyd nemor ddim, fodd bynnag, am ddyled y Gymraeg i'r cyfieithiad hwnnw am gymaint o'i hidiomau a'i hymadroddion. Brithir yr iaith â'r rhain. Dyma'r bonws a gafodd cenedlaethau o Gymry o fod yn 'Bobl y Llyfr', ac yn bobl yr Ysgol Sul. Y perygl erbyn hyn yw mai dyma'r bonws sy'n prysur fynd i golli. Ai cyd-ddigwyddiad yw cenhedlaeth ddieithr i'w Beibl a chenhedlaeth dlawd, ddi-raen, ddi-idiom ei Chymraeg? Mae'n edrych i mi yn llawer mwy o ddeddf hau a medi ar waith nag o gyd-ddigwyddiad.

Ychwanegodd y Beibl Cymraeg yn ddirfawr at y cyfoeth o idiomau oedd yn gynhenid yn y Gymraeg. Bu'n chwarel idiomau heb ei thebyg i'r Cymro. Mae llaweroedd o'r rhain, yn arbennig o'u gweld yn eu cynefin gwreiddiol, yn rhai mynegiannol a darluniadol dros ben. Daethant yn rhan naturiol o'r iaith lafar ac o iaith ein llên. Ymdrech i gyflwyno swmp yr ymadroddion Beiblaidd mabwysiedig hyn yw'r casgliad hwn. 'Rwy'n defnyddio'r gair 'swmp' yn fwriadol gan nad yw'r casgliad yn honni dihysbyddu'r maes. Y gwala yw'r casgliad hwn, ond y mae gweddill.

Wrth gwrs, 'roedd mwyafrif mawr o'r geiriau unigol yn yr ymadroddion yn yr iaith cyn cyfieithu'r Beibl iddi. 'Does dim dwywaith chwaith nad oedd nifer helaeth o'r ymadroddion eu hunain ar waith i ryw raddau cyn hynny. Dengys *Geiriadur Prifysgol Cymru* hynny mewn enghreifftiau a rydd ohonyn nhw mewn llenyddiaeth Gymraeg hyd at 1588. Mae'n amheus iawn, er hynny, a fuasai llawer o'r rheini wedi goroesi pedair canrif oni bai i gyfieithwyr y Beibl, o'u defnyddio, roi anadl bywyd newydd ynddyn nhw. Hyd yn oed os oedd rhai yn arferedig o'r blaen, y Beibl Cymraeg biau llawer o'r clod am eu cadw, eu poblogeiddio a'u gosod yn ein genau.

Tyfodd y casgliad hwn o ymadroddion o ddal arnyn nhw a'u rhestru wrth wrando ar bobl yn siarad, wrth ddarllen, ac wrth fy nal fy hun yn eu defnyddio. Gallaf honni fy mod wedi clywed defnyddio ar lafar, neu wedi gweld defnyddio ar bapur, bron y cyfan o'r rhai a restrwyd. Yn wir, a oeddwn naill ai wedi gweld neu wedi clywed eu defnyddio oedd f'unig safon wrth farnu a ddylwn eu cynnwys ai peidio. Oherwydd hyn, haws oedd cynnig enghreifftiau o'r ymadroddion ar waith yn ein siarad a'n llên, a hynny, yn achos y rhan fwyaf, yn eu hystyr drosiadol ac estynedig. Oddi wrth y glust, felly, y lluniwyd y mwyafrif llethol o'r enghreifftiau o'r ymadroddion ar waith yn ein siarad, ar ddiwedd pob ymadrodd yn ei dro.

Bernais, o restru'r ymadroddion, mai buddiol fyddai eu cyflwyno yn eu cyd-destun gwreiddiol yn yr Ysgrythur. O'u gweld yn eu cynefin gwreiddiol y cawn holl rymuster eu hystyr. Yno, yn eu cysylltiadau gwreiddiol, y daw llawer iawn ohonyn nhw'n fyw a darluniadol, ac yn foddion mynegiant ystyrlon, boed ar lafar neu ar bapur. Ceisiais hefyd, yn gymharol gyson, gymharu'r ddau gyfieithiad Cymraeg yn ogystal â rhai o'r cyfieithiadau diweddar a mwyaf adnabyddus yn Saesneg. O ganlyniad, bydd rhai yn sicr o deimlo fod yr ymdriniaethau braidd yn faith a chwympasog. Fy ngobaith, fodd bynnag, yw bod pob ymdriniaeth, o leiaf, yn gymharol berthnasol ac nad di-fudd ei chynnwys.

Wedi i'r Beibl Cymraeg Newydd ymddangos canfuwyd bod nifer o'r hen ymadroddion wedi diflannu. Wrth gwrs, roedd hynny'n anochel ac yn beth i'w ddisgwyl. Nid rhywbeth mympwyol oedd hyn yn sicr, ac nid ar chware bach yr ymlidiwyd o'r testun hen ffefrynnau o ymadroddion i'r troed-nodiad heb sôn am i'r tu allan i'r clawr. Prun a yw'r ffurfiau ymadrodd newydd, ym mhob achos, wrth fodd pawb sy'n gyfarwydd â'r Hen Feibl Cymraeg, sy'n fater arall. Cyfyd y mater hwn, ar dro, wrth drafod yr ymadroddion yn y casgliad. Sut bynnag, yn naturiol, bydd ein plant a'n pobl ifainc yn ymgyfarwyddo'n gynyddol â ffurfiau ymadrodd y Beibl Cymraeg Newydd. Eto, yn eu Cymraeg llafar ac ysgrifenedig bydd ymadroddion lawer o'r Hen Feibl, a hynny heb fod ganddynt y syniad lleiaf am eu tarddiad a'u cyd-destun gwreiddiol. Erbyn y gwawria'r dydd hwnnw credais, yn gam neu'n gymwys, mai da fyddai cael casgliad o'r ymadroddion hynny gan roi eu tarddiad a'u stori lle mae honno i'w chael.

Yr ystyriaeth hon, mewn gwirionedd, fu'n fan cychwyn fy niddordeb yn y maes hwn. Dechrau pori yn y Beibl Cymraeg Newydd wedi iddo ymddangos, a chanfod colli hen ffrindiau o idiomau ac o ymadroddion. Ar yr union adeg honno cefais gais am gyfraniad misol i'r *Glannau*, papur bro'r wlad rhwng Treffynnon ac Abergele yng Nghlwyd. 'Chefais i ddim trafferth i ddewis pwnc. Mynd ati i drin a thrafod yr ymadroddion o'r Beibl yn ein hiaith, rhyw ddau neu dri ar y tro, am gyfnod o dair blynedd a hanner. 'Dyled y Gymraeg i'r Beibl' oedd teitl y golofn. Hwnnw, yn ddoniol iawn, un tro, yn ymddangos fel 'Dyled y Beibl i'r Gymraeg'! Erbyn Gorffennaf 1992 roedd chwarter y casgliad hwn wedi bod drwy'r *Glannau*. Rwy'n hynod o ddiolchgar i bwyllgor y papur bro am f'ysbarduno i wneud rhywbeth na fyddwn erioed wedi ei wneud oni bai am eu cais, ac am eu caniatâd parod i ail ddefnyddio'r deunydd yn y casgliad hwn.

Gair bach o eglurhad ar ffurf a threfn y gwaith. Gan anwybyddu'r fannod 'y' neu 'yr', trefnwyd yr ymadroddion yn nhrefn yr wyddor. Mae hynny'n anos gydag ymadroddion na chyda geiriau unigol. Gydag ymadrodd rhaid penderfynu pa air yw'r gair allweddol ynddo, ac mae mwy nag un o'r rheini'n aml iawn. Oherwydd hyn penderfynais gadw at drefn yr wyddor mor fanwl ag y gallwn.

Hyd y gallwn rhoddais darddiad a chyd-destun gwreiddiol pob ymadrodd; ei ystyr gwreiddiol yn yr Ysgrythur; unrhyw arlliw ystyr gwahanol a fagodd yn drosiadol, ac enghraifft neu enghreifftiau ohono ar waith yn ein siarad. Rhoddais hefyd draws-gyfeiriad at ymadrodd arall cyfystyr, neu debyg o ran ystyr, lle gwelwn hynny'n angen-rheidiol.

Rwy'n dymuno diolch i'r Dr. Islwyn Ffowc Elis am dwtio llawer ar y parsel drwy gywiro'r iaith, cynnig llu o awgrymiadau hynod o werthfawr ynglŷn â'r cynnwys, a chyflawni'r dasg fanwl a diflas o ddarllen y proflenni; i'r Dr. Gwilym H. Jones o Adran Astudiaethau Crefyddol, Coleg Prifysgol Gogledd Cymru, Bangor, am ei gyflwyniad pwrpasol a charedig, ac i Wasg Pantycelyn, a Mr. William Owen, ei Swyddog Cyhoeddi, am ymgymryd â'r dasg fentrus o gyhoeddi'r gwaith a hynny gyda'r glendid arferol. Cyfeiria'r Dr. Gwilym H. Jones yn ei gyflwyniad at ddwy gyfrol o idiomau Cymraeg gan y diweddar R. E. Jones. Ceisiais gadw llygaid yn gyson ar y cyfrolau hynny lle trafodir nifer o idiomau o'r Beibl yn y Gymraeg, a phwyso'n drwm ar ymdriniaeth R. E. Jones mewn rhai achosion. 'Rwy'n ei ddyfynnu, wrth ei enw, sawl gwaith yng nghorff y gwaith.

Peidied neb â phrynu'r llyfr na'i farnu fel gwaith safonol nac fel ffrwyth ysgolheictod manwl. Ond y mae'r gwaith yn gasgliad (y cyntaf hwyrach) o'r ymadroddion o'r Beibl sy'n britho'r iaith Gymraeg. Yn hynny o beth rhydd syniad inni am fesur dyled ein hiaith i'r Beibl Cymraeg. Cefais bleser a budd o fynd i gwmni'r ymadroddion. 'Rwy'n gobeithio y bydd cyhoeddi casgliad fel hyn ohonyn nhw yn gyfle ac yn hwb i rywrai eraill i fynd i'w cwmni, a chael yr un pleser a'r un budd ag a gefais innau o wneud hynny.

HUW JONES

CYFLWYNIAD

Nid oes angen ymhelaethu ar yr hyn sydd wedi ei ddweud droeon o'r blaen am ddylanwad aruthrol y Beibl ar ein hiaith a'n diwylliant. Fel hyn y crynhowyd y mater gan Thomas Parry:

> 'Efallai mai cymwynas fwyaf y Beibl i lenyddiaeth Gymraeg oedd rhoi i'r genedl iaith safonol goruwch pob tafodiaith' (*Hanes Llenyddiaeth Gymraeg,* 1944, 153).

Sylwodd eraill ar gyfraniad allweddol y Beibl i gadw'r iaith yn fyw ac i hybu ei datblygiad a'i thyfiant, i fagu pobl ddiwylliedig, i godi arweinwyr ym myd addysg, gwelliannau cymdeithasol a gwleidyddiaeth ac i ddeffro cydwybod a dysgu moes (cymh. D. Tecwyn Evans, *Y Beibl Cymraeg*, 1953). Ond hyd y gwn, ni wnaed casgliad cynhwysfawr o'r ymadroddion beiblaidd sydd wedi dod yn rhan o'n hiaith bob dydd; fe ddaethant i berthyn mor naturiol i'n llefaru fel ein bod yn eu defnyddio heb sylweddoli eu tarddiad na'u cysylltiadau gwreiddiol.

Yr hyn a symbylodd y Parchedig Huw Jones i wneud y casgliad hwn oedd sylweddoli i gynifer o'r ymadroddion hynny ddiflannu o'r *Beibl Cymraeg Newydd*. Oherwydd y defnydd helaeth a wneir o'r cyfieithiad newydd mewn eglwysi ac mewn ysgolion, y mae'n ddigon posibl y gwelir colli rhai o'r idiomau cyfarwydd hyn ymhen cenhedlaeth neu ddwy. Am y rhai a lwydda i oroesi, ni fydd y defnyddwyr yn sylweddoli o ble y daethant na beth oedd eu hystyr yn eu cyd-destun gwreiddiol.

Fel un a fu ynglŷn â'r cyfieithiad newydd, goddefer imi ddweud nad yn fympwyol nac yn ddi-hid y gollyngwyd yr hen ffefrynnau hyn o'r Beibl. Yr oedd rhesymau da a digonol dros wneud hynny. Un enghraifft a ddaw i'r meddwl yn syth yw 'glyn cysgod angau'; am resymau ieithyddol cryf y bu'n rhaid troi cefn ar ymadrodd mor lliwgar ac ystyrlon. Er gwaethaf y rhesymau, rhaid cydnabod bod yn sgîl yr holl enillion a gaed trwy gyhoeddi'r *Beibl Cymraeg Newydd* berygl o golli'r cyfoeth hwn sy'n rhan o gynhysgaeth y rhai a fagwyd ar y Beibl cyn bod cyfieithiad newydd.

Cymwynas fawr felly oedd casglu'r defnyddiau hyn at ei gilydd, ac ni allaf feddwl am neb gwell i wneud y gwaith na'r Parchedig Huw Jones, gŵr sy'n meddu cyfuniad hapus o'r medrau a'r doniau angenrheidiol at y dasg. Bu'r Beibl yn faes pori iddo ar hyd ei oes, ac nid oes amheuaeth am ei feistrolaeth ar hwnnw. Fel un a fagwyd ym Môn, ac a fu'n byw ym Maldwyn, Arfon, Meirion a Dyffryn Clwyd, ac a fu'n crwydro Cymru benbaladr fel pregethwr, darlithydd ac eisteddfotwr, cafodd gyfle i glustfeinio ar lefaru'r bobl, ac y mae ei afael yn sicr ar yr iaith lafar a'i hidiomau. Heb amheuaeth bydd ei gasgliad ef o idiomau'r Beibl yn cymryd ei le'n haeddiannol ochr yn ochr â chasgliadau'r diweddar R. E. Jones o idiomau'r Gymraeg.

GWILYM H. JONES

Achub y Blaen. "Canys achubaist ei flaen ef â bendithion daioni" (Salm 21: 3 HFC).
"Daethost i'w gyfarfod â bendithion daionus" (BCN).
"You have met him with choicest blessings" (JBP). Yn Salm 119: 147, cawn "Achubais flaen y cyfddydd" (HFC). "Codaf cyn y wawr" (BCN).

Blaenori, rhagflaenu, yw ystyr 'achub y blaen'. Yn Sallwyr W. Salisbury, 1567, ceir "rhagflaenais y cyfddydd". Mae'n aros yn ymadrodd cyffredin yn ein siarad.

Bob blwyddyn, yn ddi-feth, mae Modryb Hannah yn 'achub y blaen' arna'i efo'i cherdyn 'Dolig.

Adeiladu ar Dywod. 'Does dim amheuaeth am gysylltiadau gwreiddiol 'adeiladu ar dywod'. Meddai Iesu, "Pob un sy'n gwrando ar y geiriau hyn o'r eiddof, a heb eu gwneud, fe'i cyffelybir i ddyn ffôl a adeiladodd ei dŷ ar y tywod" (Math. 7: 26 BCN). Hanes y tŷ hwnnw oedd iddo gael ei ddymchwel pan ddaeth y gwyntoedd a'r llifogydd.

Mae'n ffurf ymadrodd a ddefnyddiwn am unrhyw ymgymeriad nad yw ar seiliau cadarn, rhywbeth na roed hanner digon o feddwl iddo, na digon o sylw i'w sail.

Yr argraff a gawn heddiw, wrth weld Comiwnyddiaeth yn datgymalu, yw mai cyfundrefn wedi ei 'hadeiladu ar dywod' oedd hithau.

Adenydd colomen pe cawn. Yn anuniongyrchol, drwy gyfrwng emyn Thomas Williams, Bethesda'r Fro, y cawsom y dymuniad 'adenydd colomen pe cawn' yn y ffurf hon:

' "Adenydd colomen pe cawn,"
Ehedwn a chrwydrwn ymhell' (LLEM 389).

Ond mae'n amlwg mai atseinio'r geiriau gwreiddiol yn y Salm y mae'r emyn. 'O na bai imi adenydd fel colomen' (Salm 55: 6 HFC). 'O na fyddai gennyf adenydd colomen' (BCN). 'Oh that I had wings like a dove' (HFS). 'Oh that I had the wings of a dove' (NEB). 'I wish I had wings, like a dove' (GNB).

Y ffurf sydd i'r dymuniad yn emyn Thomas Williams, fodd bynnag, yw'r un a ddefnyddiwn fel arfer. Dyheu am gael dihangfa o ganol ei dreialon y mae'r Salmydd wrth ddweud, 'O na fyddai gennyf adenydd colomen'. Ond mewn amgylchiadau ac mewn ystyr hapusach y rhydd yr ymadrodd eiriau i'n dymuniad ni.

Mae'r gwenoliaid newydd gyrraedd: dod o Affrica, medden nhw. Mae gen i chwaer yn Angola, ac mi rown lawer am gael mynd yno i'w gweld. Ond does gen i mo'r modd. A dweud y gwir, mi deimlais reit genfigennus o'r gwenoliaid 'ma: 'adenydd colomen pe cawn' yntê!

A ddichon dim da ddyfod o Nasareth? Dyma ymateb dirmygus Nathanael i honiad Philip eu bod wedi darganfod y Meseia: yr hwn yr oedd Moses a'r proffwydi wedi dweud amdano, Iesu o Nasareth, mab Joseff. Meddai Nathanael, 'A ddichon dim da ddyfod o Nasareth?' (Ioan 1: 46 HFC). 'A all dim da ddod o Nasareth?' (BCN). 'Can anything good come from Nasareth?' (NEB, GNB).

Dirmygus o'r mwyaf yw ymateb Nathanael i'r newydd gan Philip. Lle cwbl anarbennig a didraddodiad oedd Nasareth; lle dinôd, dibwys. Fel un o Gana yng Ngalilea fe wyddai Nathanael hynny. A hwyrach ei fod wedi ei fagu mewn awyrgylch o genfigen rhwng trefi a phentrefi a'i gilydd.

Daw cwestiwn Nathanael i'n meddyliau ac i'n siarad pan welwn rywun neu'i gilydd wedi llwyddo er gwaethaf magwraeth anffafriol, neu pan gawn achos i edmygu rhyw ddaioni neu'i gilydd o le annisgwyl.

Un da ydy Doctor Jefferson 'ma. Fe'i magwyd, yn ôl pob hanes, mewn amgylchiadau tlawd ac anffafriol iawn; y tad yn greadur meddw a garw a 'run o'r ddau, y tad na'r fam, ag unrhyw ddiddordeb yn addysg y plant. Chware teg iddo: 'a ddichon dim da ddyfod o Nasareth?'

Addoli'r Llo Aur. Cyfeiriad sydd yma at y llo tawdd a luniodd Aaron. Wrth weld Moses mor hir yn dod i lawr o'r mynydd, dyna'r bobl yn dechrau anesmwytho a dweud wrth Aaron, "Gwna inni dduwiau i fynd o'n blaen, oherwydd ni wyddom beth a ddigwyddodd i'r Moses hwn a ddaeth â ni i fyny o wlad yr Aifft" (Ecs. 32: 1 BCN). Meddai Aaron, "Tynnwch y tlysau aur sydd ar glustiau eich gwragedd a'ch meibion a'ch merched, a dewch â hwy ataf fi" (Ecs. 32: 2 BCN). Cymerodd Aaron y tlysau, "ac wedi eu trin â chŷn, gwnaeth lo tawdd ohonynt" (Ecs. 32: 4). Parodd hyn ofid dwys i Dduw ac i Moses. Yn Salm 106: 19, 20 cyfeirir at yr hanes fel enghraifft eithafol o wrthgiliad oddi wrth Dduw.

Yn ôl y stori, pan ddaeth Moses, â dwy lech y dystiolaeth yn ei law, a gweld y llo tawdd, "gwylltiodd a thaflu'r llechau o'i ddwylo a'u torri'n deilchion wrth droed y mynydd" (Ecs. 32: 19 BCN). Daeth y stori'n enghraifft dda o bobl yn ildio'n rhwydd i gyfaredd gwerthoedd cwbl faterol. Dyna'r ystyr rown i'r ymadrodd 'addoli'r llo aur'. Meddyliwn am bobl sy'n ymroi'n ddibaid i grafangu cyfoeth, eu gwerthoedd yn hollol faterol, a hyd yn oed yn barod i roi heibio bob delfryd ac egwyddor er mwyn elw.

'Dyw'r union ymadrodd 'llo aur' ddim yn y stori. 'Llo tawdd' sydd yno, ond hawdd gweld sut y daeth y 'llo tawdd' yn 'llo aur' i ni.

Mae hi'n anodd iawn, mewn oes mor fydol ei bryd â hon, cael pobl i arddel unrhyw ddelfryd. Y blaid sy'n cynnig y cyfle mwyaf i 'addoli'r llo aur' sy'n cael y gefnogaeth fwyaf o hyd.

Agor mater. Fe soniwn am hwn a hwn yn agor mater, neu'n agor y Maes Llafur, neu'n agor trafodaeth. Byddai'n ardderchog o ymadrodd yn ei ystyr cwbl lythrennol, sef symud yr hyn sydd rhyngom a rhywbeth, yn agor drws neu godi'r caead ar rywbeth. Dyna'n union a wna yr agorwr — codi'r caead cyn belled ag y mae ei fater yn y cwestiwn. Yn stori'r Doethion gan Mathew dywedir, "ac wedi agoryd eu trysorau". Ffordd arall o ddweud yr un peth fyddai "wedi codi'r caead ar eu trysorau", h.y., dwyn i'r golwg. Dyna a wneir gan bob agorwr mater gwerth ei halen: codi'r caead ar drysorau ei fater.

Cam bach iawn sydd wedyn o'r ystyr lythrennol i'r ystyr drosiadol, sef egluro neu esbonio. Yn un o storïau byr mawr y byd, stori Emaus, rhydd Luc eiriau fel hyn yng ngenau un o'r ddau ddisgybl: "onid oedd ein calon ni yn llosgi ynom tra ydoedd ef yn *agoryd* i ni yr Ysgrythurau" (HFC); ("yn egluro i ni . . . " BCN) Luc 24: 32. Cydiodd Dyfed yn y syniad i bwrpas ei emyn:

> Ysbryd Sanctaidd, dyro'r golau
> Ar dy eiriau di dy hun;
> 'Agor' inni'r Ysgrythurau,
> Dangos inni Geidwad dyn (LLEM 282).

Agor bellach yn yr ystyr o egluro neu esbonio neu oleuo.

Sonia Llyfr Ancr Llanddewibrefi yn 1346 am "yr eglwys yn agoryd iddynt bob peth cauedig". Dyna brawf bod y gair 'agor' yn dwyn yr ystyr o egluro ddwy ganrif o leiaf cyn cyfieithu'r Beibl i'r Gymraeg. Er hynny 'rwy'n siŵr fy mod yn iawn yn dweud mai Stori Emaus yw cynefin y gair cyn belled ag y mae'r defnydd a wnawn ni ohono. Mae'r defnydd hwnnw wedi gwneud yr ymadrodd *"agor mater"* yn derm technegol hollol i bwrpas yr Enwadau Ymneilltuol o leiaf.

Mi fûm yn y cyfarfod misol heddiw a hynny am y tro cynta' ers blwyddyn. Mae'n rhaid imi gyfadde' imi fwynhau fy hun yn iawn yno yn enwedig yn gwrando ar weinidog Seilo'n 'agor y mater'.

Ai ceidwad fy mrawd ydwyf fi? Wedi iddo ladd Abel ei frawd mae'r Arglwydd yn gofyn i Cain: "Mae Abel dy frawd". Mae yntau'n ateb yn haerllug a herfeiddiol: "Nis gwn i; ai ceidwad fy mrawd ydwyf fi?" (Gen. 4: 9 HFC). "Ble mae dy frawd Abel? Ni wn i. Ai fi yw ceidwad fy mrawd?" (BCN); "I do not know. Am I my brother's keeper?" (NEB); "I don't know. Am I supposed to take care of my brother?" (GNB). Gall y gair a gyfieithwyd yn 'ceidwad' olygu *'bugail'* hefyd. Bugail yw gair Moffatt. "Am I a shepherd of my brother?". Gellir gweld yn y gair 'bugail' gyfeiriad gwawdlyd Cain at waith Abel fel bugail defaid. Mae'r Almaenwr a'r ysgolhaig Gerrard von Rad yn ei gyfieithiad yntau fel pe bai'n fwriadol yn pwysleisio'r cyfeiriad at waith Abel, "Ai fi sydd i fugeilio'r bugail?". Nid yn unig y mae Cain yn dweud celwydd wrth honni na ŵyr ble mae Abel, ond yn waeth fyth mae'n ymwrthod â phob cyfrifoldeb amdano.

Y dywediad Saesneg cyfoes sy'n cyfleu agwedd ac ysbryd Cain yw 'I'm alright Jack'. Pan fyddwn ninnau am osgoi ambell i gyfrifoldeb am gyd-ddyn, neu tuag at gyd-ddyn, daw cwestiwn Cain yn bur hwylus, 'Ai ceidwad fy mrawd ydwyf fi?'.

''Fydda'i byth yn gweld eich gŵr chi yn y capel', meddai gwraig un o'r blaenoriaid. 'Mae hynny'n od iawn â chithau mor ffyddlon'. 'Mi daniais braidd a dweud, ''Ai ceidwad fy mrawd ydwyf fi?'' '.

Alffa ac Omega. Llythrennau cyntaf ac olaf yr wyddor Roeg yw 'Alffa ac Omega'. Fe'u defnyddir yn y Datguddiad i gynrychioli'r dechrau a'r diwedd, y cyntaf a'r diwethaf. "'Myfi yw Alffa ac Omega; y dechrau a'r diwedd', medd yr Arglwydd Dduw, yr hwn sydd, yr hwn oedd, a'r hwn sydd i ddod, yr Hollalluog" (Dat. 1, 8 HFC, BCN). "I am the Alpha and the Omega, says the Lord God, who is, and who was and who is to come, the sovereign Lord of all" (NEB). I'r Groegwr, roedd yr ymadrodd Alffa ac Omega yn golygu cyfanrwydd llwyr, gorffenedig, heb ddim yn eisiau. Dyna Dduw, medd Ioan.

Yn ei ystyr drosiadol daeth yn ymadrodd am swm a sylwedd unrhyw athrawiaeth, syniadaeth, delfrydiaeth, cred, a.y.y.b.

I ffwndamentalwyr Beiblaidd y mae ysbrydoliaeth eiriol yr ysgrythurau yn 'Alffa ac Omega' pob astudiaeth ohonyn nhw.

Allan o'r Arch. Arch Noa, yn ddi-ddadl, sydd mewn golwg yn y dywediad 'allan o'r arch'. 'Dyw'r ymadrodd ddim yn y Beibl, ond y mae'n adleisio'r stori Feiblaidd am Arch Noa. Mae'n ymddangos mai dynwarediad o'r dywediad Saesneg 'out of the ark' yw 'allan o'r arch' yn Gymraeg. Awgryma rywbeth hen iawn neu hen-ffasiwn iawn, iawn.

Ar ei waetha'n 'i ddannedd y pryn Guto ddim byd newydd. Mae o wedi cael gafael ar ryw hen feic ail-law a hwnnw'n edrych fel pe bai wedi dwad 'allan o'r arch'. (Gw. hefyd 'Cyn y Dilyw'.)

Amen. Gair Hebraeg yw 'Amen' sydd wedi dod yn ei grynswth i'r Gymraeg fel i gannoedd o ieithoedd eraill. Mae'n cadw ei gymeriad Hebreig ym mhob iaith. Ei ystyr yw 'gwir', 'sicr' neu 'ffyddlon'. Yn y Beibl fe'i cawn ar ddechrau ac ar ddiwedd datganiadau, a.y.y.b. Ar gychwyn datganiad mae'n pwysleisio ei bwysigrwydd. Cyfieithu'r gair 'amen' ar gychwyn datganiad y mae'r ffurf 'yn wir', neu weithiau 'yn wir, yn wir meddaf i chwi'. Ar ddiwedd datganiad neu ddyhead mae'n fynegiant o gydsyniad, ac fel ar ddiwedd gweddi, yn golygu 'boed felly'.

Cylch crefydd yw ei gynefin gwirioneddol i gymeradwyo rhywbeth a ddywedir neu i derfynu pregeth neu weddi. Fe ehangwyd, fodd bynnag, y defnydd a wnawn ohono.

Galw am lawer mwy o arian i gyfarfod â phroblem y ddwy iaith yn yr ysgolion yr oedd llywydd y dydd yn y Brifwyl. 'Amen', ddyweda' inna'.'

'Os na chaiff yr hogyn 'ma ddwy lefel A, mae hi'n "amen" arno am fynd i'r Brifysgol.'

Amser i bopeth. "Y mae amser i bob peth ac amser i bob amcan dan y nef" (Preg. 3: 1 HFC). "Y mae tymor i bob peth, ac amser i bob gorchwyl dan y nef" (BCN). "For everything its season, and for every activity under the heaven, its time" (NEB). "Everything has its appointed hour, there is a time for all things under heaven' (Moffatt). Cymer y GNB fwy o ryddid a dweud, "Everything that happens in this world, happens at the time God chooses".

Fe ddefnyddiwn ni'r dywediad mewn ystyr llawer mwy arwynebol na'r syniad o Ragluniaeth sydd ynddo'n wreiddiol.

'Dwyt ti 'rioed yn trefnu 'steddfod ym mis Ionawr, mewn lle mor chwannog i eira â hwn? 'Mae yna amser i bob peth,' meddai'r Hen Lyfr. Ac yn y cylch yma, nid Ionawr ydy hwnnw i 'steddfod, yn siŵr i ti.

Amynedd Job. "Chwi a glywsoch am amynedd Job", meddai Iago yn ei epistol (Iago 5: 11 HFC). "Clywsoch am ddyfalbarhad Job" a gawn gan y BCN. Y ddau gyfieithiad yn glanio yn yr un lle. Do'n wir, fe glywsom am amynedd Job. Pwy na chlywodd? Daeth ei amynedd, neu ei ddyfalbarhad gorchestol yn wyneb yr holl orthrymderau a brofodd, yn ddiarhebol. Yn y ddwy bennod gyntaf o Lyfr Job, yn arbennig, y darlunnir ei amynedd ar waith. Glynodd enw Job wrth y gair 'amynedd' yn ein meddyliau. Daeth y gŵr da o wlad Us yn batrwm ac yn safon mewn amynedd. Lle gwelwn bobl wir amyneddgar, ac nid mewn gofidiau chwaith o angenrheidrwydd, fe'u cyffelybwn i Job.

Mae isio 'amynedd Job' efo ambell un.' 'Yn yr ymosodiad ffiaidd arno yn y pwyllgor, rhaid bod gan Islwyn "amynedd Job" i gadw'i dymer fel y gwnaeth.'

Anathema. Yn ei lythyr cyntaf at y Corinthiaid cawn Paul yn dweud: "Os oes neb nad yw'n caru'r Arglwydd Iesu Grist, bydded Anathema" (1 Cor. 16: 22 HFC). Melltigedig yw ystyr y gair Hebraeg Anathema. Rhydd y BCN yr ystyr yn glir iawn: "Os oes rhywun nad yw'n caru'r Arglwydd, bydded dan felltith". Byddai'r Iddewon ar un adeg, mae'n debyg, yn cyflwyno eu gelynion gorchfygedig i Dduw drwy eu haberthu (1 Sam. 15). Daeth y gair i gynrychioli'r hyn a gaseir, ac sydd felly i'w ddinistrio, yn 'Anathema'.

I ninnau o hyd, mae'r pethau, neu'r syniadau, neu'r personau a gaseir, neu sy'n annerbyniol, yn anathema.

Mae unrhyw sôn am Senedd i'r Alban ac i Gymru yn 'anathema' i'r mwyafrif o Geidwadwyr.

Anadl einioes. O Lyfr Genesis, ac yn fwy neilltuol fyth, o stori'r creu, y cawsom yr ymadrodd "anadl einioes" i'n hiaith. "Yr Arglwydd Dduw a luniodd y dyn o bridd y ddaear, ac a anadlodd yn ei ffroenau 'anadl einioes', a'r dyn a aeth yn enaid byw" (Gen. 2: 7 HFC). Cadwyd 'anadl enioes' yn y BCN. Cadwyd "breath of life" yr HFS yn y NEB a Moffatt hefyd, ond cawn "breathed life-giving breath" yn y GNB.

Mae'r gymhariaeth rhwng ysbryd neu enaid ac 'anadl einioes' yn un drawiadol dros ben. I bob pwrpas, roedd pobl y cynfyd yn uniaethu yr enaid, neu'r ysbryd, â'r anadl naturiol. Mewn tair iaith o leiaf, cawn yr un gair am ysbryd ag am wynt neu anadl. Dyna 'spiritus' yn Lladin yn golygu 'anadl'. Wedyn dyna 'pneuma' mewn Groeg yn dod o air yn golygu anadlu (cymh. *pneumatic tyre* a *pneumatic drill*). Ac mae'r 'ruach' mewn Hebraeg yn golygu gwynt ac ysbryd. Nid syndod wedyn yw canfod bod dyn, ar ôl anadlu 'anadl einioes' yn ei ffroenau, wedi dod yn 'enaid byw' yn yr HFC ac yn 'living soul' yn yr HFS, h.y., rhywbeth amgenach na *chreadur* byw.

Onid o'r cysylltiadau hyn y daeth yr hyn a adwaenwn heddiw fel 'cusan bywyd' mewn meddygaeth a'r Cymorth Cyntaf? Adfer bywyd mewn dyn a wneir drwy anadlu i'w enau (nid ei ffroenau) anadl einioes. Fe ddywedwn 'anadl bywyd' hefyd ar dro, yn arbennig lle mae adfywiad o unrhyw fath wedi bod, neu yn rhywbeth a ddymunwn ei weld. Wrth ddyheu am adfywiad ysbrydol yn ei emyn, meddai R. R. Morris:

"Dyro anadliadau bywyd
Yn y lladdedigion hyn" LLEM 270.

'Roedd yr eglwys yn Seion bron wedi tynnu ei hanadl olaf. Ond fe ddaeth tri neu bedwar o deuluoedd ifanc o rywle. Mae hynny wedi bod yn 'anadl einioes' i'r eglwys.

A newidia'r llewpard ei frychni? Yn ôl Jeremeia 'doedd dim i'w ddisgwyl i'r genedl am ei hanffyddlondeb ond dinistr a chaethglud. Amau ei broffwydoliaeth a wnâi'r bobl. Mewn ymateb, meddai Jeremeia, "A newidia'r Ethiopiad ei groen, neu'r llewpard ei frychni? A allwch chwithau wneud daioni, chwi a fagwyd mewn drygioni?" (Jer. 13: 23 BCN). Anodd iawn yw newid pobl wedi i'w harferion fynd yn ail natur. Anodd yw i bobl eu rhyddhau eu hunain o grafangau'r drwg sydd wedi cael hen afael arnyn nhw. Mae hi mor anodd ag i'r 'Ethiop newid ei groen' neu i'r 'llewpard golli ei frychni'. Heddiw, mae'n debyg, byddem yn dweud mai anodd yw newid y natur ddynol. Fe ddefnyddiwn y cwestiwn pan fyddwn yn sôn am styfnigrwydd y natur ddynol neu am ryw wendid sy'n etifeddol.

Yr hen Huwcyn wedi ei ddal yn dwyn, yntê. Mae'r peth yn y teulu. Llaw flewog iawn oedd gan ei dad a'i daid o'i flaen. 'A newidia'r llewpard ei frychni?' Mae'r hen lyfr yn agos i'w le.

Apostol. Un wedi ei anfon allan ar neges yw apostol. Mae'n un o'r geiriau Groeg y llwyddodd crefydd i wneud Cymro ohono yn union fel 'eglwys', 'efengyl' a 'Pentecost'. Ar y deuddeg disgybl y rhoed y teitl gyntaf. Yn ddiweddarach daeth Paul a Barnabas yn apostolion. Fel y tyfai'r eglwys daeth 'apostol' yn deitl ar ei phrif arweinwyr.

Gydag amser canfuwyd swyddogaeth fwy seciwlar i'r teitl, a'i ddefnyddio am arloeswyr a selogion delfrydau ac achosion arbennig. Daeth Henry Richard, yn rhinwedd ei sêl a'i weithgarwch dros heddwch, yn 'Apostol Heddwch'.

Mae'r syniad yma yn un cymharol newydd, a cheir nifer o bobl yn ei bregethu erbyn hyn. Ond ohonyn nhw i gyd, Thomas Bowen yw ei 'apostol'.

Ar adenydd y gwynt. Yr Arglwydd, i'r Salmydd, sy'n 'ehedeg ar adenydd y gwynt', ymhlith gweithredoedd rhyfeddol eraill: 'ie, efe a ehedodd ar adenydd y gwynt' (Salm 18: 10 HFC). 'gwibiodd ar adenydd y gwynt' (BCN). 'yea, he did fly upon the wings of the wind' (HFS). 'He swooped on the wings of the wind' (NEB). 'He travelled on the wings of the wind' (GNB). 'He swooped with the wings of the wind' (Moffatt). Sôn y mae Salm arall am yr Arglwydd 'yn rhodio ar adenydd y gwynt' (Salm 104: 3 HFC). 'Yn marchogaeth ar adenydd y gwynt' (BCN).

Yn ei ystyr llythrennol y defnyddiwn ni'r ymadrodd bron yn ddieithriad.

Mi fyddai'n dda calon gen i pe bai'r bobl drws nesa 'ma'n difa'r cnwd ysgall 'na sydd yn eu gardd ffrynt. O hyn i ben y pythefnos mi fyddan' yn hadu i bobman 'ar adenydd y gwynt'.

Ar dir y byw. Y Salmydd sy'n dweud "diffygiaswm, pe na chredaswn weled daioni yr Arglwydd yn 'nhir y rhai byw'" (Salm 27: 13 HFC). "Yr wyf yn sicr y caf weld daioni'r Arglwydd yn 'nhir y rhai byw'" (BCN). "Land of the living" a gawn yn y cyfieithiadau Saesneg hen a newydd hefyd ac eithrio'r GNB. Dywed hwnnw "I know that I will live to see the Lord's goodness in this present life". O leiaf, mae gan gyfieithiad felna'r fantais o oleuo'r ystyr. Y bywyd hwn, neu y bywyd presennol yw ei ystyr. Gellid, yn wir, fod wedi cyfieithu'r geiriau yn rhywbeth tebyg i hyn: "yr wyf yn sicr y caf weld daioni'r Arglwydd tra ydwyf ar dir y byw". Yn ein siarad bob dydd, ar y cyfan, gollyngwyd y gair *'rhai'* o'r dywediad. Daeth yn 'tir y byw' yn lle 'tir y *rhai* byw'.

Rhydd R. E. Jones, yn ei *Lyfr o Idiomau Cymraeg*, ddyfyniad diddorol o *Llawr Dyrnu* R. G. Berry sy'n cynnwys yr ymadrodd 'ar dir y byw'. "Diana Brunela (seren actoresau'r ffilmiau yn Los Angeles) a fuasai'n briod seithwaith, a'r saith *'ar dir y byw'*." 'Roedd y ferch honno felly yn bur ysgrythurol mewn rhyw bethau gyda saith o wŷr a'r rheini i gyd 'ar dir y byw'! Mae'n ymadrodd defnyddiol ddigon yn ei briod le, ac yn sicr o aros 'ar dir y byw' tra pery'r iaith. Gweler enghreifftiau eraill ohono yn Salm 116: 9; Job 28: 13; Salm 142: 5; Eseia 53: 8; Jer. 11: 19.

Fachgen, fachgen, ddim wedi dy weld ers pobeidia, er yn gwybod o'r gora', cofia, dy fod yn dal 'ar dir y byw'.

Ar drawiad amrant (llygad). Y mesur lleiaf o amser y gellir ei amgyffred yw 'ar drawiad amrant' neu 'ar amrantiad'; yr amser, yn wir, a gymer yr amrant uchaf i daro'r amrant isaf. Mae'n llai nag eiliad. Os rhywbeth, y mae'r gair *moment* yn ei gyfleu'n well na'r gair eiliad. Yn ôl y Geiriadur Saesneg "a minute (nid munud) portion of time, an instant" yw moment. Dyma'n union yw 'ar drawiad amrant'. Dywed Paul yn ei lythyr cyntaf at y Corinthiaid, a dyna'r unig le y cawn yr ymadrodd yn y Beibl, "yr ydym i gyd i gael ein newid, mewn eiliad, ar drawiad amrant, ar ganiad yr utgorn diwethaf" (1 Cor. 15: 51 BCN). Nid wy'n hollol hapus fod y BCN wedi cyfystyru 'ar drawiad amrant' â 'mewn eiliad'. Tybed nad yw 'mewn moment' yn yr HFC yn iawn ac yn gyfoes ddigon? "In a flash" a rydd y NEB; "in an instant" GNB; "in a moment" (Moffatt); "in the twinkling of an eye" JBP; "ar drawiad llygad" sydd yn yr HFC wrth gwrs.

Cawn y gair *amrant* ei hun nifer o weithiau yn y Beibl. Rhydd GPC enghreifftiau ohono mewn llenyddiaeth o'r drydedd ganrif ar ddeg, bron i dair canrif cyn cyfieithu'r Beibl i Gymraeg. Ond 'does dim enghraifft o'r cyfuniad 'ar drawiad amrant' cyn 1588.

Cefais goblyn o sioc nes 'mod i'n neidio wrth roi dŵr yn y tecell ddoe. Bu'n rhaid ffonio Manweb. 'Roedd eu dyn acw 'ar drawiad amrant'.

Ar ddarfod. "A phan oeddynt hwy wrth Jebus (Jerwsalem) yr oedd y dydd ar ddarfod" (Barn. 19: 11 HFC). "Y dydd yn darfod" a gawn yn y BCN. "It was late in the day" (GNB). "The day was far spent" (HFS). Yr ystyr yn amlwg yw'r dydd yn tynnu tua'i derfyn, neu bron â dod i ben. Yn ôl GPC, dyma'r enghraifft gyntaf o'r ymadrodd 'ar ddarfod' mewn llenyddiaeth. Cawn briod-ddull tebyg o ran ystyr ddwy adnod ynghynt, ond na chydiodd fel ei bartner 'ar ddarfod'. "Wele, yn awr, y dydd a laesodd i hwyrhau" (Barn. 19: 9 HFC).

Daw 'ar ddarfod' i'n siarad yn fynych ddigon mewn amrywiol gysylltiadau, er nad wrth sôn am y dydd yn tynnu tua'i derfyn bellach. Pan fo rhywun ar fin tynnu ei anadl olaf, y mae'r person hwnnw 'ar ddarfod'. Pan fo amaethwr wrthi'n aredig y dalar, y mae 'ar ddarfod' y cae.

'Roeddwn i'n papuro'r parlwr, ac 'ar ddarfod', yn wir, pan sylweddolais i fy mod wedi rhoi'r papur â'i ben i lawr.

Ar ddisberod. Rhydd GPC un enghraifft o'r ffurf 'ar ddisberod' mewn llenyddiaeth Gymraeg cyn cyfieithu'r Beibl, sef yn Llyfr Taliesin o'r 13 ganrif. Gallwn deimlo'n weddol sicr, er hynny, mai'r defnydd a wna'r Beibl ohono a'i poblogeiddiodd fel ymadrodd. Mae'n ymddangos ddwywaith yn un o ddamhegion anwylaf a mwyaf adnabyddus Iesu Grist, Dameg y Ddafad Golledig. "Os bydd gan ddyn gant o ddefaid a myned o un ohonynt *ar ddisberod*" (Math. 18: 12 HFC). Ar ymyl y ddalen ceir 'ar goll' yn ddewis yn lle 'ar ddisberod'. "Mynd ar grwydr" a rydd y BCN.

Does neb yn sicr beth yn union yw tarddiad y gair *disberod.* O wreiddyn Celtaidd yn golygu gwasgaru, medd rhai. O wreiddyn Lladin, medd y lleill. Y mae ei ystyr, fodd bynnag, yn ddigon eglur yn ei gysylltiadau, — ar goll neu ar grwydr. 'Dyw'r ddau ddim o angenrheidrwydd yr un peth. Ys gwn i prun o'r ddau oedd gan Tegla yn ei feddwl wrth roi 'Ar Ddisberod' yn deitl ar un o'i lyfrau?

'Roeddwn i wedi disgwyl cyrraedd Sbaen, yn hwylus, yr ail ddiwrnod o deithio o Cherbourg, ond mi es 'ar ddisberod' yn Ne Ffrainc.

Ar ei bedwar. Yn Lefiticus cawn gyfarwyddiadau manwl ynglŷn â pha anifeiliaid a chreaduriaid yr oedd yr Iddewon i'w bwyta neu i beidio â'u bwyta. "Peidiwch â bwyta unrhyw ymlusgiad sy'n ymlusgo ar y ddaear, boed yn symud ar ei dor, neu'n cerdded ar bedwar troed, neu ar unrhyw draed, y mae'n ffiaidd" (Lef. 11: 42 BCN). Yn yr HFC y mae'r gair 'troed' mewn llythrennau italaidd. Mae hynny'n dweud nad oedd y gair ddim yn y testun gwreiddiol. Ei ragdybio a wneid. "On all four" sydd yn yr HFS, gan ragdybio'r gair 'foot' neu 'feet'.

O'r union gysylltiadau yma, a hwyrach dan ddylanwad yr HFS, y daeth y ffurf ymadrodd 'ar ei bedwar'. Pan siaradwn am blentyn bach yn mynd 'ar ei bedwar', mynd ar ei bedwar aelod, sef ar ei ddwylo a'i draed y mae.

'Mi gollodd y wraig acw ei modrwy ar y lawnt. Mi fûm 'ar fy mhedwar' am hydoedd, yn chwilio a chwalu amdani. Wrth lwc, fe ddaeth i'r fei, yn y diwedd.

Ar fyrder. Cawn yr idiom 'ar fyrder' nifer o weithiau yn y Beibl, ac yn y TN yn arbennig. Diau mai'r defnydd a wnaed ohono yn yr ysgrythurau a'i hangorodd yn y Gymraeg. Mae un neu ddwy enghraifft o'r idiom yn y TN yn rhai pur adnabyddus: 'y pethau hyn yr wyf yn eu hysgrifennu atat, gan obeithio dyfod atat "ar fyrder" ' (1 Tim. 3: 14 HFC). 'cyn hir' (BCN). Wedyn dyna Paul yn dweud wrth y Corinthiaid: 'Eithr mi a ddeuaf atoch "ar fyrder", os yr Arglwydd a'i myn' (1 Cor. 4: 19 HFC). 'ar fyrder' sydd yn y BCN hefyd. 'Ac y mae gennyf hyder yn yr Arglwydd, y deuaf finnau hefyd "ar fyrder" atoch' (Phil. 2: 24 HFC). 'dod yn fuan' (BCN). 'Shortly', 'before long' a 'soon' a rydd y cyfieithiadau Saesneg.

Byddai rhai'n dadlau mai tipyn yn hen ffasiwn yw 'ar fyrder' fel idiom erbyn hyn, ac mai gwell yw '*cyn hir*' neu 'yn fuan'. Eto i gyd deil yr idiom i fod yn lled arferedig, nid yn unig i olygu 'cyn hir' neu 'yn fuan', ond hefyd i olygu 'ar unwaith', 'yn syth' neu 'ar chwap' (chwaff).

Erbyn imi fynd i nôl cig o'r rhewgell, mi ffeindiais ei bod wedi stopio rhewi. Dyna ffonio'r cwmni'n syth. Cymro glân gloyw a atebodd: 'Mi fydd y dyn acw "ar fyrder",' meddai. Ac yn wir, fe ddaeth 'ar fyrder' chware teg.

Ar ganiad y ceiliog. Rhannai'r Iddewon y nos yn bedair gwyliadwriaeth, — gwyliadwriaeth gyda'r hwyr; gwyliadwriaeth hanner nos; gwyliadwriaeth caniad y ceiliog; gwyliadwriaeth y bore. Adleisio hynny y mae geiriau Iesu Grist, "Gwyliwch gan hynny, canys ni wyddoch pa bryd y daw meistr y tŷ, yn yr hwyr, ai hanner nos, ai ar ganiad y ceiliog, ai y boreddydd" (Marc 13: 35 HFC).

Mae'r idiom Iddewig hon felly'n golygu 'yn fore iawn'. Fe ddywedwn 'cyn codi cŵn Caer' i'r un perwyl.

Rydw i'n bwriadu mynd i roi tro am hen ffrind ysgol 'fory, os byw ac iach. Am gychwyn reit fore, 'ar ganiad y ceiliog', fel y dywedir, er mwyn osgoi traffig.

Ar ei ganfed. Dameg yr Heuwr a roes y dywediad hwn, *ar ei ganfed*, inni. Am yr had a syrthiodd ar dir da, dywedir: 'a ddygasant ffrwyth, peth *ar ei ganfed*...' (Math. 13: 8 HFC). Mewn ffurf beth yn wahanol y'i ceir yn y BCN '... peth canwaith cymaint ...' 'Hundredfold' a rydd y Beiblau Saesneg ar y cyfan, er bod y GNB yn rhoi "hundred grains" yn hollol ddiamwys. A dyna'n union yr ystyr wrth gwrs: cael can gronyn o bob un a heuwyd. Cnwd rhagorol.

Yn ei ffurf drosiadol daeth yn ymadrodd sy'n ei gynnig ei hun yn dda i ddisgrifio rhywun sydd wedi llwyddo'n rhagorach na'r rhelyw mewn rhyw fedr neu faes neilltuol. Daeth hwnnw allan *ar ei ganfed.* Fe'i harferwn hefyd am rywun sydyn a ffraeth ei sylw neu ei ateb mewn ambell sefyllfa. Mi ddaeth 'allan ar *ei ganfed*,' medden ni.

Mae'n ymddangos bod y dywediad ar arfer cyn cael y Beibl yn Gymraeg. Cawn enghraifft ohono yn Llyfr Coch Hergest a Llyfr Ancr Llanddewibrefi o'r 14 ganrif. Ond rwy'n go siŵr fy meddwl mai Dameg yr Heuwr a'i hangorodd yn yr iaith.

Wrth imi dynnu fy hanes boced tu allan i ddrws y capel fe syrthiodd nodiadau fy mhregeth i bwll o ddŵr. 'Wel, dyna hen dro,' meddwn. 'Peidiwch â phoeni,' meddai un o'r brodyr, 'mi fydd yn ddigon sych ichi eto'. Fe ddaeth allan 'ar ei ganfed'.

Ar ei (fy) uchelfannau. Codi o'r ysgrythur a wnaeth 'ar ei uchelfannau' yn fwy na thebyg. Awgrym R. E. Jones yn ei ALIC yw i'r dywediad ddatblygu o un arall, sef 'ar uchelfannau'r maes'.

Saif yr idiom am rywun yn ei hwyliau gorau yn pregethu, annerch neu ddifyrru, neu'n wir, pan fo popeth yn mynd yn dda ac yn hwylus, neu wedi cael rhyw newydd da mwy na'i gilydd.

Ar ôl bod yn mynd am brofion diri' yn ystod y flwyddyn ddwaetha', mae Tom acw wedi cael dalen lân o'r diwedd. Roedd o 'ar ei uchelfannau' wedi cael y post bore 'ma. (Gw. *Ar Uchelfannau'r Maes* a *Cwpan yn llawn.)*

Arian ac aur nid oes gennyf. Dyma ran o ymateb Pedr i gais am gardod gan y dyn cloff wrth borth y Deml: 'Arian ac aur nid oes gennyf, eithr yr hyn sydd gennyf hynny yr wyf yn ei roddi i ti; yn enw Iesu Grist o Nasareth cyfod a rhodia' (Act. 3: 6 HFC). Does nemor ddim gwahaniaeth yn y BCN.

Ar y cyfan, dichon mai pobl gyffredin eu hamgylchiadau fedr ddirnad ystyr y geiriau orau, a'r rhai sydd debycaf o wneud defnydd ohonyn nhw.

'Dyna i chi ddwsin o wyau i fynd adre i'r wraig a'r hen blant, Mr. Jôs. Mae wyau'n bethau 'rwy'n medru'u rhoi. Fel y gallwch chi feddwl, 'arian

ac aur nid oes gennyf', Mr. Jôs bach. 'ond yr hyn sydd gennyf yr wy'n ei roddi i ti'. Ydw'i wedi dweud y geiriau'n iawn, dwedwch?

Ariangarwch. 'Canys gwreiddyn pob drwg yw ariangarwch,' medd Paul wrth Timotheus (1 Tim. 6: 10 HFC). Yn y BCN cawn 'oherwydd gwraidd pob math o ddrwg yw cariad at arian'. Mae'r rhain yn eiriau a gamddëellir ac a gamddefnyddir yn amlach, o bosibl, nag unrhyw eiriau eraill o'r Beibl. Nid dweud bod arian yn wreiddyn pob drwg a wneir, ond yn hytrach, bod *cariad* at arian yn wreiddyn pob drwg. A hwyrach bod y BCN yn llawn cliriach ei drosiad wrth ddweud 'gwraidd pob *math* o ddrwg', sy'n awgrymu nad arian yw gwreiddyn *pob* drwg fel yr awgryma'r HFC. 'For the love of money is a source of all kinds of evil' (GNB).

'Does dim dwywaith na fu ariangarwch yn gyfrifol am lawer o ddrwg, yn wir, am ddigon o ddrwg i wneud y peth yn ddihareb.

Y creadur bach yn rhoi diwedd arno'i hun ar ôl colli cymaint o arian ar y fenter 'na, ond dyna ni, 'ariangarwch ydy gwreiddyn pob drwg'.

Nid oes ymorol fawr am serch,
Na chwaith am ferch naturiol,
Ym mhob man mae'r cryf a'r gwan
Am arian yn ymorol. (Hen Bennill.)

Mae arian yn was da, ond yn feistr drwg. (Anhysbys.)

Ar lasiad y dydd. O stori yn yr HD sy'n mynnu'n hatgoffa am Jemima Nicolas yn twyllo'r Ffrancwyr yn Abergwaun, y cafwyd yr ymadrodd 'ar lasiad y dydd'. Cawn Fyddin Syria yn gwarchae ar Samaria, ond am ryw reswm, daeth y Syriaid i gredu bod byddin brenin Israel yn llawer cryfach nag oedd, a ffoi am eu heinioes fu eu hanes. 'Am hynny, hwy a gyfodasant ac a ffoisant ar lasiad y dydd . . . ac a ffoisant am eu heinioes' (2 Bren. 7: 7 HFC).

Ystyr 'glasiad y dydd' yn ôl GPC yw gwawr, llwydolau neu doriad dydd. Gwelais awgrym y gall, fodd bynnag, olygu'r cyfnos yn ogysal â'r cyfddydd. 'Twilight', sy'n gallu golygu'r naill neu'r llall, a gawn yn yr HFS, y NEB a chan Moffatt. 'Dyma pam yr oeddent wedi ffoi *gyda'r nos*' a rydd y BCN, a '*that evening*' sydd gan y GNB. Rhaid bod yr Hebraeg yn caniatáu 'gyda'r nos' neu 'gyda'r hwyr'. Cyfeirio at 'doriad gwawr', er hynny, a wnawn ni wrth ddefnyddio'r ymadrodd 'ar lasiad y dydd'. Mae'r syniad gan Pantycelyn:

> *'Mi bellach goda' i maes*
> *Ar fore glas y wawr.'* (LLEM 334.)

Roeddwn i wedi rhoi 'mryd ar fynd i ben yr Wyddfa y Sadwrn dwaetha'. Mi gychwynnais ar 'lasiad y dydd', ac yn wir, roeddwn i'n ôl yn Llanberis erbyn cinio.

Ar lun a delw. Cawn awgrym yn GPC bod yr ymadrodd *ar lun a delw* yn cael ei arfer cyn cyfieithu'r Beibl i'r Gymraeg, o leiaf cyn cyfieithu'r HD. Cyfeirir at Morys Clynnog wedi ei ddefnyddio yn ei 'Athrawiaeth Gristnogawl' yn 1568, a Gruffydd Robert, Milan, os mai fo a'i piau, yn 'Y Drych Cristionogawl' yn 1585. Gan nad yw'r naill ddogfen na'r llall yn fy meddiant nid yw'n hawdd imi ddweud p'run ai'n rhannol ynteu yn ei ffurf lawn y defnyddir yr ymadrodd yn yr un o'r ddwy ddogfen. Fe all fod *'ar lun'* yn unig, neu fe all fod *'ar ddelw'* yn unig. Golyga'r ddau yr un peth yn union, ar wahân ac efo'i gilydd. Cryfhau ei gilydd y mae'r ddau mewn partneriaeth yn yr un ymadrodd yn hytrach na newid ystyr y naill a'r llall.

Boed fel y bo am hynny, go brin y byddai'r defnydd a wnaeth Morys Clynnog a Gruffydd Robert o'r ymadrodd *ar lun a delw*, wedi sicrhau lle iddo ar lafar. 'Does dim dadl nad y Beibl Cymraeg a'i cyflwynodd i'r iaith, a pheri i'r tafod llafar gael gafael arno a gwneud defnydd cyson ohono.

Yn Genesis cawn y ddwy ran o'r ymadrodd yn yr un adnod ond nid yn yr un dywediad cryno. "Gwnawn ddyn ar ein delw ni, wrth ein llun ein hunain" (Gen. 1: 26 HFC). 'Does nemor ddim gwahaniaeth yn y BCN 'Gwnawn ddyn ar ein delw, yn ôl ein llun ni'. Pedair pennod yn ddiweddarach, fodd bynnag, cawn yr ymadrodd yn gryno lawn. 'Bu Adda fyw am gant tri deg o flynyddoedd, cyn geni mab iddo, *ar ei lun a'i ddelw*, a galwodd ef yn Seth' (Gen. 5: 3 BCN). Wrth gwrs 'ar ei lun a'i ddelw' oedd yn yr HFC hefyd.

Gan i'r idiom ddod o gysylltiadau mor gyfarwydd, a chan i'r Cymry fod yn gymaint o "bobl y Llyfr" ar un adeg, nid syndod ei bod ar arfer yn gyffredinol yn y Gymraeg. Mae'n werth sylwi, fodd bynnag, mai wrth gyfeirio at debygrwydd *personau* y defnyddir hi yn y Beibl, ond mai wrth ymdrin â thebygrwydd *pethau* yr arferwn ni'r ymadrodd. *Yr un ffunud*, neu *'run fath yn union*, yw *personau* i ni. Ond pan ddaw hi'n fater o gymharu *pethau*, daw 'ar lun a delw' yn ymadrodd cyfleus.

Doedd gen i ddim dresel ond mi gefais wneud un 'ar lun a delw' yr un sydd gan mam. Mae hi'n werth ei gweld. Prin y gwelai neb wahaniaeth.

Armagedon. Yn ôl Llyfr y Datguddiad, yn y lle hwn, Armagedon, y bydd pwerau'r fall yn ymladd eu brwydr derfynol yn erbyn Duw. 'Ac felly casglasant y brenhinoedd ynghyd i'r lle a elwir yn iaith yr Iddewon, Armagedon' (Dat. 16: 16 BCN). Nid peth newydd oedd y syniad o frwydr dyngedfennol, derfynol, rhwng Duw a galluoedd drygioni. 'Y mae brenhinoedd y ddaear yn barod a'r llywodraethwyr yn ymgynghori â'i gilydd yn erbyn yr Arglwydd a'i eneiniog' (Salm 2: 2 BCN).

Mae'n debyg mai 'Megido' oedd bôn y gair Armagedon, a'r gair cyfan yn golygu bryniau neu ardal Megido. Yng ngwastadedd Estraelon yr oedd Megido, ar y briffordd bwysig o'r Aifft i Ddamascus. Bu'n fan gwrthdaro aml rhwng y gwledydd, ac yn faes y gad yn amlach hwyrach nag un lle arall yn y byd. Hawdd felly oedd i Ioan feddwl am y rhanbarth hwnnw fel maes y frwydr derfynol rhwng Duw a lluoedd y fall.

Deil rhai sectau crefyddol i ragfynegi'r frwydr derfynol hon. Daeth Armagedon yn enw ar y rhyfel hwnnw yn hytrach nag ar y lle fel y cyfryw. Yn ein dyddiau ni estynnwyd cwmpas Armagedon i gynnwys hyd yn oed ryfel niwcliar.

Mi fyddai rhyfel niwcliar yn 'Armagedon', yn ddinistr i ddyn a gwareiddiad, gan adael lleiafrif bach i oroesi.

O! 'Armagedon', sydd yn gwneud y byd
A'r bywyd hwn, yn gwestiwn oll i gyd.
R. Williams Parry, 'Taw, Socrates'.

Asen Adda. Dywediad nad yw yn y Beibl fel y cyfryw, ond sydd â'i gyfeiriadaeth Feiblaidd yn ddigamsyniol. 'Yna parodd yr Arglwydd i drwm-gwsg syrthio ar y dyn, a thra oedd yn cysgu cymerodd un o'i asennau, . . . ac o'r asen a gymerodd, gwnaeth yr Arglwydd wraig . . . gelwir hi yn wraig am mai o ŵr y cymerwyd hi' (Gen. 2: 21-22 BCN).

Medrai'r Hebraeg chware ar y geiriau 'is' (gŵr) ac 'issa' (gwraig). Felly hefyd y Gymraeg *'gŵr'* a *'gwraig'* a'r Saesneg *'man'* ac 'wo*man*'.

Hyd yn oed yn ein blynyddoedd ffeministaidd ni, deil llawer, yn dawel bach, i alw merch yn 'asen Adda'. Yn ôl GPC ceir rhannau o Gymru, Ceredigion yn fwyaf arbennig, yn defnyddio 'Asen Adda!' fel ebychiad o syndod mewn ffordd sy'n cyfateb i 'Good Lord!' yn Saesneg.

Mi stopiais i helpu rhyw ddynes oedd yn amlwg wedi cael brathiad i deiar ei char. 'Roedd hi'n methu'n lân â daffod yr olwyn. Wrth fy ngweld i'n gwneud hynny'n bur ddidrafferth, cyfaddefodd fod gan ddyn fôn braich cryfach na dynes wedi'r cwbl. 'Ond dyna fo', meddai, 'asen Adda' ydy dynes, be fedrwch chi'i ddisgwyl?'

Â'th (Â'i, Â'm) holl egni. Cawn 'â'th holl egni' mewn rhyw ffurf neu'i gilydd wyth o weithiau yn y Beibl. Sonnir, e.e., am Ddafydd yn dawnsio 'â'i holl egni' (2 Sam. 6: 14). Ond yr enghraifft fwyaf adnabyddus, heb amheuaeth, a'r un gyntaf a rydd GPC, yw honno o Lyfr y Pregethwr: 'Beth bynnag a ymafael dy law ynddo i'w wneuthur, gwna â'th holl egni' (Preg. 9: 10 HFC). 'Beth bynnag yr wyt yn ei wneud, gwna â'th holl egni' (BCN); 'Whatever task lies to your hand, do it with all your might' (NEB); 'Work hard at whatever you do' (GNB); 'Throw yourself into any pursuit that may appeal to you' (Moffatt). 'With all your might' a rydd yr HFS hefyd. Dichon bod yr idiom Saesneg 'with might and main' yn rhoi'r ystyr yn dda.

Rheswm y Pregethwr dros inni wneud pob peth â'n holl egni yw na fydd cyfle i hynny yn y bedd ('Sheol' BCN), 'lle'r wyt ti'n myned' (Preg. 9: 10 HFC). Ond wrth ddisgrifio ambell i berson diwyd, diarbed a diddiogi wrth ei waith a'i orchwyl y daw'r ymadrodd yn un buddiol i ni.

Mae'r hen Ifan â'i drwyn ar y maen yn ddiddiwedd, wrthi 'â'i holl egni' bob amser, fel pe bai'n lladd nadroedd.

Arwyddion yr amserau. Rhan o ateb Iesu Grist i gais y Phariseaid a'r Saduceaid am arwydd ganddo o ddilysrwydd ei weinidogaeth, yw'r dywediad *arwyddion yr amserau.* Yr oedd yn nodweddiadol o'r Iddewon i ofyn am dystiolaeth ddigamsyniol gan y rhai a honnai fod yn broffwydi Duw. Dyna a barodd i Paul ddweud, "y mae'r Iddewon yn gofyn am arwyddion" (1 Cor. 1: 22 BCN). Fe ofynnwyd rai gweithiau i Iesu am arwydd. Am 'arwydd o'r nef' y gofynnir, h.y., arwydd rhyfeddol ac allan o'r cyffredin. Wrth ymateb i'r fath gais y cawn Iesu Grist yn dweud, 'chwi a fedrwch ddeall wyneb yr wybren; ac oni fedrwch arwyddion yr amserau?' (Math. 16: 3 HFC). Medru darogan y tywydd, — awyr goch fin nos yn arwydd o ddiwrnod braf drannoeth; awyr goch yn y bore yn arwydd o ddiwrnod gwlyb — ond heb fedru deall arwyddocâd pethau mwy eu pwys o'u cwmpas. Da a chlir yw'r cyfieithiad newydd: 'gwyddoch sut i ddehongli golwg y ffurfafen, ond ni allwn ddehongli arwyddion yr amserau' (BCN).

Yn ôl GPC, dyma'r enghraifft gynharaf o'r ymadrodd yn ein llenyddiaeth. Mae'r ystyr yn ddigon amlwg: deall ystyr pethau; craffu ar ogwydd pethau; gweld arwyddocâd pethau.

'Cafodd y Sais, yntau, ei 'sign of the times' o'r un cysylltiadau Beiblaidd yn sicr.'

Mae'r ffaith ein bod, er mwyn cael cynulleidfa, yn gorfod cyhoeddi'r Gymanfa Ganu yn Gymanfa Ganu Fodern, yn rhan o 'arwyddion yr amserau'.

(Yr) Awdurdodau goruchel. 'Ymddarostynged pob enaid i'r awdurdodau goruchel; canys nid oes awdurdod ond oddi wrth Dduw; a'r awdurdoddau y sydd, gan Dduw y maent wedi eu hordeinio' (Rhuf. 13: 1 HFC). Dyna Paul yn annog yr hyn sy'n ymddangos yn ufudd-dod llwyr, digwestiwn i'r awdurdodau sifil. 'Y mae'n rhaid i bob dyn ymostwng i'r awdurdodau sy'n ben. Oherwydd nid oes awdurdod heb i Dduw ei sefydlu, ac y mae'r awdurdodau sydd ohoni wedi eu sefydlu gan Dduw' (BCN). Mae geiriau Paul yn agor holl fater dyrys perthynas y Cristion a'r Eglwys â'r wladwriaeth ac â'r gyfraith, a.y.y.b. Bu'n ddraenog o fater o'r cychwyn cyntaf. A phery felly. Bu geiriau'r Apostol yn achos i lawer gyhuddo'r eglwys o fod yn geidwadol ac o fod yn rhy barod i dderbyn pethau fel y maen' nhw o hyd (*status quo*) yn gymdeithasol ac yn wleidyddol.

Sut bynnag am hynny, mae'r ymadrodd 'awdurdodau goruchel' wedi'n cyrraedd ni o'r union gyd-destun hwn. 'Chartrefodd y dywediad 'yr awdurododau y sydd' (HFC) ddim i'r un graddau o lawer. Hwyrach bod 'Yr awdurdodau sydd ohoni' (BCN) yn debycach o gydio. 'The powers that be' a ddywed y Sais, gan ddilyn yr HFS, ond i'r Cymro 'yr awdurdodau goruchel' sydd yn ei gynnig ei hun gyntaf, a hynny'n aml mewn tôn llais braidd yn wawdlyd. Ac rwy'n siŵr na fydd 'yr awdurdodau sy'n ben' (BCN) byth yn debyg o'i ddisodli.

'Mae'n hen bryd gwneud rhywbeth ynglŷn â'r tro Tan 'Rallt 'na. Mi fydd 'na rywun yn cael 'i ladd yna un o'r dyddiau 'ma cyn sicred â'r byd. Ond, dyna fo, dydy'r "awdurdodau goruchel" tua'r Cyngor Sir 'na byth yn gwrando ar neb nes bydd rhywun wedi'i ladd.'

B

Babel. Dyma'r ffurf Hebraeg ar yr enw Babilon. Yno, yn ôl y chwedl yn Llyfr Genesis, y cymysgwyd iaith dyn yn dâl am ei falchder a'i haerllugrwydd. 'Yn iaith . . . oedd i'r holl fyd . . . Dywedasant wrth ei gilydd, "Dewch, adeiladwn i ni ddinas, a thŵr â'i ben yn y nefoedd ...," a dywedodd yr Arglwydd "y maent yn un bobl a chanddynt un iaith; y maent wedi dechrau gwneud hyn . . . Dewch, disgynnwn, a chymysgu eu hiaith hwy yno, rhag iddynt ddeall ei gilydd yn siarad" . . . am hynny gelwir ei henw Babel' (Gen. 11: 1-9 BCN).

Ystyr yr enw Babel yw cymysgedd. Mae hon yn ymdrech dra diddorol i egluro tarddiad yr amrywiaeth ieithoedd yn y byd. Daeth Babel yn ddelwedd fyw wrth sôn am gyfarfyddiad o bobl o wahanol ieithoedd, neu am sefyllfa lle mae pawb yn siarad ar draws ei gilydd.

'Cefais wefr a bendith o fod yn y gynhadledd gydwladol, er cymaint o "Fabel" ieithyddol oedd hi.'
'Efo'r un glust 'ma, ddeallais i nemor ddim a ddywedwyd yn y pwyllgor. Roedd hi fel "Babel" yno, pawb yn siarad ar draws ei gilydd.'

Bara beunyddiol. Ymadrodd tra chyffredin ar ein gwefusau yw *'bara beunyddiol'*, sy'n golygu, ar y cyfan, bwyd neu gynhaliaeth. Yng nghwrs amser, fodd bynnag, a hynny'n drosiadol i raddau, daeth i olygu *'bywoliaeth'* yn ogystal, h.y., moddion prynu'r gynhaliaeth yn ogystal â'r gynhaliaeth, y ffon bara yn ogystal â'r bara. Oni soniwn am hwn-a-hwn yn ennill ei 'fara beunyddiol' yn Lloegr neu rywle arall, lle gallem yn hawdd ddweud ennill ei 'fywoliaeth' yn Lloegr? Daeth y ddau, 'bara beunyddiol' a 'bywoliaeth', yn gwbl gyfystyr.

'Does dim dadl, fodd bynnag, nad o'r Pader y cawsom ni'r ymadrodd, ac yno yn golygu 'cynhaliaeth' ac nid bywoliaeth. 'Dyro i ni heddiw ein bara beunyddiol' (Math. 6: 11 HFC). Ar wahân i roi'r ffurf *'inni'* yn lle *'i ni'* cadwodd y BCN at yr hen gyfieithiad.

Yn Lerpwl mae'r mab 'ma'n ennill ei fywoliaeth, a'r ferch yn ennill ei 'bara beunyddiol' yn Llundain.

Bethel. Ystyr Bethel yw Tŷ Dduw. Dyma'r enw, yn ôl y stori, a roes Jacob ar y fan (*Lus*) y cafodd ei freuddwyd enwog am yr ysgol â'i phen yn cyrraedd hyd y nef, ac angylion yn disgyn ac esgyn ar hyd-ddi. Wedi deffro meddai Jacob, 'Mor ofnadwy yw'r lle hwn! Nid yw'n ddim amgen na thŷ i Dduw a dyma borth y nefoedd' (Gen 28: 17 BCN). Galwodd y lle yn Bethel.

A'r ystyr yn dŷ Dduw, daeth Bethel yn enw oedd yn ei gynnig ei hun yn enw priodol iawn, ac addas, ar gapel. Ond daeth hefyd yn rhyw fath o enw cyffredin am addoldy ymneilltuol fel y cyfryw.

Fuost ti ym 'Methel' ddoe? h.y., fuost ti yn y capel ddoe?
Mae'n chwith gweld capeli'n cau. Mae pob 'Bethel' rywsut yn dyst i ffydd ac aberth y tadau.

Mae'r 'Bedol' ar yr aswy,
A 'Bethel' ar y dde. I. D. Hooson 'Mynwent Bethel'

Blaenffrwyth. Cyfuniad o ddau air y bu'r Beibl yn help i'w gadw yn fwy nag i'w greu yw 'blaenffrwyth'. Bu iddo ryw fath o arlliw ac o gysylltiadau crefyddol ar bob adeg. Diffiniad GPC ohono yn ei ystyr llythrennol yw "cynnyrch cynharaf y tir, yn enwedig y gyfran a offrymir i Dduw, ffrwyth cyntaf llafur dyn (*first-fruit*)". Yn y Beibl fe'i ceir yn y ddau ystyr, llythrennol a ffigurol, "dygwch ysgub 'blaenffrwyth' eich cynhaeaf at yr offeiriad" (ystyr llythrennol Lef. 23: 10 HFC). "Eithr yn awr Crist . . . a wnaed yn 'flaenffrwyth' y rhai a hunasant" (ystyr ffigurol 1 Cor. 15: 20 HFC). Sonia Paul hefyd am "flaenffrwyth yr ysbryd" (Rhuf. 8: 23, 11: 16, 16: 5, 1 Cor. 16: 15).

Daliwn ninnau i'w ddefnyddio, fel Paul, mewn ystyr drosiadol.

Deuparth gwaith yw ei ddechrau. Mi fûm yn d'rogan cael llyfryn o atgofion at 'i gilydd ers tro byd. A deud y gwir mae tair pennod wedi eu hysgrifennu. Rhyw obeithio ydw'i fod y rheini'n 'flaenffrwyth'.

Blaidd mewn croen dafad. Gau broffwydi, yn ôl Iesu Grist, oedd y "rhai sy'n dod atoch yng ngwisg defaid, ond sydd o'u mewn yn fleiddiaid rheibus" (Math. 7: 15 BCN). Yn yr unigol, fel arfer, daeth i gynrychioli rhai sy'n ymddangos yn ddigon diddrwg, ond sydd mewn gwirionedd yn rhai tra pheryglus. Byddai rhai yn labelu aelodau o heddluoedd cudd, fel yr MI5 a'r MI6 ym Mhrydain, fel "rhai sy'n dod atoch yng ngwisg defaid ond sydd o'u mewn yn fleiddiaid rheibus".

Mae'r dyn diarth 'na yn honni cydymdeimlad â'n hamcanion ni, ond mae gen i deimlad weithiau mai 'blaidd mewn croen dafad' ydy o, yn clustfeinio ac yn cario i'r heddlu.

(Y) Brawd gwan. Yn ei lythyr cyntaf at y Corinthiaid dywed Paul, "os gwêl neb dydi sydd â gwybodaeth gennyt, yn eistedd i fwyta yn nheml yr eilunod, oni chadarnheir ei gydwybod ef, ac yntau yn wan, i fwyta y pethau a aberthwyd i eilunod; ac a ddifethir y 'brawd gwan' drwy dy wybodaeth di . . .?" (1 Cor. 8: 10, 11 HFC). Dadl Paul yw nad oes gan y Cristion hawl i ddefnyddio'i ryddid i ymbleseru, nac i wneud dim, pan fo hynny yn debygol o fod yn faen tramgwydd i rywrai eraill gwannach.

Yn y gorffennol defnyddiwyd dadl yr Apostol yn helaeth i ategu achos dirwest a llwyrymwrthod â diodydd meddwol. Bu'r ymadrodd 'brawd gwan' yn arf miniog ac effeithiol ar y llwyfan hwnnw. Bellach, gyda'r un addasrwydd, gellid defnyddio'r un ddadl yn y frwydr yn erbyn cyffuriau a baco. Gwnawn ddefnydd estynedig, ac weithiau lled drosiadol, o'r ymadrodd.

'Dydy dringo'n ddim byd i Elfed. Mae wrthi'n wastad. Mi fentrais efo fo i fyny Aran Benllyn. Bu bron iddo â'm lladd. 'Fedrwn i mo'i ganlyn. Bu'n rhaid imi ofyn iddo 'gofio'i frawd gwan'.

Y Brenin Mawr. 'Does dim dadl am darddiad a chynefin yr enw hwn ar Dduw. Fe'i ceir yn y ddau Destament, gan y Salmydd yn y naill a chan Iesu Grist yn y llall. Wrth ogoneddu Jerwsalem dywed y Salmydd ". . . llawenydd yr holl ddaear yw mynydd Seion . . . dinas y brenin mawr" (Salm 48: 2 BCN). Wedyn mae Iesu Grist wrth wahardd tyngu llw yn dweud fel hyn yn ôl Mathew, "peidiwch â thyngu llw o gwbl . . . nac i Jeriwsalem, gan mai dinas y Brenin mawr yw" (Math. 5: 35 BCN).

Onid oes anghysondeb yn y cyfieithu yn y ddwy enghraifft uchod? B fach ac M fach sydd yn y Salm, sef y 'brenin mawr'. Ym Mathew cawn B fawr ac M fach, y 'Brenin mawr'. 'Brenin Mawr' a gafwyd gan William Morgan yn y Salm ond 'brenin mawr' gan W. Salisbury ym Mathew. Y mae nhw wedi eu newid o chwith yn y BCN.

Oni ddylai enw ar yr Hollalluog fod â B fawr ac M fawr ym mhob achos? Mae yna frenhinoedd eraill yn bod, ond un Brenin Mawr. Bu '*mawr*' yn dwyn yr ystyr o enwog, hynod, pwysig, dylanwadol, a.y.y.b., mewn enwau brenhinoedd a llywodraethwyr, e.e., Llywelyn Fawr, Alecsander Fawr. Go brin yr ysgrifennem enw Llywelyn Fawr efo F fach. Os yw'r teitl 'Brenin Mawr' yn un a ddefnyddir ar Dduw a hynny efo'r fath barchedigaeth, onid oes ddadl dros y ffurf 'Brenin Mawr' bob gafael? Hyd yn oed os os oes newid wedi bod mewn ffurfiau ieithyddol o'r math hwn, mae dadl gref wedyn dros wneud eithriad yn achos y Brenin Mawr.

Mi ddefnyddiwn yr ymadrodd yn aml yn gyfan gwbl allan o'i gysylltiadau gwreiddiol, a hynny mewn ffordd lacach a llai parchedig, er nad mewn unrhyw fodd yn anystyriol. Daw'n hwylus ar dro i osgoi defnyddio yr enw Duw fel y cyfryw. Dro arall fe'i defnyddiwn braidd yn ddireidus i wadu rhyw bethau a briodolir inni.

Mi gefais andros o sgid efo'r car. 'Roedd hi wedi rhewi; mi fu bron, bron i mi fynd ar fy mhen i bolyn telegraff, ond diolch i'r 'Brenin Mawr', mi ddois allan ohoni rywsut.
Digon o arian gen i, ddwedest ti? 'Brenin Mawr' nagoes! O ble y ces i nhw?

Breuddwydio breuddwydion. Yn "apologia" Pedr ddydd y Pentecost, a'i ymdrech i egluro'r hyn oedd yn digwydd, y cawn "*breuddwydio breuddwydion*". "Hyn", meddai, "yw'r peth a ddywedwyd trwy y proffwyd Joel", "A bydd yn y dyddiau diwethaf (medd Duw) y tywalltaf o'm hysbryd ar bob cnawd, a'ch meibion chwi a'ch merched a broffwydant, a'ch gwŷr ieuainc a welant weledigaethau a'ch hynafgwyr a *freuddwydiant freuddwydion*" (Act. 2: 17 a Joel 2: 28 HFC).

"A *welant* freuddwydion" sydd yn Joel yn yr HFC ac yn wir dyna a gawn yn Joel a'r Actau yn y BCN. Fe fu'r ffurf "*gweld* breuddwyd" yn un digon arferedig yn y Gymraeg, a hynny yn amlwg hyd at gyfieithu'r Beibl ac wedyn. Ond bellach aeth yn ffurf ddieithr i'n clustiau. *Cael* breuddwyd a wnawn ac nid *gweld* breuddwyd. Ond am ryw reswm cadwodd y BCN at "*gwelant* freuddwydion" yn ôl Joel, a newid "breuddwydio breuddwydion" i "gweld breuddwydion" yn Llyfr yr Actau. "Your old men shall dream dreams" a rydd yr HFS, y NEB a Moffatt yn Joel ac yn yr Actau. Ond "your old men will *have dreams*" a geir gan y GNB yn y ddau le.

Ond boed *weld* breuddwyd neu *gael* breuddwyd, idiom Hebreig iawn wrth gwrs yw "breuddwydio breuddwydion" ac wedi mynnu ei lle yn ein hymadroddi. Nid bellach, fodd bynnag, i gyfleu gwledigaeth lachar yn gymaint ag i bwrpas bychanu neu ddifrïo ambell honiad neu syniad carlamus neu freuddwyd gwrach yn ôl ei 'wyllys.

'Mae hwn-a-hwn yn meddwl y bydd o'n cerdded i mewn yn yr etholiad, ond rwy'n ofni mai "breuddwydio breuddwydion" y mae o.'

Bwch dihangol (Sgapegoat). Ysgrythurol ac Iddewig i'r eithaf yw cefndir yr ymadrodd 'bwch dihangol'. Daw o gyfraith Moses yn Lefiticus (Lef. 16). Ar ddydd y cymod (y dydd pan ymdrechai dyn i drwsio'i berthynas â Duw), yn unol â chyfraith Moses, dewisid dau fwch gafr. Aberthid un yn aberth dros bechod (pech-aberth). Ar y llall, mewn defod symbolaidd, rhoid drygau a phechodau'r bobl, yna ei hebrwng i le di-neb-man yn yr anialwch, ac yno ei ollwng yn rhydd. Dyma'r geiriau perthnasol: "bydd yn cyflwyno'n fyw gerbron yr Arglwydd y bwch y disgynnodd coelbren y bwch dihangol arno, er mwyn gwneud iawn trwy ei ollwng i'r anialwch yn 'fwch dihangol' " Lef. 16: 10 BCN). 'Gafr ddihangol' oedd gan W. Morgan ym Meibl 1588. 'Sgapegoat' sydd yn yr HFS. "Goat offered as a sin offering" (Moffatt). Tebyg iawn yw'r cyfieithiadau Saesneg eraill. O Feibl 1620 y cawsom 'bwch dihangol' a hwnnw sydd wedi glynu.

Mae'n amlwg mai dull gweddol gyntefig dyn o'i ddi-euogi ei hun oedd y 'bwch dihangol'. Gosod ei feiau ar gefn y bwch i gael gwared â nhw. A'r bwch felly yn dod yn 'fwch dihangol' i ddyn. 'Does dim angen llawer o ddychymyg wedyn i weld sut y daeth 'bwch dihangol' yn ymadrodd am unrhyw un y gosodir arno'r bai, a'i gosbi, am ymddygiad rhywun arall. Mae'n ymadrodd arferedig iawn o hyd, a'i gefndir Iddewig yn goleuo'r ystyr.

Beio rhywun arall am ei feiau ei hun yw hanes dyn erioed. Bwrw'r bai ar

Efa a wnaeth Adda. 'Chaiff dyn byth drafferth i ddod o hyd i 'fwch dihangol'.

Bwrw coelbren. Er bod GPC yn rhoi inni un enghraifft o'r ymadrodd 'bwrw coelbren' mewn dogfen o'r 13g, sef *Brut Dingestow*, 'does dim dwywaith nad y Beibl a'i rhoes yn ein geirfa. 'Allwn ni mo'i glywed na'i ddefnyddio heb fod ei gysylltiadau Beiblaidd yn llamu i'n meddwl.

Dyma ddull yr Iddewon gynt, a chenhedloedd eraill o ran hynny, o ddewis swyddogion, o rannu tiroedd ac o wneud unrhyw benderfyniad o bwys. Rhoid nifer o goelbrennau, darnau o goed fel arfer, mewn llestr, ac yna tynnu un allan, neu ysgwyd un allan, ar antur. Dyma a wnawn ninnau efo raffl, dim ond mai darn o bapur a dynnwn ni o lestr neu o het. Wrth gwrs, mae 'tynnu byrra'i docyn' yn berthynas agos i 'bwrw coelbren'. Y gwahaniaeth mawr, fodd bynnag, rhwng 'tynnu byrra'i docyn' a 'bwrw coelbren' yw y credai'r Iddewon fod y canlyniad yn amlygiad o ewyllys Duw. 'Roedd i'r canlyniad, er ar antur, awdurdod dwyfol.

O'r pymtheg cyfeiriad sydd yn y Beibl at fwrw coelbren mae rhai yn dra adnabyddus, yn enwedig y rhai o'r TN. Adeg croeshoelio Iesu Grist disgrifir y milwyr Rhufeinig yn bwrw coelbren wrth rannu ei ddillad. "A rhanasant ei ddillad gan fwrw coelbren arnynt i benderfynu beth a gâi pob un" (Marc 15: 24 BCN). Bwrw coelbren a wnaed hefyd wrth ddewis un i lenwi'r bwlch a adawodd Judas yn rhengoedd y disgyblion. 'Roedd y dewis rhwng Joseff Barsabas a Mathïas. "Bwriasant goelbrennau arnynt a syrthiodd y coelbren ar Mathïas" (Act. 1: 26 BCN). "Casting lots" a geir yn yr HFS a'r NEB. "Drawing lots" a rydd Moffatt a "throwing dice" sydd gan y GNB.

Daliwn i fwrw coelbren wrth siarad, pan fo unrhyw fath o ddewis, neu o benderfyniad, yn dibynnu ar siawns neu antur. Ond mae gen i deimlad mai am benderfyniad neu ddewisiad mwy bwriadol pobl y'i defnyddiwn fwyaf erbyn hyn, yn hytrach na'r hyn a wneir ar antur.

Mae Owen Parry wedi troi'i gôt eto. Mae wedi 'bwrw'i goelbren' efo'r Bedyddwyr y tro yma.

Bwrw'r draul. "Canys pwy ohonoch chwi â'i fryd ar adeiladu tŵr, nid eistedd yn gyntaf a 'bwrw'r draul', a oes ganddo a'i gorffenno?"

(Luc. 14: 28 HFC). Mae i'r gair *bwrw* yr ystyr o gyfrif neu ystyried, ac i'r gair *traul* yr ystyr o gost. Cyfri'r gost, felly, yw bwrw'r draul. Dyna a gawn yn y BCN. "Oni fydd yn gyntaf yn eistedd i lawr i gyfrif y gost?"

Yn drosiadol daeth yr ymadrodd i olygu ystyried yn ofalus bob math o fenter neu ymgymeriad.

Wnes i ddim 'bwrw'r draul' hanner digon cyn codi'r tŷ 'ma yn y llecyn arbennig yma. Rydw'i wedi gorfod talu'n ddrud am beidio gwneud hynny.

Bwrw dy fara. Rhan o un o gynghorion Llyfr y Pregethwr i'r ifainc. "Bwrw dy fara ar wyneb y dyfroedd, ac fe'i cei'n ôl ymhen dyddiau lawer" (Preg. 11: 1 BCN). Dyma yn union a wneir efo reis, ei hau'n llythrennol ar wyneb y dŵr, a'i gasglu'n gnwd ymhen cyfnod o amser. Mae hi'n anodd dweud ai dameg o leoedd fel Morfa'r Afon Neil neu Forfa'r Tigris ac Euphrates sydd yma. Prin y mae afon ym Mhalesteina ei hun yn awgrymu'r darlun.

O gyplysu'r adnod gyntaf a'r ail efo'i gilydd fe all swnio fel anogaeth i fod yn hael ac yn gymdogol, heb ddisgwyl dim yn ôl ond gwneud cyfeillion a chymdogion. "Rhanna dy gyfran rhwng saith neu wyth", medd yr ail adnod.

Byddai rhai am ddweud mai annog ymddiried marsiandïaeth i drafnidiaeth llongau sydd yma, a bod yn rhaid disgwyl yn amyneddgar am y llongau i'r porthladd. Gellir eto ategu'r syniad yma efo'r ail adnod, "Rhanna dy gyfran rhwng saith neu wyth", h.y., rhwng nifer o longau. Peidio â rhoi'r wyau i gyd yn yr un fasged, neu beidio dibynnu ar odro un fuwch!

Fe'i defnyddiwn am lafur mawr a diwyd rhywun sydd wedi mentro ac wedi llwyddo, ond wedi bod yn hir cyn gweld ffrwyth ei lafur. Ond daw'r geiriau'n rhai hwylus hefyd i swcro mentro a buddsoddi mewn ystyr fasnachol.

Mae 'na grantiau i'w cael heddiw at gychwyn dy fusnes dy hun. Mae gen ti grefft ardderchog fel saer dodrefn. Mentra i grogi! Mae'n rhaid iti 'fwrw dy fara ar wyneb y dyfroedd' mewn bywyd, wyddost.

Bwrw i'r llyn. Daw'r ymadrodd 'bwrw i'r llyn' o stori'r claf wrth Lyn Bethesda (Ioan 5). Sonnir am ddŵr y llyn hwnnw'n cael ei gynhyrfu rŵan ac yn y man. Y claf cyntaf a gâi'r llyn pan gynhyrfid y dŵr a gâi iachâd o ba anhwylder bynnag oedd arno. Pan ofynnodd Iesu i un o'r cleifion a oedd wedi bod yn disgwyl ei gyfle am ddeunaw mlynedd ar hugain, "a wyt ti'n dymuno dy wneud yn iach?", ateb y dyn oedd, "nid oes gennyf neb i'm 'bwrw i'r llyn' " (Ioan 5: 6,7. 'Doedd yno neb i'w swcro, i'w symbylu, neb i'w gefnogi, neb i'w helpu i gael i'r lle y carai fynd.

Daeth yr ymadrodd yn un cyfarwydd ac ystyrlon, lle sonnir am gefnogi a symbylu rhywun.

'Rwy'n siŵr braidd y byddai Tom wedi cael y swydd 'na pe bai wedi cael rhywun o ddylanwad i'w 'fwrw i'r llyn'.

Bwyta bara seguryd. Ffurfia'r dywediad 'bwyta bara seguryd' ran o glod Llyfr y Diarhebion i'r wraig dda, rinweddol: "Hi a graffa ar ffyrdd tylwyth ei thŷ ac ni fwyty hi fara seguryd" (Diar. 31: 27 HFC). "Y wraig fedrus" y gelwir hi yn y BCN, a'i chlod wedi ei eirio ychydig yn wahanol, ond heb newid yr ystyr. "Y mae'n sylwi'n fanwl ar yr hyn sy'n digwydd i'w theulu, ac nid yw'n bwyta bara segurdod". Fel "the capable wife" y'i disgrifir yn y NEB a'r GNB hefyd, ac mae'r GNB wedi aralleirio'r adnod drwy roi "she is always busy and looks after her family's needs". Tybed, fodd bynnag, na fyddai 'diligent' (diwyd) neu 'industrious' (dyfal) wedi bod yn well na 'busy' o ystyried yr ystyr?

Am ddweud mae'r geiriau nad yw'r wraig dda (fedrus) byth yn bwyta bwyd nad yw wedi gweithio'n ddiwyd amdano. Y mae'n ei lawn haeddu. Fe ddefnyddiwn ni'r ymadrodd 'bwyta bara seguryd' wrth gyfeirio at bobl sy'n cael eu bwydo, heb wneud dim amdano. O segura y daw segurdod neu seguryd, ac fel rheol mae blas diogi ar y ferf 'segura' i ni. Mae yna segurdod anwirfoddol lle mae dyn yn cael ei wneud yn segur (redundant). Ond mae 'na segurdod gwirfoddol a di-alw-amdano pan nad yw dyn yn ewyllysio cael gwaith. I ni, 'bwyta bara seguryd' y mae'r dyn hwnnw. Caiff ei gynhaliaeth heb ddangos unrhyw osgo i gael gwaith, er bod gwaith i'w gael.

'Mae Robin yn byw fel George ar y wlad. Fel 'na ydw i'n i gofio. Ymdrechodd o 'rioed i gael gwaith. 'Bwyta bara seguryd' ydy 'i hanes o ar hyd 'i oes.'

Bwytewch, yfwch a byddwch lawen. Uwchben ei ddigonedd ac yn ei hunan-fodlonrwydd y mae'r gŵr goludog ('Yr ynfytyn cyfoethog'

BCN) yn nameg Iesu Grist yn ei berswadio'i hun ac yn dweud "Ddyn, y mae gennyt stôr o lawer o bethau ar gyfer blynyddoedd lawer; gorffwys, bwyta, yf, bydd lawen" (Luc 12: 19 BCN). Yn ôl *Brewer's Dictionary of Phrase and Fable* 'roedd hwn yn ddywediad traddodiadol gan yr Eifftiaid, a fyddai mewn gwleddoedd yn arddangos sgerbwd dynol, i atgoffa'r gwahoddedigion am freuder a byrder bywyd.

Ceir adlais o hyn gan Eseia: "Dyma lawenydd a gorfoledd, lladd gwartheg a lladd defaid, bwyta cig ac yfed gwin a dweud, 'gadewch inni fwyta ac yfed, oherwydd yfory byddwn farw' " (Es. 22: 13 BCN).

Adleisir yr un agwedd meddwl yn Llyfr y Pregethwr: 'Yr wyf yn canmol llawenydd, gan mai'r unig beth da i ddyn dan yr haul yw bwyta, yfed a bod yn llawen' (Preg. 8: 15 BCN).

Pan oedd rhyfel niwcliar yn fygythiad gwirioneddol, ac yn debyg o roi'r byd mewn gaeaf tragywydd, roedd llawer yn cymryd yr agwedd hon, "Mi fwynhawn ni'n hunain tra medrwn ni. Bwytawn, yfwn, a byddwn lawen, 'does dim sicrwydd y byddwn ni yma 'fory".

Weithiau, fe anogwn ffrindiau i fwynhau pryd o fwyd, efo talfyriad o'r geiriau.

'Dowch, closiwch ato fo. A dweud fel y byddai mam yn dweud, "Dowch, bytwch a byddwch lawen" '.

Byd da. Beth yw cyd-destun naturiol yr ymadrodd hwn — *byd da* — yn ein meddyliau? Yn sicr nid gwaith Lewis Glyn Cothi o'r bymthegfed ganrif, lle, yn ôl GPC, y mae enghraifft ohono. Yn hytrach, dameg y Gŵr Goludog a Lasarus. "Yr oedd rhyw ŵr goludog . . . ac yr oedd yn cymryd *byd da* yn helaethwych beunydd" (Luc 16: 19 HFC). O'r cysylltiadau hynny, a'r ystyr sydd iddo yno, yn ddi-ddadl, y daeth yn ymadrodd cyffredin yn ein iaith.

Ystyr *byd da* yn y ddameg yw stad foethus, ddibrinder. Dyn yn byw'n fras, ac uwchben ei ddigon o bopeth. "Luxurious" neu "sumptuous living" a ddywedai'r Sais, mae'n siŵr. Yr hyn a gawn yn y BCN yw — "ac yn gwledda'n wych bob dydd". Diarddelwyd yr ymadrodd *byd da* yn ffafr trosiad sy'n adleisio'r NEB braidd. Dywed hwnnw, "And he feasted in great magnificence every day". Oni fyddai *byw'n fras beunydd* wedi bod yn llawn gwell?

Mae'n wir mai wrth gyfeirio at foethusrwydd bwyd y gŵr goludog y mae'r ymadrodd *byd da* yn y ddameg. Disgrifir ei foethusrwydd cyffredinol cyn dod at y bwyd. "Gwisgai borffor a lliain main". Ond yn ein defnydd ni o'r ymadrodd, magodd ystyr mwy cyffredinol. Daeth i olygu holl sefyllfa dyn yn ariannol a materol. Nid *bwyd moethus* yn gymaint â *bywyd moethus*. Rhoes y GNB yr ystyr ehangach yma iddo yn y ddameg; "He lived in great luxury every day".

Dichon y gellid dadlau nad yw bellach yn golygu sefyllfa *foethus* o angenrheidrwydd. Yn hytrach, byw cyffyrddus, cysurus, dibrinder. Cael y ddau ben llinyn ynghyd yn gysurus heb fod yn brin o ddim.

'Rydw i'n cofio Dafydd heb ddwy geiniog i'w rhwbio yn ei gilydd, ond mi ymdrechodd yn dda, mi weithiodd yn galea ac mae hi'n 'fyd da' arno ers blynyddoedd.
'Ryden ni'n cwyno'n ddiddiwedd am rywbeth neu'i gilydd a ninnau'n gwybod o'r gore ei bod yn 'fyd da' arnon ni o fel y mae hi ar lawer.

Byth bythoedd. Ymadrodd na ellir ei gryfach i gyfleu'r syniad o *am dragwyddoldeb*. I bob pwrpas y mae'n gyfystyr ag am byth, dros byth, yn dragwyddol, i dragwyddoldeb neu yn oes oesoedd. Ffurf arall arno yw *byth bythol*. Am ryw reswm mae'r gair *byth* efo 'y' hir yn hytrach nag 'y' fer, yn gwneud i dragwyddoldeb swnio'n llawer mwy diderfynau. "Peidiwch bŷth â dweud byth", meddai John Williams, Brynsiencyn. (Fi, nid J. Williams, a roes do dros dro ar y gair byth.) Morgan Llwyd o Wynedd a ofynnodd, "A wyt ti'n meddwl mai byrr yw byth?" (M. Llwyd biau'r ddwy 'r' yn byrr.)

Yn sicr ddigon, caiff estyn y gair *byth* yn yr ymadrodd *byth bythoedd* yr effaith o bwysleisio'r anymarferoldeb neu'r amhosibilrwydd o wneud ambell beth neu o sylweddoli ambell fwriad.

Yn ddiweddar iawn roeddwn i'n gwylio dau frawd yn rhoi gergist newydd mewn tractor. Daeth yn weddol amlwg i mi mai synnwyr y fawd oedd yn eu cyfarwyddo, ac nad oedd yn eu meddiant yr offer addasaf o lawer. Doedd pethau ddim yn gweithio'n dda iawn pan ddaeth hi'n amser gwthio'r gergist i'w lle. Ac mi glywn i un yn dweud, "Chawn ni mo'r peth i'w le fel hyn *byth bythoedd*", efo *byth* hir nid "*byth*" byr!

Ond pa ddefnydd bynnag a wnawn ohono, a boed y gair *byth* yn hir neu'n fyr, ymadrodd ysgrythurol ydi o'n ddi-ddadl. Ym Meibl 1588, yn ôl GPC, y cawn yr enghraifft gyntaf ohono, a'i efell, *byth bythol*, mewn llenyddiaeth Gymraeg.

Meddai'r Salmydd, "Pan flodeuo y rhai annuwiol fel y llysieuyn . . . hynny sydd i'w dinistrio *byth bythoedd*" (Salm 92: 7 HFC).

"For ever and ever" sydd yn yr HFS. Yn y BCN cawn "i'w ddinistrio *am byth*" ac yn y NEB ". . . destroyed for ever". Gan symud oddi wrth y syniad o amser sydd yn yr ymadrodd, rhydd y GNB "totally destroyed".

Wedyn dyna Eseia, wrth sôn am Edom, yn dweud " . . . o genhedlaeth i genhedlaeth y ddiffeithir hi, ni bydd cyniweirydd trwyddi *byth bythoedd*" (Eseia 34: 10 HFC). ". . . ac ni fydd neb yn ei thramwyo *byth eto*" sydd gan y BCN ac yn cytuno'n llwyr â'r NEB sy'n dweud "and no man shall pass through it ever again".

Ar wahân, efallai, i'r gair "cyniweirydd" yn yr HFC (o'r gair cyniwair — tramwyo, wrth gwrs), mae'r ystyr yn ddigon eglur yn y cyfieithiadau hen a newydd. Eto, ildio'i le i "byth eto", ac i "am byth" a fu rhaid i "byth bythoedd" yn y BCN, yn union fel "for ever and ever" i "for ever" yn y NEB.

Mae Twm Tŷ Pen am fynd yn ddoctor medden nhw. Os na fydd yna fwy o siap arno efo'i addysg nag sydd wedi bod hyd yn hyn, fydd y creadur ddim yn ddoctor 'byth bythoedd'.

Byw'n afradlon. Pwy sydd heb wybod ble mae cartref gwreiddiol yr ymadrodd 'byw'n afradlon?' "Ac yno efe a wasgarodd ei dda gan 'fyw yn afradlon' (Luc 15: 13 HFC). Digwmpas yw trosiad y BCN. "Ac yno gwastraffodd ei eiddo ar fyw'n afradlon". "He squandered it (cash) in reckless living" (NEB). Dameg y Mab Afradlon y galwyd y ddameg o'i chychwyn yn Gymraeg. Yn y BCN, fe'i gelwir yn 'Dameg y mab Colledig'.

Byw'n ofer yw byw'n afradlon, — byw'n wastraffus ac yn anghyfrifol, ond nid o angenrheidrwydd mewn ystyr foesol bob amser.

'Mae gŵr Mari Phillips wedi bod yn ennill cyflog mawr ar hyd y blynyddoedd. Ac eto, dydyn nhw ddim uwch bawd sawdl. Maen nhw mewn dyledion diddiwedd. Y drwg ydy, bod y wraig 'na sy' ganddo'n byw uwchlaw 'i safle ac yn "byw'n afradlon" o wastraffus.'

C

(Y) Cadno hwnnw. Herod a alwyd yn gadno gan Iesu Grist. Mewn ffug-bryder amdano fe'i rhybuddir gan y Phariseaid i ddianc am ei fywyd gan fod Herod am ei waed. Meddai yntau: "Ewch a dywedwch wrth y cadno hwnnw, 'Heddiw ac yfory byddaf yn bwrw allan gythreuliaid ac yn iacháu, a'r trydydd dydd cyrhaeddaf gyflawniad fy ngwaith' " (Luc 13: 32 BCN). Pur anystwyth yw'r ffurf 'cyrraedd cyflawniad fy ngwaith' yn y BCN. Oni fyddai 'byddaf yn gorffen fy ngwaith' neu yn 'cwblhau fy nhasg' wedi bod yn well?

Roedd y Cymro, wrth gwrs, yn ddigon cyfarwydd â chyfrwystra cadno cyn cyfieithu'r Beibl i'r Gymraeg, ac wedi galw cyd-ddyn yn gadno yn ddiamau. Ond does dim dwywaith na roed anadl einioes newydd yn y ddelwedd wedi i Iesu ei defnyddio.

''Roedd yr ymgeisydd Seneddol 'na yn addo y byddai ei blaid yn rhoi cynulliad i Gymru o fewn tair blynedd.'
''Dwyt ti 'rioed yn derbyn be mae'r ''cadno hwnnw'n'' 'i addo?'

Cadw'r drws ar agor. Er nad yw'r dywediad fel y cyfryw yn yr ysgrythurau mae'n ymddangos i mi mai cefndir digon ysgrythurol sydd iddo. Yn ôl Llyfr y Cronicl bai Jotham, un o frenhinoedd Jwda, oedd "nid aeth efe i dŷ yr Arglwydd". Am Ahas ei fab, ei fai mawr ef oedd "efe a gauodd ddrysau tŷ yr Arglwydd'. Ond am ei fab yntau, Heseciea, dywedir "efe a agorodd ddrysau tŷ yr Arglwydd" (2 Cron. 27: 2; 28: 24; 29: 3 HFC). Bu agor drysau tŷ'r Arglwydd yn elfen bwysig yn y diwygiad crefyddol a moesol a gychwynnodd Heseceia.

Tybed nad dyna darddiad y dywediad, 'cadw'r drws ar agor'?

Tebyg yw o ran ystyr ac o ran y defnydd a wnawn ohono i'r dywediad 'cadw'r lamp i losgi'. Yng nghylchoedd crefydd y clywir ei ddefnyddio yntau.

'Dwn i ddim beth fyddai wedi dod o'r capel 'ma oni bai fod yma ddau neu dri theulu selog. 'Nhw sy'n 'cadw'r drws ar agor.' (Gwel. Cadw'r lamp i losgi).

Cadw'r lamp i losgi. 'Roedd y lamp yn y deml i losgi'n ddibaid yn ôl cyfarwyddyd Duw i Moses. "Gorchymyn i bobl Israel ddod ag olew pur wedi ei wasgu o'r olewydd ar gyfer y lamp er mwyn iddi losgi'n ddibaid" (Ecs. 27: 20 BCN). Gwaith yr archoffeiriad oedd ei thrimio a'i goleuo fore a nos, bob dydd. "Bydd Aaron yn llosgi arogldarth arni (ar arch y dystiolaeth) bob bore wrth baratoi'r lampau ac wedyn wrth oleuo'r lampau gyda'r hwyr" (Ecs. 30: 7, 8 BCN). Dyma'n siŵr gefndir y dywediad 'cadw'r lamp i losgi'.

Magodd ystyr trosiadol. Fe'i defnyddiwn yn gyfystyr â dywediadau fel 'cynnal yr achos' neu 'cadw'r drws ar agor' neu 'cadw pethau i fynd', yn enwedig pan fo hynny'n orchwyl anodd. Y cylchoedd crefyddol yn ddieithriad yw ei gynefin.

'Fe fyddai'r achos wedi hen ddod i ben yn Seion acw oni bai am un fel Sam Hughes. Iddo fo, yn fwy na neb arall, y mae'r diolch am 'gadw'r lamp i losgi.' (Gwel. Cadw'r drws ar agor).

Cadw llygad barcud. Daeth yr idiom hon inni o Lyfr Job:

> 'Y mae llwybr na ŵyr hebog amdano,
> Ac nas gwelwyd gan "lygad barcud" '. Job 28: 7 BCN)

Aderyn ysglyfaeth yw barcud ac o deulu'r cudyll. Mae ganddo lygaid diarhebol o graff a chwim. Wedi llygadu ei brae, disgyn arno'n sydyn. Ar y cefndir yna y mae'r idiom 'cadw llygad barcud' yn golygu cadw gwyliadwriaeth fanwl a gofalus ar bethau. Hyd y gwn nid yw'n idiom arferedig yn y Saesneg.

Bu tuedd yn ddiweddar i orddefnyddio'r idiom gan bobl y cyfryngau. Da clywed ambell briod-ddull da yn ei le wrth gwrs. Ond y mae tuedd i orweithio ambell un ar ôl cael gafael arno.

Wedi i un ddefnyddio idiom mae pawb arall yn ei ddilyn fel defaid drwy adwy. Mae yna rywun yn cadw llygad barcud ar rywbeth yn barhaus a hyd at syrffed. Pam na ellir "gwylio'n ofalus" neu "gadw gwyliadwriaeth fanwl" weithiau?

Yn ôl yr hanes, mae'r dyn diarth 'na sydd wedi dod i'r Plas yn bwriadu gofyn am ganiatâd cynllunio i droi un o'i gaeau yn wersyll carafanau. Ryden ni'n 'cadw llygad barcud' ar y sefyllfa.

Cael yn Brin. Belsassar, brenin Babilon, yn ôl yr ysgrifen ar y mur yn y breuddwyd a gafodd, hwnnw a bwyswyd yn y glorian a'i gael yn brin. Yr ysgrifen ar y mur oedd 'Mene, Mene, Tecel, Uparsin'. Dehongliad Daniel o'r gair 'Tecel' oedd "Ti a bwyswyd yn y cloriannau ac a'th gaed yn brin" (Dan. 5: 27 HFC. Diwastraff hollol yw'r BCN: "Pwyswyd di yn y glorian, a'th gael yn brin". Medd y NEB, "You have been weighed in the balance, and found wanting".

Daliwn i sôn am bobl yn brin mewn rhyw ffordd neu'i gilydd yn barhaus, ac nid yn foesol bob amser o lawer.

'Dydd Sadwrn cafodd Gareth am y tro cynta 'rioed gyfle i fod yn gôlgeidwad y tîm cynta'. Ond ymhell cyn diwedd y gêm fe'i 'caed yn brin', rwy'n ofni.'

Caffed amynedd ei pherffaith waith. Dyma anogaeth Iago i'r Cristnogion hynny yr oedd eu treialon yn brawf gwirioneddol ar eu ffydd. 'Gan wybod fod profiad eich ffydd chwi yn gweithredu amynedd. Ond caffed amynedd ei pherffaith waith . . .' (Iago 1: 3, 4 HFC). *'Dyfalbarhad'* yw gair y BCN: '. . . gan wybod fod y prawf ar eich ffydd yn magu dyfalbarhad. A gadewch i ddyfalbarhad gyflawni ei waith'. 'if you give fortitude a full play' (NEB). 'Make sure that your endurance carries you all the way without failing' (GNB). 'Let your endurance be a finished product' (Moffatt). 'but let the process go on until that endurance is fully developed' (JBP).

Fel arfer, ysgafnach yw'r defnydd a wnawn ni o'r dywediad, a'r dyfalbarhad neu'r amynedd a anogwn yn llawer mwy arwynebol nag yn epistol Iago.

Mae hi wedi gwneud gwanwyn anarferol o oer. Rydw'i wedi plannu tatws cynnar ers pum wythnos ond does yna ddim golwg o wlydd. Ond rydw i'n byw mewn gobaith. 'Caffed amynedd ei pherffaith waith' piau hi ar dymor fel hwn yn ddigon siŵr.

Calon galed. Rwy'n sicr y gallwn hawlio mai o'r Beibl y cafwyd y dywediad 'calon galed'. Cawn 'calon garreg' yn amrywiad arno hefyd. "Tŷ Israel ni fynnant wrando arnat ti . . . oblegid tal-gryfion a chaled-galon ydynt hwy . . .' (Esec. 3: 7 HFC. "Y mae tŷ Israel i gyd yn *wyneb-galed* ac ystyfnig" (BCN). Daeth 'caled-galon' yr HFC yn 'wyneb-galed' yn y BCN. Ymhellach ymlaen yn Eseciel cawn yr ymadrodd cyfystyr, 'calon-garreg'. "Rhoddaf iddynt galon unplyg, ac ysbryd newydd ynddynt; tynnaf ohonynt y galon garreg . . .' (Esec. 11: 19 BCN).

Calon ddideimlad, ddidosturi ac ystyfnig o bosibl, yw 'calon-galed' (calon-garreg). "A heart of stone" a ddywed y Sais.

Rhaid bod Herod yn ddyn hollol 'galon galed', i fedru gorchymyn lladd pob plentyn dyflwydd neu iau ym Methlem a'r cyffiniau.

Cannwyll llygad. Dyma ymadrodd sy'n ymddangos bum gwaith yn yr HD am rywun neu rywbeth annwyl a gwerthfawr. "Cadw fy ngorchmynion, iti gael byw, a boed fy nghyfarwyddyd fel cannwyll dy lygad" (Diar. 7: 2 BCN) "Cadw fi fel cannwyll dy lygad, cuddia fi dan gysgod dy adenydd" (Salm 17: 8 BCN). Gw. hefyd Deut. 32: 10; Sech. 2: 8; Ga. 2: 18. Ecclus. 17: 17. "Treasure my teaching as the apple of your eye" (NEB). "Keep my directions as the very apple of your eye' (Moffatt). Mae'r GNB yn rhoi'r ystyr yn dda: 'Be as careful to follow my teaching as you are to protect your eyes'.

Mae 'cannwyll llygad' yn ddelwedd ragorol o'r hyn sy'n annwyl ac yn werthfawr i rywun. Yn ei LLIC meddai R. E. Jones: "oherwydd bod canol y llygad mor eithafol deimladwy, fe'i defnyddir fel arwyddlun o'r hyn a gerir yn angerddol ac a warchodir yn ofalus". Fel rheol, gelwir plant yn 'gannwyll llygad' eu rhieni.

'Dydy John byth bron yn dwad i roi tro am i fam. Fe ddylai ddwad yn llawer amlach. Ond 'does wiw dweud dim amdano wrth 'i fam; mae o fel 'cannwyll 'i llygad' hi.

Canu'n iach. Pan oedd Paul yn ffarwelio â'r Cristnogion yng Nghorinth, dywedir, "Eithr Paul, wedi aros eto ddyddiau lawer, a ganodd yn iach i'r brodyr, ac a fordwyodd ymaith i Syria" (Act. 18: 18 HFC). Yn y BCN, y mae 'canu'n iach', fel ymadrodd, wedi ei wneud yn segur. Cawn fod 'ffarwelio' wedi ei ddisodli.

Hen ddull Cymreig o ewyllysio'r gorau wrth i bersonau ffarwelio â'i gilydd oedd dweud 'yn iach iti' neu 'yn iach ichi'. 'Yn iach ichwi' oedd ffordd Dewi Sant o ffarwelio. Fe'i clywn o hyd a hynny'n gyfystyr â 'da boch chi'.

Sut y daeth yn 'canu'n iach'? Bu i'r gair canu yr ystyr o gyfleu neu fynegi. Mae 'canu yn iach' yn gyfystyr â mynegi yn iach, h.y., y weithred o ddymuno 'yn iach' wrth i ddau ymadael â'i gilydd. Mae R. E. Jones yn ei LlIC yn galw sylw at debygrwydd 'canu'n iach' a 'fare-well' yn Saesneg. Mi fyddwn i'n dweud bod y tebygrwydd rhwng 'da boch chi' a 'fare well' yn fwy trawiadol fyth.

Mi feddyliais, ar un adeg, 'ganu'n iach' i Gymru, ac ymfudo i Awstralia, ond 'ddaeth dim o'r peth.

Caredigrwydd yn dechrau gartre. Does dim dadl nad dan ddylanwad y Saesneg, 'charity begins at home' y daethom i arfer y dywediad hwn. Yn wir, yn Saesneg y daw amlaf dros wefusau Cymry Cymraeg. Ond o Lythyr Cyntaf Paul at Timotheus y daeth i ddechrau, mewn ffurf fymryn yn wahanol: "Dysgant yn gyntaf arfer duwioldeb gartref" (1 Tim. 5: 4 HFC). "Let them learn first to shew piety at home" (HFS). Ar ymyl y ddalen yn yr HFC ceir 'caredigrwydd' yn ddewis yn lle 'duwioldeb'. Yr un fath, yn yr HFS rhoir 'kindness' yn gynnig yn lle 'piety'.

Hawdd deall sut y datblygodd yn ddihareb efo'r gair 'caredigrwydd'. Dylai pob un fod yn ystyriol o'i deulu o flaen neb arall. Dyna ergyd y geiriau. Dylai buddiannau'r teulu gael blaenoriaeth ar bawb a phopeth arall. Mae hi mor hawdd bod yn angel pen-ffordd ac yn gythraul pen-pentan.

'Popeth yn iawn i Ddafydd roi ei amser hamdden i ofalu am y Clwb Ieuenctid. Ond prin y mae ei deulu yn ei weld. Wedi'r cwbl, mae "caredigrwydd yn dechrau gartre" – "charity begins at home" yntê'.

Cario croes — croes i'w chario. Tybed nad o ddisgrifiad Ioan o Iesu Grist yn cario'r groes y cawsom y dywediad 'cario croes' neu 'croes i'w chario'? 'Ac efe gan ddwyn ei groes a ddaeth i le a elwid Lle y benglog' (Ioan 19: 17 HFC). 'Ac aeth allan, gan gario'i groes ei hun, i'r man a elwir Lle Penglog' (BCN). Sôn am orfodi Simon o Cyrene i gario'r groes tu ôl i Iesu y mae Mathew, Marc a Luc. Fel arfer, yn ôl pob tebyg, roedd y sawl a groeshoelid i gario'r darn croes o'i groes ei hun.

Daeth 'cario'i groes' yn idiom trosiadol gan Iesu Grist am yr aberth y mae'n rhaid i bob un o'i ddilynwyr ei wneud. Mae'n ofynnol rhoi heibio lawer o amser, hamdden, pleser ac uchelgais, i wasanaethu Duw mewn gwasanaeth i gyd-ddyn. Roedd y defnydd trosiadol hwn o 'cario croes' yn gyforiog o ystyr i gynulleidfa Iesu oedd yn ddiamau yn gyfarwydd â gweld pobl yn cario'u croes yn gwbl lythrennol. Does dim dadl nad dyna genfdir yr idiom yn y defnydd a wnawn ninnau ohono.

Mewn canlyniad i ddamwain fe gollodd Puleston Jones ei olwg yn fachgen wyth oed. Ond mi 'gariodd ei groes' yn llawen drwy'i oes.

Wedi colli ei chlyw a'i chof, mae mam yn dipyn o gyfrifoldeb fel y mae hi. Ond dyna ni, ddylwn i ddim cwyno, mae gan bawb ryw 'groes i'w chario'.

Ceisiwch ac fe gewch. O siarter Iesu ar weddi y daeth "ceisiwch, a chwi a gewch". Mae'n pwysleisio pwysigrwydd taerineb mewn gweddi a hynny mewn anogaeth deircainc: "Gofynnwch, a rhoddir i chwi; ceisiwch, a chwi a gewch; curwch ac fe agorir i chwi" (Math. 7: 7 HFC). Yn y BCN cawn "chwiliwch, ac fe gewch". Faint gwell yw 'chwilio' na 'cheisio' wrth drin gweddi, mae'n anodd dyfalu. Onid yw 'ceisio' yn addasach gair yng nghyd-destun gweddi?

Daw'r dywediad i'n siarad cyffredin yn ddigon aml ac wedi ei lusgo'n llwyr o'i gysylltiadau gwreiddiol, fel arfer.

'Mi fûm yn chwilio am gopi o "Cerdd Dafod" John Morris-Jones ers blynyddoedd. Methu'n lân â chael gafael ar un. Be wnes i yn y diwedd ond rhoi pwt o hysbyseb yn "Y Cymro". A wir i chi, mi fûm yn lwcus. "Ceisiwch a chwi a gewch" piau hi'n amlwg.'

Cewri yn y dyddiau hynny. Yn yr HFC cawn "Cewri oedd ar y ddaear yn y dyddiau hynny" (Gen. 6: 4). "There were giants on the earth in those days" (HFS). "Y Neffilim oedd ar y ddaear yr amser hwnnw" (BCN). "Sons of gods" (NEB). "Nephilim giants" (Moffatt) "giants" (GNB). Mae'n ymddangos fod yn Genesis adlais o chwedl am dylwyth o gewri (neffilim) oedd yn gynnyrch priodasau rhwng merched ar y ddaear a bodau nefol, neu feibion y duwiau. Neffilim oedd yr enw ar y rheini. Ac yn ôl traddodiad Beiblaidd drygioni'r rhain a barodd i Dduw anfon y dilyw.

Yn ein defnydd o'r geiriau llwyddwn i anghofio drygioni'r cewri hyn yn sgîl peth arall a ddywedir amdanyn nhw yn yr un adnod: "dyma'r cedyrn a fu wŷr enwog gynt' (HFC). Geiriau a glywir ar wefusau pobl sy'n tueddu i ogoneddu'r gorffennol ac enwogion oes a fu, fodd bynnag, yw'r rhain gan amlaf.

Ym Mangor cefais fod wrth draed ysgolheigion fel Ifor Williams, Thomas Parry, R. Williams Parry, R. T. Jenkins, Thomas Richards ac eraill. Fachgen, ''roedd cewri yn y dyddiau hynny'.

Cleddyf daufiniog. Cawn yr ymadrodd rai gweithiau yn y Beibl. Dichon mai'r defnydd a wneir ohono yn y Llythyr at yr Hebreaid sydd fwyaf adnabyddus. Yno y mae gair Duw "yn llymach na'r un cleddyf daufiniog, ac yn treiddio hyd at wahaniad yr enaid a'r ysbryd, y cymalau a'r mêr" (Heb. 4: 12 BCN). Er hynny, hwyrach mai yn Ecclestiasticus yn yr Apocryffa y mae i'r ymadrodd yr arlliw ystyr a rown ni iddo. "Y mae pob tor-cyfraith fel cleddyf daufiniog; nid oes iachâd o'i archoll" (Ecclus. 21: 3 BCN). "Pob anwiredd sy fel cleddyf daufiniog" a geir yn yr HFC. "All iniquity is a two edged sword, the wounds whereof cannot be healed" (HFS).

Fe'i defnyddiwn am ddadl, neu am bolisi arbennig, sy'n torri ddwy ffordd, o blaid ac yn erbyn y sawl sy'n eu cyflwyno. Gall glwyfo'r cefnogwr neu'r gwrthwynebwr. Mae'n torri y ddwy ffordd.

'Roedd yr ymgeisydd yn dadlau dipyn yn beryglus iddo'i hun, 'ddywedwn i. Roedd o'n argymell polisi o isafswm cyflog drwy'r wlad. 'Soniodd o ddim gair am isafswm incwm i gyflogwyr fedru fforddio'r isafswm cyflog. Tipyn o 'gleddyf daufiniog' oedd y ddadl.

Clindarddach drain dan grochan. Pictiwr byw Llyfr y Pregethwr o ddrain yn llosgi, ac o ambell un yn chwerthin. "Canys chwerthiniad dyn ynfyd sydd fel clindarddach drain dan grochan" (Preg. 7: 6 HFC). Tebyg iawn yw trosiad y BCN. "Crackling of thorns under a pot" (HFS, NEB). Diffiniad GPC o 'clindarddach' yw 'sŵn craciog, mân gleciadau cras, ysgwrlwgach'.

Daeth yn ymadrodd am unrhyw sŵn anhyfryd, anfelodaidd. Rhydd R. E. Jones enghraifft o'r dywediad ar waith yn *Meddwn I*, Ifor Williams, 'Ychydig iawn o bobl mewn oed fedr chwerthin yn dlws. Rhyw "glindarddach drain dan grochan" yw'r sain arferol'.

Mi ymgeisiodd Roland ar yr unawd dros 60 neithiwr. Ac yntau'n bedwar ugain a chwech, mi fuasai'n gallach iddo fod wedi peidio. Mae o wedi gweld 'i ddyddiau gwell. 'Roedd o fel 'clindarddach drain dan grochan', neu fel mochyn dan giât, fel y dywedwn.

Cloffi rhwng dau feddwl. Ymadrodd a gafwyd, yn amlwg, o stori Elias yn rhoi her i broffwydi Baal ar ben Carmel. Methu penderfynu rhwng dau beth, neu rhwng dau lwybr sy'n agored i rywun, yw'r ystyr. Rhywun yn oedi neu'n petruso neu'n methu gwneud ei feddwl i fyny (a defnyddio idiom Seisnig) wyneb yn wyneb â rhyw ddewis neu'i gilydd. Meddai Elias wrth broffwydi Baal, "Pa hyd yr ydych yn cloffi rhwng dau feddwl? Os yr Arglwydd sydd Dduw, dilynwch ef; ac os Baal, dilynwch hwnnw" (1 Bren. 18: 21 BCN). "How long halt ye between two opinions?" a geir yn yr HFS. Gan Moffatt cawn "How long will you hobble on this faith and that?"; gan y NEB. "How long will you sit on the fence?"; a chan y GNB "How long is it going to take you to make up your minds?" Mae'n ymddangos na chartrefodd yr ymadrodd "halt between two opinions" yn y Saesneg. Yn y Gymraeg, fodd bynnag, daeth yr ymadrodd "cloffi rhwng dau feddwl" yn un cymeradwy ac arferadwy iawn. Ni welwyd angen am ei newid i bwrpas y BCN. Yn Gymraeg mi fyddwn yn dal i gloffi rhwng dau feddwl a awn ni i'r ddrama ai peidio, i ble yr awn ni ar ein gwyliau, neu ba gar newydd i'w gael.

Mi fûm yn 'cloffi rhwng dau feddwl' a awn i i'r Brifwyl eleni ai peidio. Ond mynd 'fuo hi.

Clywed â'm clustiau sôn amdanat. Job wedi iddo newid ei feddwl, a thynnu ei eiriau'n ôl am Dduw, sy'n dweud "Myfi a glywais â'm clusiau sôn amdanat, ond yn awr fy llygad a'th welodd di" (Job 42: 5 HFC). Rhydd y BCN yr ystyr yn hollol ddigwmpas, "Trwy glywed yn unig y gwyddwn amdanat, ond yn awr 'rwyf wedi dy weld â'm llygaid fy hun". "I knew of thee then only by report" (NEB). "In the past I knew only what others had told me" (GNB). "I had heard of thee by hearsay" (Moffatt).

Cyferbynnu adnabyddiaeth ail law o Dduw ac adnabyddiaeth uniongyrchol ohono y mae Job: cyferbynnu gwybod am Dduw drwy glywed amdano, ac adnabyddiaeth wyneb yn wyneb o Dduw.

Dyna'r ystyr a rown ninnau i'r dywediad yn ein defnydd estynedig ohono. Fel arfer, o'i ddefnyddio, pwysleisio a wnawn y gwahaniaeth rhwng bod wedi clywed am rywun, am rywle neu am rywbeth, a'u gweld drosom ein hunain; y gwahaniaeth rhwng bod wedi clywed digon am berson arbennig, a'i gyfarfod yn y cnawd neu wyneb yn wyneb.

Dyma'r dyn 'i hun o'r diwedd! Wedi 'clywed â'm clustiau lawer o sôn amdanoch', ond 'rioed wedi'ch cyfarfod yn y cnawd o'r blaen.
'Roeddwn i wedi 'clywed â'm clustiau' lawer iawn am Rufain ond erbyn hyn 'rydw'i wedi gweld y lle â'm llygaid fy hun.

Clywed ar fy Nghalon. "Holl blant Israel, y rhai a 'glywent ar eu calon' offrymu at yr holl waith . . . a ddygasant i'r Arglwydd offrwm ewyllysgar" (Ecs. 35: 29 HFC). "Pan fyddai gŵr neu wraig trwy holl Israel yn dymuno dod ag unrhyw beth ar y gyfer y gwaith" (BCN). "Anyone who was minded to bring offerings" (NEB). "Who felt moved to bring offerings" (Moffatt). "All . . . who wanted to brought their offering . . ." (GNB).

Mae'n amlwg mai 'teimlo awydd' yw ystyr 'clywed ar fy nghalon'. Ac eithrio'r golwg, clywed y mae'r Cymro pan fo'n derbyn argraffiadau drwy'r synhwyrau, — clywed sŵn; clywed blas; clywed aroglau a chlywed poen. Yn yr idiom 'clywed ar ei galon' y mae'n clywed awydd neu'n teimlo awydd.

Yn ei ALIC, wrth drafod 'clywed ar fy nghalon' y mae R. E. Jones yn dyfynnu Thomas Parry yn ei feirniadaeth yng nghystadleuaeth y gadair yn Eisteddfod Genedlaethol Aberystwyth 1952.

Y mae pedwar gŵr ar ddeg wedi 'clywed ar eu calonnau' gynnig am y gadair genedlaethol eleni, ond, yn anffodus, ychydig iawn o feirdd sydd yn eu mysg.
Wedi i'r Beibl Cymraeg Newydd ddod i'm llaw, a gweld fod rhai o'r hen ffefrynnau o ymadroddion wedi eu disodli, 'mi deimlais ar fy nghalon' fynd ati i wneud casgliad o'r ymadroddion o'r Beibl sy'n britho'r iaith.

Colofnau'r Achos. 'Dyw'r ymadrodd "colofnau'r achos", fel y cyfryw, ddim yn y Beibl. Ond mae'r holl syniad yno. Cyfeirir at Iago a Ceffas ac Ioan fel "y gŵyr a gyfrifir yn *golofnau*" (Gal. 2: 9 BCN). Mae gwahanol ystyron i'r gair *colofn* yn Gymraeg. Cawn golofnau mewn adroddiad capel neu mewn papur newydd. Pileri sy'n cynnal adeilad yw colofnau yn yr adnod dan sylw, fodd bynnag. "Pillars" yw'r gair a ddefnyddir yn y cyfieithiadau Saesneg i gyd, ac eithrio'r GNB. "Pillars of the church" medd Moffatt; "those reputed pillars of our society" medd y NEB. Onid yw'r Cymro hefyd yn sôn am *bileri'r* achos? A chyda'i ystyr yn fwy diamwys, gallai gymryd ei le'n hapus ddigon am Iago a Ceffas ac Ioan yn y Galatiaid. Benthyciadau o'r Lladin yw'r ddau, "colofn" a "piler". Yn Llyfr y Datguddiad cawn enghraifft arall o alw cynheiliaid yr eglwys yn golofnau. "Yr hwn sy'n gorchfygu, mi a'i gwnaf ef yn *golofn* yn nheml fy Nuw i" (Dat. 3: 12 HFC). Cedwir eto at y gair "colofn" yn y BCN, ac at "pillars" yn y cyfieithiadau Saesneg. Mae'r ddelwedd yn un gref a disgrifiadol iawn, yn arbennig o gofio bod Paul yn defnyddio *adeilad* fel un o'i ddelweddau am yr eglwys. Yn union fel y mae pileri (colofnau) yn cynnal adeilad, felly mae cefnogwyr ffyddlon achos yn bileri iddo ac yn ei gynnal. Yma eto cafodd y byd afael ar idiom y betws. Sonia'n fynych am bileri'r mudiad yma neu'r gymdeithas acw.

Cafodd Salem golled anferth ym marwolaeth Jane Hughes. 'Roedd hi heb os yn un o 'golofnau'r achos' yno, yn ogystal â bod yn un o 'bileri' Merched y Wawr.

Colli'r maes. Un wedi 'colli'r maes' yw un sydd wedi ei orchfygu. Pan ddaeth Moses i lawr o'r mynydd, gyda dwy lech y dystiolaeth, 'roedd cryn stŵr yng ngwersyll yr Israeliaid. Meddai Josua wrtho, "y mae sŵn rhyfel yn y gwersyll". Atebodd yntau, "Nid llais bloeddio am oruchafiaeth, ac nid llais gweiddi am 'golli y maes', ond sŵn canu a glywaf fi" (Ecs. 32: 18 HFC). "Nid sŵn gorchfygwyr yn bloeddio na rhai a drechwyd yn gweiddi a glywaf fi, ond sŵn canu" (BCN). "Not the voice of them that cry for being overcome" (HFS); "Not the clamour of a defeated people" (NEB); "That does not sound like . . . a cry of defeat" (GNB); "It is not the sound of men being conquered" (Moffatt). 'Does dim amheuaeth am ystyr yr ymadrodd 'colli'r maes'; un yn cael ei goncro ar faes brwydr neu mewn ymryson o ryw fath neu'i gilydd. Mae'n gyfystyr â 'colli'r dydd'. Dyma'r unig enghraifft o'r ymadrodd yn y Beibl. Dyma hefyd yr enghraifft gyntaf ohono mewn llenyddiaeth Gymraeg a restrir gan GPC, a hynny o Feibl 1620. "Ac nid sŵn yn arwyddocáu llescder" oedd gan W. Morgan yn 1588. Mae'n bosibl, fodd bynnag, mai trwy iddo gael ei ddefnyddio mewn emyn a fu'n dra phoblogaidd y ffeindiodd ei ffordd i'n siarad a'n llenyddiaeth:

Os dof fi trwy'r anialwch,
Rhyfeddaf fyth dy ras,
A'm henaid i lonyddwch
'R ôl ganwaith 'golli'r maes'. (LLEM 526)

'Roeddwn i'n meddwl fod gan dîm Carmel yn yr ymryson gywydd ac englyn diguro, er mai 'colli'r maes' fu ei hanes yn y diwedd.

Croesi Iorddonen. I gyrraedd 'gwlad yr addewid', dros afon Iorddonen o'r dwyrain yr arweiniodd Josua'r Israeliaid. Dan ddylanwad y stori hon o Lyfr Josua (Jos. 3), y daeth 'croesi'r Iorddonen' neu 'croesi'r afon' yn ffigur ymadrodd am farwolaeth. Croesi i'r nefoedd, i'r 'Ganaan hyfryd' (LLEM 660) yw marw. Ffeindiodd y ddelwedd hon ei ffordd i rai o'n hemynau, ac yn arbennig i rai o'r caneuon Negroaidd. Yr enghraifft fwyaf adnabyddus i ni yn sicr yw emyn Ieuan Glan Geirionydd:

Ar lan 'Iorddonen' ddofn
'Rwy'n oedi'n nychlyd (LLEM 660)

Pan fo rhywun ar ddarfod y mae'n 'rhydau'r afon' neu'n 'rhydio'r afon'. Lle bo rhywun yn marw'n sydyn, y mae wedi croesi'r afon mewn lle cul.

'Pan fydda'i farw fe garwn "groesi'r Iorddonen" yn y lle culaf posibl'.

Crogi telynau. Ymadrodd eto â'i gyfeiriadaeth Feiblaidd yn gymharol eglur i bawb. Yr Iddewon yn alltudion gormesedig yn y gaethglud ym Mabilon a hynny dan lywodraethwyr cwbl ddidostur. Nid peth newydd, wedi'r cwbl, yw Sadameiddiwch yng Ngwlad y Ddwy Afon. Yn yr amgylchiadau, diflannodd y gân o galon yr alltudion Iddewig. "Ger afonydd Babilon yr oeddem yn eistedd ac yn wylo wrth inni gofio am Seion. Ar yr helyg yno bu inni *grogi ein telynau*

. . . sut y medrwn ganu cân yr Arglwydd mewn tir estron?" (Salm 137: 1, 2, 4 BCN).

Daeth *crogi telynau* yn ymadrodd cyffredin ar wefusau'r Cymry am roi'r gorau i unrhyw gelfyddyd neu fedr neu ddawn arbennig, a hynny fel arfer am resymau trist a phrudd, fel yr Iddewon ym Mabilon gynt.

Ond fe ddefnyddiwn yr ymadrodd hefyd lle nad oes amgylchiadau o dristwch yn achos rhoi heibio dawn neu fedr, a.y.y.b. Gyda'r un addasrwydd, disgrifia rai sydd wedi esgeuluso dawn arbennig. "Gresyn o'r mwya", medde ni, "iddo grogi ei delyn yn ffafr y peth-a'r-peth". Mae yna dristwch yno hefyd, ond tristwch sy'n *ganlyniad* crogi telyn yn hytrach nag yn *achos* ei chrogi, yw hwnnw.

A'r delyn yn offeryn cerdd cenedlaethol inni, dichon bod i'r ymadrodd ei briodoldeb arbennig i ni fel Cymry. Arwyddocaol yw'r ffaith nad yw'r Sais, hyd y gwn, yn "hang up his harp on the willows"! Mae'n drawiadol hefyd mai ynghlwm wrth offeryn cerdd y mae ymadrodd arall a ddefnyddiwn, er nad o'r Beibl, i gyfleu'r un syniad â '*crogi telynau*', sef "rhoi'r ffidil yn y to". Mae'r ddau yn hynod debyg o ran ystyr a gellir cyfnewid y naill am y llall heb newid yr ystyr.

Mae colli'r ferch fach wedi dweud yn ddifrifol ar Sion Dafis. 'Rwy'n ofni na chlywn ni mohono'n cerdd-dantio byth eto. Byddai'n resyn garw iddo 'grogi ei delyn' mor ifanc.

Cuddiad cryfder. O broffwydoliaeth Habacuc y cawsom yr ymadrodd 'cuddiad cryfder'. Yn ôl GPC, does dim enghraifft ohono cyn 1588, blwyddyn cyhoeddi cyfieithiad William Morgan o'r Beibl. Wrth ogoneddu mawrhydi Duw, meddai Habacuc: "A'i lewyrch oedd fel goleuni, yr oedd cyrn iddo yn dyfod allan o'i law, ac yno yr oedd *cuddiad ei gryfder* (Hab. 3: 4 HFC). Y mae'r BCN yn goleuo tipyn ar ystyr yr adnod: "Y mae ei lewyrch fel y wawr, a phelydrau'n fflachio o'i law; ac yno y mae *cuddfan ei gryfder*". Ond tybed a oedd angen newid 'cuddiad ei gryfder' i 'cuddfan ei gryfder'? Wedi'r cwbl y mae'r ddwy ffurf yn weddol gyfystyr, a'r hen ffurf wedi hen gartrefu yn yr iaith.

"There was the hiding of his power" a gawn yn yr HFS; "There is where his power is hidden" gan y GNB, a "there he veils his might" gan Moffatt. Mae'r NEB wedi ei gweld hi gryn dipyn yn wahanol ac wedi dweud, "the skies are the hiding-place of his majesty".

'Dyw ystyr yr adnod ddim yn glir. Ond pa ystyr bynnag a rown iddi, fe welodd y tadau yr ymadrodd 'cuddiad cryfder' yn un gwerth cydio ynddo. Dyma'r union ymadrodd wrth sôn am gyfrinach dawn, gallu, neu athrylith arbennig ambell ddyn. Cawn R. E. Jones yn ei *Ail Lyfr o Idiomau Cymraeg* yn dyfynnu geiriau Saunders Lewis yn *Meistri'r Canrifoedd* am Thomas Jones o Ddinbych. "Dyma *guddiad ei gryfder*, gwyddai beth oedd gwir gynnwys meddyliol Protestaniaeth." Mae o'n un o'r ymadroddion stoc yng nghofiannau cewri'r pulpud yng Nghymru wrth gloriannu eu dawn, eu harabedd, eu huodledd a'u gafael ar eu cynulleidfaoedd.

Un da am fugeilio oedd Samuel Hughes, a rhyw ddawn naturiol ganddo i dynnu trwy bobl. Mae'n siŵr gen i mai yn fan'na yr oedd 'cuddiad ei gryfder' fel gweinidog.

Cuddio dan lestr. Daw'r ymadrodd hwn yn amlwg o'r Bregeth ar y Mynydd: "ac ni oleuant gannwyll a'i dodi dan lestr, ond mewn canhwyllbren" (Math. 5: 15. Gweler hefyd Marc 4: 21, a Luc 8: 16 a 11: 33). Am ryw reswm, "nid yw pobl yn *cynnau* cannwyll ac yn ei dodi dan lestr" a gawn yn y BCN. Goleuo'r gannwyll sy'n naturiol i mi rywsut ac nid ei chynnau. Y tân, ie, cynnau hwnnw, wrth gwrs, ond nid y gannwyll. 'Rwy'n sylwi mai 'goleuo' cannwyll a wneir bob gafael yn yr HFC, ac yn ôl GPC, dyna a wneir yn gyffredinol yng Nghymru. Ond dyna ni, hwyrach bod rhyw rannau o Gymru yn 'cynnau'r' gannwyll. "Nid *ennyn* neb gannwyll" a gaed gan W. Salisbury yn 1567. Tybed a oes rhywun yng Nghymru bellach yn 'ennyn' cannwyll?

Diau mai llestr at fesur grawn (mesur sych) yw'r llestr dan sylw. 'Bushel' a geir yn yr HFS; "meal-tub" yn y NEB a "bowl" yn y GNB a chan Moffatt. Fel mater o ddiddordeb, "dan vail" oedd gan Salisbury, yr hen air Cymraeg *mail* yn golygu cawg, sydd bellach yn anarferedig.

Fodd bynnag, mae'r ddelwedd o roi cannwyll dan lestr yn un gref iawn gan Iesu Grist. Mae'n cyfleu'r gwrthuni o gadw o'r golwg rywbeth a ddylai fod yn y golwg. Nid rhywbeth i'w guddio, na bod yn swil o'i ddangos, yw argyhoeddiad dilynwyr Iesu. Gydag amser daeth yn idiom gyfleus ac addas am guddio unrhyw ddawn neu dalent neu fedr arbennig. Rhywun yn swil o ddangos ei allu mewn rhyw faes neu'i gilydd, mae'n 'cuddio'i gannwyll dan lestr'. Fe ddywedwn am ambell ganwr a ddaeth i'r amlwg yn fwyaf sydyn ei fod wedi cadw'i gannwyll (ei dalent) dan lestr yn llawer rhy hir. Mae'r Sais, yntau, yn cael yr idiom yn un werth ei chadw a'i defnyddio: 'Hide one's light under a bushel' yw'r ffurf amlaf yn y Saesneg. Da oedd i'r idiom gael ei chadw'n gyfa yn y BCN.

Gresyn i Harri ei gadael hi mor hwyr cyn dechrau canu. Mae'n amlwg erbyn hyn iddo 'guddio'i ddawn dan lestr' (Gwel. Cuddio Talent).

Cuddio lliaws o bechodau. Cariad, yn ôl y Beibl, sy'n gallu 'cuddio lliaws o bechodau' 'Eithr, o flaen pob peth, bydded gennych gariad helaeth tu ag at eich gilydd: canys cariad a "guddia liaws o bechodau"' (1 Pedr 4: 8 HFC) (Gw. hefyd Iago 5: 20; Diar. 10: 12). *'Dileu'* ac nid *'cuddio'* yw gair y BCN: '. . . oherwydd y mae cariad yn *dileu* lliaws o bechodau'. '. . . because love cancels innumerable sins' (NEB). '. . . for charity shall cover the multitude of sins' (HFS). '. . . love covers over many sins' (GNB). Mae'n debyg mai dyfynnu Llyfr y Diarhebion y mae Pedr, ac Iago hefyd o ran hynny, wrth sôn am gariad yn cuddio lliaws o bechodau.

Yn ein defnydd cyffredin o'r geiriau fe'u hamddifedir bron yn llwyr o'u hystyr gwreiddiol. Daeth y geiriau'n ddywediad am guddio pob math o bethau, a hynny'n ddieithriad gan bopeth ond cariad.

Mae golwg mawr arna'i i feddwl mynd i'r seiad yn yr hen ddillad 'ma. Ond mi rôf fy nghôt ucha' dros y cwbl: mae honno'n gallu 'cuddio lliaws o bechodau'.

Mae hon yn hen wal sâl a'i phlaster yn frau. 'Rydw'i am ei phapuro i grogan: mae papur yn gallu 'cuddio lliaws o bechodau'.

Cuddio talent. Dyna'n union ac yn llythrennol a wnaeth un o'r gweision yn Nameg y Talentau (Math. 25: 14-30). Cafodd ei geryddu am hynny, am guddio ei dalent yn lle ei rhoi ar waith i gael y gorau allan ohoni. Enw ar ddarn o arian oedd 'talent' yn y ddameg, ond datblygodd, yn Gymraeg ac yn Saesneg, yn air am ddawn neu fedr arbennig. Cawsom hefyd yr ansoddair 'talentog' ohono.

Tueddu i weld bai a wnawn ninnau, o leiaf mynegi gofid, pan fo rhywun yn cuddio ei dalent . . .

'Mae gan Siôn Ifan ddawn fawr, ond nemor ddim hunan-hyder. "Cuddio'i dalent" yw ei hanes ar hyd y blynyddoedd' (Gwel. Cuddio Dan Lestr).

Cusan Jwdas. 'Nesaodd ef (Jwdas) at Iesu i'w gusanu. Meddai Iesu wrtho, "Jwdas, ai â chusan yr wyt yn bradychu Mab y Dyn?" (Luc. 22: 47, 48 BCN). Cusan enwocaf yr oesoedd a honno'n un dwyllodrus, fradwrus. Arwydd o gyfeillgarwch, o hoffter ac o deyrngarwch fu cusan erioed. Yn gyffredinol hollol, dull cyfeillgarwch o'i fynegi ei hun yw. Ffieidd-dra gweithred Jwdas yn cusanu Iesu oedd iddo ddefnyddio cusan o bopeth yn foddion ei frad. Meddai Shakespeare:

> 'So Judas kissed his master,
> And cried, all hail! when he meant all harm'.

Daeth yr ymadrodd 'Cusan Jwdas' i gynrychioli cwrteisi neu weithred dwyllodrus dan gochl caredigrwydd. Ffugio cyfeillgarwch a theyrngarwch a hynny'n aml gyda rhyw gymhelliad anfad a bwriad drwg.

Mae'r dyn busnes 'na yn swnio'n ŵr bonheddig ac yn ddyn clên iawn, ac yn addo'n dda. Ond mae gen i ryw deimlad 'i fod o'n rhy wên deg rywsut. Gwylia di gael 'cusan Judas' ganddo fo.

Cwpan yn Llawn. Adlais heb os o Salm 23 — "Fy ffiol sydd lawn" (Salm 23: 5 HFC). "Y mae fy nghwpan yn llawn" BCN. Benthyciad o'r Hen Saesneg yw 'ffiol' (*phial*) a 'cwpan' (*cuppe*). Yn ôl GPC 'roedd y gair 'ffiol' wedi ei fenthyg, ar bapur beth bynnag, ddwy ganrif o flaen 'cwpan', a hynny mor gynnar â 1200 O.C. 'Cup' a gaed yn y Beibl Saesneg o'r dechrau. Ni welwyd angen am ei newid. Dim ond bod y cwpan hwnnw'n fwy na llawn — "runneth over" (HFS) a "brimming over" (Moffatt). Pwysleisio mae'r ddelwedd, fel pob delwedd yn Salm 23, helaethrwydd daioni a haelioni Duw. Yn ein defnydd cyffredin, estynedig o'r ymadrodd 'cwpan yn llawn' mae'n golygu bod uwchben ein digon, ac fel rheol, uwchben ein digon o lawenydd neu o orfoledd am rywbeth neu'i gilydd.

'Roeddwn i'n ofni na chawn i byth gyfle i fynd i weld yr hen fodryb, chwaer fy mam, yn America. Ond mae'r cyfle wedi dwad o'r diwedd. 'Rydw'i uwchben fy nigon. Mae 'nghwpan i'n llawn' (Gwel. Ar ei uchelfannau ac *Ar uchelfannau'r maes).*

Cwmwl fel cledr llaw. Wedi tair blynedd o sychder mawr ac o newyn trwm, aeth Elias a'i was i ben Carmel. Rhoes yr hen broffwyd orchymyn i'w was i ddringo i gopa'r mynydd, ac edrych tua'r môr, i weld a oedd arwyddion glaw. "Nid oes dim i'w weld," oedd ateb y llanc bob tro hyd at y seithfed pan ddaeth yn ôl a dweud, "Mae yna gwmwl bychan fel cledr llaw dyn yn codi o'r môr . . . Ar fyr dro duodd yr awyr gan gymylau a gwynt, a bu glaw trwm" (1 Bren. 18: 44-45 BCN). 'Roedd y cwmwl bychan fel cledr llaw dyn yn ernes o'r peth mwy.

Yn y sefyllfa grefyddol sydd ohoni yng Nghymru, a ninnau'n chwilio 'am arwyddion amser gwell' (LLEM 264), daeth 'cwmwl fel cledr llaw' yn eiriau pur ystyrlon. "Nid oes dim i'w weld", medd y pesimistiaid. "Mae cwmwl bychan fel cledr llaw ar y gorwel," medd yr optimistiaid.

'Yn y dirwasgiad economaidd dwys presennol nid syndod fyddai clywed un o weinidogion y llywodraeth yn defnyddio "cwmwl fel cledr llaw dyn" wrth geisio darogan pethau gwell'.

Cwmwl tystion. Awdur y *Llythyr at yr Hebreaid* sy'n sôn am 'gwmwl tystion' neu 'gwmwl o dystion'. '. . . gan fod cymaint "cwmwl o dystion" wedi ei osod o'n hamgylch . . . rhedwn yr yrfa a osodwyd o'n blaen' (Heb. 12: 1 HFC). 'Kimaint Kwmwl testion wedi yn amgylchu ni' a gaed gan W. Salisbury yn 1567. Gan W. Morgan yn 1588 y cawsom 'cymaint cwmwl o dystion'.

Ymhlith ystyron eraill y gair 'cwmwl' y mae 'torf neu liaws mawr' (GPC). "Cymaint *torf* o dystion o'n cwmpas" a rydd y BCN. Cefndir y geiriau yn yr Hebreaid yw stadiwm y chwaraeon a'r gemau Groegaidd, stadiwm llawn o bobl yn cefnogi ac yn ysbrydoli'r chwaraewyr. Mae mwy o adlais y chwaraeon mewn rhai o'r cyfieithiadau diweddar i'r Saesneg: "With all these witnesses to faith around us, like a cloud, . . . we must run with resolution the *race* for which we have entered" (NEB). Dyma gyfrifoldeb Cristnogion yn ôl y llythyr: rhedeg yr yrfa sydd o'u blaen gan wybod fod torf o dystion i'w ffydd yn fwrlwm eu cefnogaeth.

Mae 'cwmwl tystion' yn ymadrodd sy'n bur hoff o'i gynefin crefyddol a heb grwydro llawer o'r cynefin hwnnw.

Byddai datblygiad ar y raddfa yna, 60 o dai, yn andwyol i'r gymuned 'ma. Fe alla'i dy sicrhau, os wyt ti'n barod i arwain y gwrthwynebiad yn yr ymchwiliadau cyhoeddus, y bydd yna 'gwmwl o dystion' tu cefn iti.

Cwymp oddi wrth ras. Yn wreiddiol, wrth gwrs, cwymp Adda ac Efa oddi wrth ras a adlewyrchir yma a'u halltudio o Ardd Eden am anufuddhau i'r gorchymyn i beidio â bwyta ffrwyth pren gwybodaeth da a drwg. 'Dyw'r gair 'cwymp' ddim yn y stori, ac eto oni bai am y stori 'fyddai'r gair ddim yn ein geirfa o gwbl, yn yr ystyr ysgrythurol a diwinyddol sydd iddo. Soniwn am 'deulu'r codwm' ac am 'blant y codwm'. Ehangwyd gorwelion y dywediad 'cwymp oddi wrth ras' yng nghorff amser. Daeth yn idiom am gwymp mewn unrhyw gylch yn y byd yn ogystal â'r betws.

'Does dim dwywaith nad yw'r dyn yn wleidydd galluog, ac yn haeddiannol iawn wedi cyrraedd y brig. Ond mae'r hyn mae o wedi ei wneud rŵan yn ''gwymp oddi wrth ras'', heb amheuaeth'.

Cydio maes wrth faes. Eseia, wrth fflangellu pechodau ei ddydd, sy'n defnyddio'r dywediad 'cydio maes wrth faes'. Mae'n ei gosod hi, heb flewyn ar ei dafod, i'r rhai sy'n ymgyfoethogi drwy fanteisio'n annheg, ac yn fwriadol, ar lwyddiant a meddiannau pobl eraill. Mae'n debyg mai'r cefndir oedd arfer tirfeddianwyr cyfoethog yn rhoi benthyg arian i rai mewn angen, yn y gobaith y byddent yn methu cyfarfod â gofynion y benthyciad. Rhoddai hynny hawl i'r tirfeddianwyr i gymryd gafael ar eu tiroedd, a thrwy hynny, ehangu eu stadau. Meddai Eseia, 'gwae y rhai sy'n cysylltu tŷ at dŷ, ac yn cydio maes wrth faes, hyd oni byddo eisiau lle, ac y trigoch chwi'n unig yng nghanol y tir' (Es. 5: 8 HFC). 'Gwae'r rhai sy'n cydio tŷ wrth dŷ, ac yn ychwanegu cae at gae, nes llyncu pob man, a'ch gadael chwi'n unig yng nghanol y tir' (BCN). 'Woe to men who add house to house, and join one field to another, till there is room for none but them in the land' (Moffatt). Bu angen am gyhoeddi'r gwae hwn yn gyson byth oddi ar hynny.

Wrth sôn am gau'r tir comin yng Nghymru dywed R. T. Jenkins, 'ni ellid atal disgybl gwladaidd yn yr Ysgol Sul rhag troi dalennau ei Feibl . . . a disgyn ar ryw broffwyd neu'i gilydd yn melltithio'r rhai a sathrai'r tlawd . . . a chydio maes wrth faes, a symud terfyn eu cymydog'. Deil y peth i ddigwydd ar raddfa fawr a heb unrhyw bigiadau cydwybod. Mae mwy a mwy o'r tir yn prysur fynd yn eiddo i lai a llai o bobl.

Yn gam neu'n gymwys, collwyd 'cydio maes wrth faes' o'r BCN, yn ffafr 'ychwanegu cae at gae'. Yr hen ffurf, fodd bynnag, sy'n debyg o aros yn y Gymraeg.

Mae gan ambell un heddiw gymaint â 2,000 a rhagor o aceri o dir, wedi bod wrthi ar ôl y rhyfel byd dwaetha' yn 'cydio maes wrth faes'. Mae'r math yma o ffermwr yn lladrata bywoliaeth 10 i 12 o deuluoedd.

Cyfaill a lŷn yn well na brawd. Medd Llyfr y Diarhebion, 'Y neb y mae iddo gyfeillion, cadwed gariad: ac y mae cyfaill a lŷn wrthyt yn well na brawd' (Diar. 18: 24 HFC). Mae'r ystyr yn llawn cliriach yn yr HFS: 'A man that hath friends must shew himself friendly: and there is a friend that sticketh closer than a brother'. Mae'r cyfieithiadau diweddar yn amrywio o ran yr ystyr. 'Honni eu bod yn gyfeillion a wna rhai; ond ceir hefyd gyfaill sy'n glynu'n well na brawd' (BCN). 'Some companions are good only for idle talk, but a friend may stick better than a brother' (NEB). 'Some friendships do not last, but some friends are more loyal than brothers' (GNB). 'There are friends who only bring you loss: there is a friend more loyal than a brother' (Moffatt).

Rhan olaf yr adnod a lynodd wrth ein gwefusau ni. Mae'r geiriau'n eu cynnig eu hunain lle bo person wedi ei siomi yn ei deulu.

'Roeddwn i wedi cario'r syniad bob amser fod Twm fy mrawd yn hen fachgen teg ac anrhydeddus. Erbyn hyn rydw i'n gwybod yn wahanol: y ffordd roedd o wedi cynllwynio a sgriwio pethau i gael y fferm a'r eiddo i gyd yn ewyllys fy nhad. Mae'n ddigon gwir fod 'cyfaill a lŷn yn well na brawd'.

Cyflawnder yr amser. 'Cyflawniad yr amser' (Gal 4: 4), neu 'cyflawniad yr amseroedd' (Effes. 1: 10) a rydd y BCN. Byddai dweud 'yr amser iawn', neu'r 'foment iawn' yn cyfleu'r ystyr yn dda. Golyga, yn wir, y foment y bu darparu neu gyflyru ar ei chyfer, ac yn foment y bu disgwyl amdani. Mae felly yn foment sy'n 'cyflawni amseroedd' o ddisgwyl ac o gyflyru ar ei chyfer. 'In the fullness of time' a geid yn yr HFS. Ond bellach 'when the time was ripe' (NEB) a 'When the time is right' (GNB). Cartrefodd 'fullness of time' fel ymadrodd yn yr iaith Saesneg, fodd bynnag.

Er inni gael 'cyflawniad yr amser' yn y BCN, mae'n debyg mai 'cyflawnder' yr amser' sy'n mynd i lynu wrth dafod y Cymry, lle sonnir am yr amser iawn neu'r foment iawn i unrhyw bwrpas.

Erbyn hyn y mae llaweroedd yn teimlo mai heddiw yw 'cyflawnder yr amser' i gael rhyw ffurf ar Senedd i Gymru, er mwyn gwneud yr holl gyrff enwebedig a sefydlwyd yn ddiweddar yn atebol i rywun.

Cyflog pechod. Marwolaeth, yn ôl Paul, yw 'cyflog pechod'. 'Canys cyflog pechod yw marwolaeth' (Rhuf. 6: 23 HFC). 'Y mae'r pechod yn talu cyflog, sef marwolaeth' (BCN). 'Dyw'r cyfieithiadau Saesneg yn rhagori dim ar y Gymraeg. 'For sin pays a wage, and the wage is death' (NEB). 'For sin pays a wage — death' (GNB). 'Sin's wage is death' (Moffatt). Dyna unfrydedd ar yr ystyr.

Fe welwn ni lawer o bethau heblaw marwolaeth yn gyflog pechod. Edrychwn ar rai anhwylderau ac afiechydon felly. Ac onid oes rhai pobl hyd yn oed yn uniaethu cosb am dorri cyfraith gwlad â chyflog pechod?

'Mi lwyddais i osgoi talu treth incwm am flynyddoedd, hynny mewn anwybodaeth llwyr. Ond trwy ryw amryfusedd fe ddaeth y gath o'r cwd. 'Rydw'i mewn canlyniad yn gorfod talu dwbl yr hyn oedd arna'i. "Cyflog pechod" ydy hyn, meddai'r dyn dros y cownter'.

Cyfraith y Mediaid a'r Persiaid. Cysylltiadau gwreiddiol ac ysgrythurol 'cyfraith y Mediaid a'r Persiaid' yw'r stori yn Llyfr Daniel am benaethiaid Babilon yn cynllwynio yn erbyn Daniel wedi iddo gael ei benodi gan Dareius yn un o dri rhaglaw i warchod ei fuddiannau fel brenin. Dyma eu cyfarwyddyd i'r brenin: "dylai'r brenin wneud deddf a gorchymyn pendant, fod pob un sydd yn ymbil ar unrhyw dduw neu ddyn, ar wahân i ti, O frenin, i'w daflu i ffau'r llewod . . . yn ôl cyfraith ddigyfnewid y Mediaid a'r Persiaid' (Dan. 6: 7-8 BCN). Yn yr HFC cawn y dywediad heb y gair 'digyfnewid' yn ei ganol — "Yn ôl cyfraith y Mediaid a'r Persiaid, yr hon ni newidir'. Ac wrth gwrs, o'r HFC y daeth yn ei ystyr cyffredin ar ein gwefusau.

Daeth i olygu, ar y cyfan, unrhyw ddeddf, rheol, gorchymyn neu gyfraith awdurdodol, nad oes wyro arnyn nhw. Serch hynny, fe'i defnyddiwn fel dywediad yn achlysurol mewn ystyr llacach am ambell orchymyn neu drefn nad oes grym cyfreithiol haearnaidd iddyn nhw.

Mae'r drefn o gael cyfarfod gweddi cenhadol y Llun cyntaf yn y mis fel 'cyfraith y Mediaid a'r Persiaid' i'n gweinidog ni.

Pam mae'n rhaid wrth ddwy oedfa bob Sul fel pe bai'n 'gyfraith y Mediaid a'r Persiaid'?

Cyfyng-gyngor. Dengys GPC fod 'cyfyng-gyngor' fel ymadrodd yn bod ac i'w gael mewn llenyddiaeth cyn cyfieithu'r Beibl. Gellid dadlau felly y byddai'r ymadrodd yn yr iaith, Beibl neu beidio. Ac eto, bob tro y down ar ei draws mewn print neu ei glywed ar lafar myn fradychu ei dras Feiblaidd rywfodd. Mae'n nodweddiadol Feiblaidd ei ffurf a'i sŵn.

Fe'i cawn ddwywaith yn y Beibl a hynny yn y TN. "Ym mhob peth . . . yr ydym mewn cyfyng-gyngor, ond nid yn ddiobaith" (2 Cor. 4: 8 HFC) (Gw. hefyd Luc 21: 25); "we are perplexed" (HFS). Gollyngwyd yr ymadrodd o'r BCN yn ffafr "ein bwrw i ansicrwydd". "bewildered" (NEB a JBP). "Sometimes in doubt" (GNB). "perplexed" (Moffatt). Daw ei ystyr yn ddigon clir: bod mewn cyfyngder meddwl, mewn penbleth, mewn ansicrwydd. Ni newidiodd ei ystyr yn ein defnydd ohono, ac mae hynny'n bur aml.

Diolch ichi am y croeso. 'Rydw'i wedi bod yma efo chi rai gweithia' erbyn hyn, ond heb gadw cownt o beth ydw'i wedi 'i roi o'r blaen. Rydw'i felly wedi bod mewn 'cyfyng-gyngor' beth i sôn amdano heddiw.

Cyhoeddi o bennau'r tai. Idiom am ddatgan rhywbeth yn groyw, yn ddiamwys neu'n ddifloesgni yw 'cyhoeddi o bennau'r tai'. Iesu Grist biau'r geiriau lle mae'n rhoi comisiwn i'r deuddeg disgybl, ac yn eu hannog i fod yn eofn. Y maen nhw i gyhoeddi yn wrol ac eofn y neges a roed iddyn nhw. "Yr hyn a sibrydir i'ch clust, cyhoeddwch ef ar bennau'r tai" (Math. 10: 27 BCN). To gwastad, fflat, oedd i dŷ Iddewig. Nid peth anghyffredin felly oedd i ambell do ddod yn llwyfan i gyhoeddi rhyw bethau yr oedd yn bwysig i'r mwyafrif posibl o'r bobl eu clywed a'u gwybod. Meddai'r *Brewer's Dictionary of Phrase and Fable*: 'Jewish houses had flat roofs — and from these proclamations were made'. Dyna'n sicr y darlun sy'n egluro'r idiom gan Iesu Grist o 'gyhoeddi o bennau'r tai'.

Mae'n ddiddorol sylwi mai *pregethu* yw'r gair yn yr HFC ac nid *cyhoeddi*. "Yr hyn a glywch yn y glust, pregethwch ar bennau'r tai". Ac yn yr HFS, "preach" yw'r gair yno. "Shout from the house-tops" sydd yn y NEB ac "announce from the rooftops" yn y GNB. Fel y gwelsom, "cyhoeddwch ef ar bennau'r tai" a roed inni yn y BCN. Defnyddir yr un gair Groeg am bregethu ac am gyhoeddi yn y TN. Hawdd wedyn, mae'n debyg, oedd i *pregethu ar bennau'r tai* ddod yn *gyhoeddi o bennau'r tai* fel ffurf gyffredin yn Gymraeg.

Mi ddefnyddiwn yr ymadrodd, fel y mae yn Mathew, yn ei ffurf gadarnhaol, ond fe wnawn ddefnydd negyddol ohono hefyd. Medden ni am ambell beth y dylai pobl ei wybod, 'Mae angen inni gyhoeddi hyn o bennau'r tai'. Ond weithiau pan nad oes ddymuniad am i rywbeth ddod yn wybodaeth ry gyhoeddus mi ddywedwn "Dydw'i ddim am i hyn gael ei gyhoeddi o bennau'r tai."

Mi gefais wahoddiad bore 'ma i ddod yn aelod drwy anrhydedd o Orsedd y Beirdd. Mae'r peth i fod reit gyfrinachol dros dro. Gofynnir yn benodol inni beidio cyhoeddi'r peth 'o bennau'r tai' am rhyw ddeufis arall (Gw. Nac adroddwch yn Gath).

Cymryd enw'n ofer. Heb unrhyw amheuaeth, o'r trydydd gorchymyn y daeth 'cymryd enw'n ofer'. "Na chymer enw yr Arglwydd dy Dduw yn ofer" (Ecs. 20: 7 HFC). Dyna a gawn, air am air, yn y BCN hefyd. Er nad yn rhagori ar y Gymraeg, mae'r cyfieithiadau Saesneg o ddiddordeb. "Thou shalt not take the name of the Lord thy God in vain" (HFS); "You shall not make wrong use of the name of the Lord your God" (NEB); "You shall not use the name of the Eternal, your God, profanely" (Moffatt).

Er mai siars ddwys i beidio â chymryd enw Duw yn ofer yw'r gorchymyn, ysgafnach, mwy ysgafala, a digon direidus yw'r defnydd a wnawn ni o 'cymryd enw'n ofer', a hynny yn ein perthynas â'n gilydd.

'Clywed dy fod wedi "cymryd f'enw i'n ofer' yn y Gymdeithas noson o'r blaen'.
'Be dd'wedes i felly?'

'Deud wnest ti, medden nhw, fy mod i'n cadw ceiliog dandi yn gloc larwm!'

Cyn y dilyw. Cyfeiriad, heb amheuaeth, at y Dilyw Beiblaidd. Er bod i Tseina, India, Asyria, Mecsico a Groeg eu storïau dilyw, mae'n amlwg, hyd yn oed i genhedlaeth mor anysgrythurol â'n cenhedlaeth ni, mai at y Dilyw yn Llyfr Genesis y cyfeiria'r ymadrodd 'cyn y dilyw'. Mae'n weddol sicr hefyd mai o Efengyl Mathew y cawsom yr union eiriau. Yno mae Iesu'n sôn am ddyfodiad Mab y Dyn i ddwyn y byd at ei goed. Ond 'wŷr neb yn union pryd y daw, mwy nag y gwyddai neb cyn y dilyw pryd yn union y dôi'r dilyw. "Fel yr oedd pobl yn y dyddiau cyn y dilyw yn bwyta ac yn yfed . . . felly hefyd y bydd yn nyfodiad Mab y Dyn" (Math. 24: 38-39 BCN). "Dyddiau ymlaen y dilyw" a gafwyd gan W. Salisbury yn 1567. Dyna sydd yn yr HFC byth oddi ar hynny. Rhaid nad oedd '*o flaen y dilyw* yn ffurf arferedig yn nyddiau Salisbury. Boed fel y bo am hynny, hawdd deall sut y daeth 'ymlaen y dilyw' yn 'cyn y dilyw' ar lafar, a ffeindio'i ffordd i'r BCN.

Mae'r ergyd yn y ffaith fod y dilyw yn ddigwyddiad hen, hen, yn mynd ymhell, bell yn ôl. Hynny yn ei dro yn cyfleu'r syniad o fod ymhell ar ôl yr oes, ac yn anarferol o hen ffasiwn.

'Mae Twm Jôs yn dal i drin ei dir efo gwedd o geffylau. Mae ei weld wrthi hi yn union fel pe bai'n olygfa o'r dyddiau "cyn y dilyw".'

'Welais i neb yn edrych mor ddychrynllyd o hen ffasiwn â Marged Ifas. Mae'i het hi fel pe bai o'r cyfnod "cyn y dilyw".'

Cynhyrfu'r dyfroedd. Dyfroedd Llyn Bethesda yn wreiddiol, wrth gwrs. O stori'r claf ar lan y llyn hwnnw y daeth y dywediad, yn sicr, er mai "cynhyrfu'r dwfr" yn yr unigol a geir yno. "Yno y gorweddai nifer mawr o rai cleifion, deillion, cloffion a gwywedigion, yn disgwyl am gynhyrfiad y dwfr. Canys angel oedd ar amserau yn disgyn i'r llyn ac yn cynhyrfu'r dwfr. Yna yr hwn a elai i mewn yn gyntaf ar ôl cynhyrfu'r dwfr, a âi yn iach o ba glefyd bynnag a fyddai arno" (Ioan 5: 3-4 HFC). Does dim sôn am yr "angel ar amserau yn disgyn i'r llyn," a.y.y.b., yn y BCN mwy nag yn y NEB a'r GNB, ond fel troednodiad yn unig. 'Rwy'n gweld bod cyfiawnhad i hynny o safbwynt ysgolheictod. Ychwanegiad diweddarach, yn ôl pob tebyg, yw adnod 4, a hynny dan ddylanwad adnod 7. Mi deimlais, fodd bynnag, bod y stori heb adnod 4 wedi ei gwanhau drwyddi. Ond dyna fi'n dechrau 'cynhyrfu'r dyfroedd'!

Daeth 'cynhyrfu'r dyfroedd' bron yn gyfystyr â 'chodi cnecs' gan ambell un tipyn mwy crancyddol na'i gilydd.

''Roedd pethau'n dwad i ben yn bur daclus yn y Cyngor ond fe fu'n rhaid i Robin, yn ôl ei arfer, gael "cynhyrfu'r dyfroedd".'

Diben da, bendithiol, oedd i 'gynhyrfu'r dyfroedd' yn Llyn Bethesda, er mwyn gwella pobl a'u anhwylderau. Fe welwn ninnau 'gynhyrfu'r dyfroedd' weithiau fel rhywbeth da a bendithiol.

'Oni bai i hwn-a-hwn ddal ati i "gynhyrfu'r dyfroedd" yn y Senedd, fyddai dim oll wedi ei wneud'.

Cynnal breichiau. O'r stori am Aaron a Hur yn cynnal breichiau Moses yn y frwydr â'r Amaleciaid, y daeth yr idiom 'cynnal breichiau'. "A phan godai Moses ei law, y byddai Israel yn drechaf, a phan ollyngai ei law i lawr, Amalec a fyddai drechaf. A dwylo Moses oedd drymion . . . ac Aaron a Hur a gynhaliasant ei ddwylaw, un ar y naill du, a'r llall ar y tu arall" (Ecs. 17: 11, 12 HFC). Yn y BCN cawn y rhan berthnasol o'r stori fel hyn, 'ei ddwylo'n flinedig . . . gydag Aaron ar y naill ochr a Hur ar y llall, yn cynnal ei ddwylo'. 'Cynnal dwylo' fel y sylwir sydd yn yr HFC a'r BCN, ac nid 'cynnal breichiau'. 'Held up his hands' a rydd y NEB hefyd. Mae'r ddwy ffurf yn amlwg yn dwyn yr un ystyr. Ac eto i gyd 'cynnal breichiau' yw'r ffurf sydd wedi cartrefu yn yr iaith.

Cefnogi neu ategu rhywun neu'i gilydd yw ystyr trosiadol cynnal breichiau. Daw i'n siarad yn bur aml. Prin y mae modd cael cyfarfod sefydlu gweinidog heb fod rhywun yn apelio am i bobl ei ofalaeth gynnal ei freichiau. Mae gennym hefyd yng Nghymru bobl sydd, fel Moses, â'u breichiau'n blino yn y frwydr dros ein hiaith a'n hunaniaeth.

Y mae ein pobl ifainc yn dangos y ffordd inni yn ein brwydr am ein hiaith a'n hunaniaeth. Gwyn fyd na fyddai mwy ohonom ni, y rhai hŷn, yn barotach i 'gynnal eu breichiau'.

Cyrchu at y nod. Meddai Paul wrth y Philipiaid, "Yr ydwyf yn cyrchu at y nod, am gamp uchel alwedigaeth Duw yng Nghrist Iesu" (Phil. 3: 14 HFC). Ar yr un gwynt cyfaddefai Paul nad oedd eto'n ei ystyried ei hun yn berffaith, er mai hynny oedd ei uchelgais, ei nod. "I press towards the mark . . ." (HFS). "I press towards the goal . . ." (NEB). "So I run straight towards the goal . . ." (GNB). Fel mewn sawl cyswllt arall, o fyd chwaraeon a gemau y cymer Paul ei fetaffor, "cyrchu at y nod ("cyflymu at y nod", BCN) am gamp uchel . . ."

Daeth 'cyrchu at y nod' yn ymadrodd at iws mewn sawl cylch o fywyd i'r Cymro. Cyn cyrraedd unrhyw darged mewn unrhyw faes, 'cyrchu at y nod' y mae pob un.

Mae'r tîm pêl droed lleol 'ma wedi gwneud cyrraedd yr adran gynta'n darged 'leni. A chware teg, maen nhw'n 'cyrchu'n gyflym at y nod'.

Cysegr Sancteiddiolaf. Ystyr yr ymadrodd hwn yn ei gyd-destun crefyddol gwreiddiol, ac ym mhob defnydd mwy cyffredin a mwy estynedig a wnawn ni ohono, yw ystafell breifat nad oes neb i fynd iddi ond drwy wahoddiad. Dyna, mewn gwirionedd, oedd y Cysegr Sancteiddiolaf yn y deml Iddewig: adran neu gyntedd lle'r âi'r Archoffeiriad yn unig, a hynny dim ond ar Ddydd Mawr y Cymod. Ac wrth gwrs, o'r fan honno y daeth yr ymadrodd, 'y cysegr santeiddiolaf'.

''Roedd gan y llyfrgellydd yr hyn a alwai yn "strong room": lle i gadw'r trysorau mwyaf. 'Doedd wiw i neb feddwl am fynd i'r fan honno. Yr ystafell honno oedd "y cysegr santeiddiolaf".'

Cysurwyr Job. Yn ei orthrymderau mwyaf daeth Eliphas, Bildad a Sophar, cyfeillion Job, ato i'w gysuro. Tipyn yn anffortunus oedd eu ffordd o gysuro, fodd bynnag. Aethant ati i geisio eluro iddo mai canlyniad ei bechodau oedd ei ofidiau! Gwneud popeth ond ei gysuro! Yn wir, rhoi halen ar friw. Daeth 'cysurwyr Job' yn label ar y math o bobl sy'n bwriadu cynnig cysur, ond sydd, wrth ddweud y peth rong, yn cael yr effaith o ddyblu tristwch pobl. Dweud pethau pruddglwyfus, sensoraidd, anffodus.

'Fe ddaeth Sian Owen yma i edrych amdana'i neithiwr. Y peth cynta' ddwedodd hi oedd bod Betsan Jôs wedi darfod. Finna'n gwybod mai wedi cael strôc 'run fath â finna 'roedd honno. Ond dyna ni, un o "gysurwyr Job" fu Sian Owen erioed'.

Ch

Chwythu bygythion. Egyr y nawfed bennod o Lyfr Actau yr Apostolion efo'r geiriau "A Saul eto yn chwythu bygythiau a chelanedd yn erbyn disgyblion yr Arglwydd . . ." (Act. 9: 1 HFC). Lluosog bygythiad yw bygythiau, wrth gwrs. Ceir y ffurf bygythiadau ar dro hefyd, ond 'bygythion' yw'r ffurf arferol bellach, a dyna a gawn yn y BCN. Ystyr y gair bygwth yw datganiad o fwriad i niweidio. Yn yr HFC y mae'r gair 'celanedd' mewn partneriaeth â 'chwythu bygythiadau'. Lladdfa, neu gyflafan waedlyd a chreulon, yw celanedd. 'Roedd Paul felly yn bygwth lladdfa ar 'ddisgbylion yr Arglwydd'. ". . . breathing out threatenings and slaughter" (HFS). ". . . kept up his violent threats of murder" (GNB). ". . . breathing murderous threats" (NEB) ". . . chwythu bygythion angheuol" (BCN).

O ddefnyddio'r ymadrodd yn ei ystyr llythrennol a gwreiddiol yn ein perthynas â phobl eraill, byddai llawer ohonom dan glo ers talwm! Yn ffodus mae wedi ei liniaru'n sylweddol iawn yn ein defnydd ohono. Ar y cyfan anghofiwyd y gair 'celanedd' a newid ystyr 'bygythion' i ddaroganau pesimistaidd. Fe'i defnyddiwn mewn ymateb i berson sy'n tueddu i edrych yn ddu ar bethau yn ddiangen; yn darogan gwae yn ddi-sail; yn gweld bwganod lle nad oes fwganod; yn aderyn drycin; yn Jeremeia o fath.

'Roedd Marged Jôs am f'atgoffa inni gael dwy brofedigaeth yn barod yn yr ardal 'ma y mis hwn, ac yn darogan y gwelem y drydedd cyn ei ddiwedd. Mae profedigaethau yn dwad bob yn dair, medde hi. Mi fu'n rhaid imi gael dweud wrthi am beidio "chwythu bygythion".' (Gw. hefyd Jeremeia.)

D

Dafydd a Goliath. Stori sydd wedi cydio yn nychymyg y canrifoedd yw'r stori am Ddafydd, y llanc ifanc o fugail, yn derbyn her Goliath, y cawr naw troedfedd o Gath. Ac wrth gwrs, y bach yn gorchfygu'r mawr, ac yn gwneud hynny ag erfyn cyffredin, â ffon dafl.

Daeth yr ymadrodd 'Dafydd a Goliath' yn ddihareb lle bo'r bach a'r gwan yn gorchfygu'r mawr a'r cryf. Soniwn am 'sefyllfa Dafydd a Goliath' lle mae gwrthdaro neu gystadleuaeth rhwng dau berson, neu ddau gwmni masnachol hyd yn oed, ac adnoddau'r ddwy ochr yn hollol anghyfartal. Mae hi'n 'Ddafydd a Goliath' yn arbennig lle mae person llai ei adnoddau, ei brofiad, a'i allu yn cario'r dydd.

'Mi benderfynodd William ymladd y Cyngor Sir ar fater y llwybr drwy ei dir. 'Roedd hi'n "Dafydd a Goliath". Cario'r dydd a wnaeth William.'

(Y) dall yn tywys y dall. Oddi ar wefusau Iesu Grist yn ddi-ddadl y cawsom y dywediad, 'y dall yn tywys y dall'. Newydd ddweud yr oedd nad yr hyn sy'n mynd i mewn i enau dyn sy'n ei halogi, ond yr hyn sy'n dod allan. Dywed y disgyblion wrtho fod y Phariseaid wedi eu tramgwyddo gan yr hyn a ddywedodd. Meddai yntau, "Gadewch iddynt: tywysogion deillion i'r deillion ydynt. Ac os y dall a dywys y dall, y ddau a syrthiant i'r ffos" (Math. 15: 14 HFC). ". . . arweinwyr dall i ddeillion ydynt. Os bydd dyn dall yn arwain dyn dall, bydd y ddau yn syrthio i bydew" (BCN). ". . . they are blind guides, and if a blind man guides another they will both fall into the ditch" (NEB).

Pictiwr byw o rywun nad yw'n gwybod nemor ddim am rywbeth yn mynd ati i oleuno rhywun arall na ŵyr nemor ddim am yr un peth. Neu, a'i roi fel arall, rhywun sy'n anwybodus mewn maes arbennig yn cael ei gyfarwyddo gan un arall sydd yr un mor anwybodus ag yntau yn y maes hwnnw.

'Roedd yr idiom yn arferedig i ryw raddau yn Gymraeg cyn cyfieithu'r Beibl. Yn ôl GPC, fe'i ceir yn *Llyfr Ancr Llanddewibrefi* 1346, ddwy ganrif a hanner cyn cael y Beibl. Ond y mae'n hollol bosibl, fodd bynnag, mai o'r *Fwlgat*, fersiwn Lladin o'r Beibl, ac nid o'r Gymraeg gysefin, y cafodd meudwy Llanddewibrefi yr idiom. Beth bynnag am hynny, mae'n weddol ddi-ddadl mai'r Beibl a'i gosododd yn ein genau, ac felly yn ein llên. Yn naturiol, yr idiom fel y mae yn yr HFC a ddefnyddiwn ni.

Mi benderfynais fynd at y gweinidog i geisio goleuni ar y mater. Ond 'doedd o'n amlwg ddim callach na finna'. 'Y dall yn tywys y dall oedd hi'.

Dan adain. Cawn y ffurfiau 'dan adain' neu 'dan adenydd' laweroedd o weithiau yn y Beibl, ac yn aml efo'r gair 'cysgod' yng nghanol yr ymadrodd. Er bod GPC yn nodi un enghraifft o'r ymadrodd yn *Llyfr Coch Hergest* o'r 14g 'does dim dwywaith nad atsain o'r Beibl sydd ynddo i ni. Yr enghraifft fwyaf adnabyddus ohono, hwyrach, yw honno yng ngeiriau rhybuddiol Iesu Grist wrth bobl Jerwsalem: "Mor aml y dymunais gasglu dy blant ynghyd fel y mae'r iâr yn casglu ei chywion dan ei hadenydd" (Math. 23: 37 BCN) (Gwel. hefyd Salmau 17: 8 a 36: 7 a Ruth 2: 12).

Gwnaeth Pantycelyn ddefnydd o'r ddelwedd mewn tri o'i emynau, o leiaf. A chyda'i ddawn i ail-adrodd geiriau'n effeithiol, cawn 'dan adain' deirgwaith yn yr un pennill yn un o'i emynau:

'Dan dy adain' cedwir finnau,
'Dan dy adain' byddaf byw,
'Dan dy adain' y gwaredir
Fi o'r beiau gwaetha'u rhyw. (W. Williams LLEM 82)
(Gwel. hefyd 108 a 540)

'Mae yna gryn dipyn o gerddoriaeth yn y ferch ienga 'cw, ond 'i bod hi wedi llaesu dwylo'n ddifrifol yn ddiweddar. Mae Cadi am ei chymryd "dan ei hadain". Siawns nad altrith hi rŵan.'

Dan gochl. Ymadrodd a ddatblygodd o eiriau yn 1 Pedr 2: 16 yw 'dan gochl'. "Megis yn rhyddion, ac nid â rhyddid gennych megis cochl malais" (HFC). Er bod yr ystyr yn gliriach yn y BCN, collwyd y gair 'cochl' o'r cyfieithiad. "Rhaid ichwi fyw fel dynion rhydd, eto peidio ag arfer eich rhyddid i gelu drygioni". "Live as free men, not however as though your freedom were there to provide a screen for wrong doing" (NEB). "Only never make your freedom a pretext for misconduct" (Moffatt).

Mantell yw cochl. Rhoi mantell dros bob dillad arall a wneir. Gorchuddio yw ei phwrpas. Yn ffigurol, daeth 'dan gochl' yn ymadrodd am unrhyw beth sy'n cuddio neu gelu, yn enwedig am yr hyn sy'n celu'r gwir. Fe'i defnyddiwn am guddio bwriadau ac amcanion, neu am gymryd arnom ryw bethau. ("Under the pretence", neu "under the pretext" yn Saesneg.)

'Dan gochl' ymgeisio am y swydd, mi gefais wybod cryn dipyn am y ffordd y mae ambell i bwyllgor penodi yn mynd o'i chwmpas hi.

Dan gronglwyd. Cyfuniad yw'r gair *cronglwyd* o *crwm*, sef cam neu fwaog, a *clwyd*, sef cysgod neu amddiffyn. Magodd *crwm* y ffurf fenywaidd *crom*. Daeth y gair yn *crom-glwyd*, ac yn ddiweddarach yn *cronglwyd*.

Yn wreiddiol, gwaith plethedig o wiail oedd clwyd ac fe'i defnyddid i ddal to gwellt ar adeilad. Dyna sut y daeth i olygu *to* neu *gysgod*, ei union ystyr mewn gwirionedd yn y gair cronglwyd. Bod 'dan do' neu 'dan gysgod' felly yw bod *dan gronglwyd*.

Roedd y gair cronglwyd yn yr iaith cyn cyfieithu'r Beibl iddi. Yn ôl GPC cawn hyd yn oed yr ymadrodd *dan gronglwyd* unwaith yn un o gywyddau Dafydd ap Gwilym. Ond go brin y byddai hynny wedi bod yn ddigon i sicrhau lle iddo fel ffurf ymadrodd cyffredin yn y Gymraeg. Ar y gorau, pell ryfeddol fu gweithiau Dafydd ap Gwilym oddi wrth drwch y bobl yng Nghymru. Yn wir, 'does ar y Gymraeg nemor ddim dyled i'r gweithiau hynny, na rhai tebyg, am ei hymadroddion a'i hidiomau.

Haws o lawer credu mai o stori iacháu gwas y canwriad ym Mathew a Luc y cawsom y ffurf "*dan gronglwyd*". Meddai'r canwriad wrth Iesu, "Arglwydd, na phoena; canys nid wyf fi deilwng i ddyfod ohonot *dan fy nghronglwyd*" (Luc 7: 6 a Math. 8: 8 HFC). Mae'n werth sylwi ar Gen. 19: 8 hefyd lle mae'r gair cysgod a'r gair cronglwyd efo'i gilydd: "oherwydd er mwyn hynny y daethant dan gysgod fy nghronglwyd i".

Yn gam neu'n gymwys collodd yr ymadrodd ei le yn y BCN ym Mathew a Luc, yn ffafr y ffurf "dan fy nho". Cadwodd ei le, fodd bynnag, yn Genesis. Chwaeth cyfieithwyr gwahanol, yn cyfieithu o ddwy iaith wahanol, hwyrach sy'n gyfrifol am hynny. 'Under my roof' a geir yn y Beiblau Saesneg hen a newydd. Ond i mi, mae rhywbeth yn wan a digyhyrau yn y dywediad 'dan fy nho' yn Gymraeg, o'i gymharu â "dan fy nghronglwyd". Daliwn i ddefnyddio'r ymadrodd.

Mae'r gweinidog newydd acw ers dros ddwy flynedd bellach, ond fuo fo ddim 'dan fy nghronglwyd' i o gwbl.

Dan yr iau. Y darn o bren a roid dros warrau pâr o ychen pan fydden nhw'n cydweithio oedd iau. Ceir digon o gyfeiriadau ati yn yr ystyr llythrennol hwn yn y Beibl. Ond cawn lu o gyfeiriadau hefyd at fod 'dan yr iau' yn yr ystyr trosiadol o fod dan faich, dan orthrwm, dan ormes, dan wastrodaeth neu dan awdurdod. "Dy dad di a wnaeth ein hiau ni yn drom", meddai'r bobl wrth Rehoboam yn Sichem adeg ei goroni'n frenin (1 Bren 12: 4 HFC). "Trymhaodd dy dad ein hiau" (BCN); "Your father laid a cruel yoke upon us" (NEB); "Your father's rule was heavy" (Moffatt); "Your father Solomon treated us harshly and placed heavy burdens on us" (GNB).

Nid yw'n anodd dyfalu sut y daeth 'dan yr iau' i olygu bod 'dan ddisgyblaeth', a hynny yn yr ystyr orau. "Da yw i ŵr ddwyn yr iau yn ei ieuenctid" (Galar. 3: 27 HFC); "Da yw bod dyn yn cymryd yr iau arno yng nghyfnod ieuenctid" (BCN); "It is good, too, for a man to carry the yoke in his youth" (NEB). Cawn hefyd, wrth gwrs, anogaeth Iesu: "Cymerwch fy iau arnoch a dysgwch gennyf . . . canys fy iau sydd esmwyth a'm baich sydd ysgafn" (Math. 11: 29. 30 HFC). "Cymerwch fy iau arnoch a dysgwch gennyf . . y mae fy iau i yn hawdd ei dwyn . . ." (BCN). Mae'n bosibl fod cyngor Galarnad Jeremeia ac anogaeth Iesu wedi cydysbrydoli'r ymadrodd 'dan yr iau' yn yr ystyr sydd iddo i Gristnogion.

Gwnaeth Pedr Fardd ddefnydd effeithlon o'r ymadrodd ddwy waith yn ei emyn i blant:

Cael bod yn fore 'dan yr iau'
Sydd ganmil gwell na phleser gau;

* * * * * *

O boed i'm dreulio yn ddi-goll
O 'dan iau' Crist fy mebyd oll (LLEM 753)

Anaml iawn y defnyddiwn 'dan yr iau' erbyn hyn ar wahân i ddibenion cwbl Gristnogol, fel mewn gwasanaeth bedydd, er enghraifft.

Darfod amdanaf (amdanom, amdani, amdano). A chymryd pob ffurf ar y berfenw 'darfod', down ar draws yr ymadrodd hwn dros ugain o weithiau yn y Beibl. Ei ystyr, wrth gwrs, yw rhywun y mae bron â dod i'r pen arno, neu rywun y mae hi bron ar ben arno. Yn ei le, ac yn golygu'r un peth, gellid defnyddio ffurfiau fel trengi, marw neu fethu; neu ymadroddion fel 'wedi darfod arno' a 'yn colli'r dydd'. Mae'n werth cofio ein bod yn defnyddio'r gair 'darfod' am farw. Pan fo rhywun wedi marw mi ddywedwn, 'mae hwn-a-hwn wedi "darfod".'

Geiriau Eseia, pan gafodd ei weledigaeth, yw'r enghraifft fwyaf cyfarwydd o'r ymadrodd yn y Beibl, yn sicr; "Gwae fi, canys darfu amdanaf" (Eseia 6: 5 HFC). "Y mae wedi darfod amdanaf" (BCN). Fe'i cawn hefyd gan y disgyblion yn eu dychryn yn y storm ar Fôr Galilea, a Iesu yn cysgu. Ar ôl ei ddeffro, meddent wrtho: "Arglwydd, cadw ni; 'darfu amdanom' " (Math. 8: 25 HFC). Yn yr achos hwn, rhydd y BCN union ystyr yr ymadrodd: "Arglwydd, achub ni, y mae ar ben arnom".

"Blas fymryn yr hen ffasiwn sydd ar yr ymadrodd bellach ond fe'i defnyddir o hyd" meddai R. E. Jones yn ei ALIC.

Pan fo plismon yn gwneud rhywbeth o'r math yna, y mae hi wedi 'darfod amdano' cyn belled ag y mae ei swydd yn y cwestiwn.

Dau ddyblyg ei feddwl. Cawn yr ansoddair dau ddyblyg rai gweithiau yn yr HFC. Pan fo wedi ei gysylltu â phethau mae'n golygu 'dwbl' neu 'dwywaith cymaint' o rywbeth. Sonnir am gael neu am dderbyn y peth yma neu'r peth acw yn 'ddau ddyblyg'. Ac eithrio unwaith, disodlwyd 'dau ddyblyg', yn yr ystyr hwn, gan 'dwbl', 'dwywaith' a 'deublyg', yn y BCN.

Mae'n amlwg, fodd bynnag, fod i 'dau ddyblyg' arlliw gwenieithus. "Â gwefus wenieithgar ac â chalon ddau ddyblyg y llefarant" (Salm 12: 2 HFC). Ond mae'n siŵr mai yn yr ystyr sydd iddo gan Iago y defnyddiwn ni'r ymadrodd. "Gŵr dau-ddyblyg ei feddwl sydd anwastad yn ei holl ffyrdd" (Iago 1: 8 HFC). "Dyn dau feddwl, ansicr yn ei holl ffyrdd" (BCN). "He is double-minded, and never can keep a steady course" (NEB). "Unable to make up his mind and undecided in all that he does" (GNB). Yr ystyr hwn, sydd iddo gan Iago, yw'r ystyr arferol a rown ninnau iddo fel ymadrodd.

Wnaiff Thomas Jones byth lawer o arweinydd. Mae o, wrth natur, yn rhy 'ddau ddyblyg' 'i feddwl ac yn llawer rhy ansicr ohono'i hun.

Da was. Rhan-ymadrodd o Ddameg y Talentau (Math. 25: 14-30). Buddsoddodd dau o'r gweision eu hariar er mwyn iddo ddodwy llog a chânt guro eu cefnau gan y meistr. Cuddio ei arian a wnaeth y trydydd a chaiff gerydd y meistr. Yn ei ganmoliaeth i'r ddau gyntaf dywed y meistr, "Da, was da a ffyddlon" (Math 25: 21 HFC). "Ardderchog, fy ngwas da a ffyddlon" (BCN). "Well done, my good and faithful servant" (HFS). Tebyg iawn hefyd yw'r holl gyfieithiadau diweddar i'r Saesneg.

Ac eithrio teyrngedau mewn angladdau, anaml y daw'r geiriau i gyd dros ein gwefusau. Fel rheol, fe dynnwn yr atalnod o'r dywediad a bodloni ar ddweud 'da was' yn unig.

'Does gen ti ddim y fath beth â newid punt, mae'n siŵr?'
'Oes, tad, dyma ti, hwda.'
' "Da was", diolch yn fawr'.

Da yw i ni fod yma. Cafodd Pedr wefr ar ben mynydd y gweddnewidiad, a'i ddymuniad oedd cael aros yno. 'A dywedodd Pedr wrth Iesu, "Arglwydd, y mae'n dda i ni fod yma" ' (Math. 17: 4 BCN). 'O Arglwydd, da yw i ni fod yma' (HFC). 'It is good for us to be here' (HFS). 'How good it is that we are here!' (NEB, GNB).

Daw'r dywediad yn un addas, a phriodol iawn, wrth werthfawrogi budd a bendith ambell i gyfarfod neu ambell i gwmnïaeth.

'Ryden ni wedi cael noson ardderchog heno: un o'r rhai gorau ers tro. 'Fynnwn i mo'i cholli am bris yn y byd. Mi fedrwn i gyd ddweud, yn ddigon onest, mai 'da oedd i ni fod yma'.

Dechreuad gofidiau. Yn yr HD down ar draws y syniad a'r gred am 'Ddydd yr Arglwydd'. Dydd oedd hwnnw pan ymyrrai Duw mewn hanes; dwyn bywyd y byd at ei goed, a rhoi cychwyn i oes newydd ac i ogoniant newydd. Yn ôl Marc, cawn Iesu Grist yn patrymu ei Ail Ddyfodiad ar batrwm 'Dydd yr Arglwydd'. Cyn i'r diwrnod hwnnw ddod, fodd bynnag, ceid amseroedd o ofn a dychryn mawr. "Oblegid cyfyd cenedl yn erbyn cenedl, a theyrnas yn erbyn teyrnas. Bydd daeargrynfâu mewn mannau. Bydd adegau o newyn. Dechrau'r gwewyr fydd hyn . . . fe'ch traddodir chwi i lysoedd, a chewch eich fflangellu mewn synagogau a'ch gosod i sefyll gerbron llywodraethwyr a brenhinoedd o'm hachos i . . ." (Marc 13: 8-9 BCN). Lle y mae "dechrau'r gwewyr" yn y BCN, "dechreuad gofidiau" a geir yn yr HFC.

Mae'r BCN yn hollol iawn o safbwynt manwl a tharddiadol y gair a gyfieithir yn 'gwewyr'. Poenau geni, neu wewyr esgor, yw ei ystyr gwreiddiol. Ac wrth gwrs, mae'n addas iawn i gyfleu'r syniad o eni oes newydd gan Marc. 'Birth-pangs' a rydd y cyfieithiadau Saesneg hefyd. Ond o'r HFC y cawsom ni'r ymadrodd 'dechreuad gofidiau', a'r ystyr a rown ni iddo fymryn yn wahanol. Fe'i defnyddiwn wrth sôn am ambell ddigwyddiad a fu'n gychwyn i res o helbulon a thrafferthion.

'Erbyn gweld, 'doedd colli mam yn ddim ond "dechreuad gofidiau". Bu pum profedigaeth arall yn y teulu mewn cyfnod byr.'

Dechrau yn Jerwsalem. Luc a roes yr ymadrodd hwn inni, yn benodol ar ddiwedd ei Efengyl, ac mewn awgrym ar ddechrau Actau yr Apostolion. Mae'r disgyblion i fod yn dystion ac i "bregethu edifeirwch a maddeuant pechodau yn ei enw ef ym mhlith yr holl genhedloedd, gan 'ddechrau yn Jerwsalem'." (Luc 24: 47 HFC). Wedyn ar gychwyn Llyfr yr Actau, meddai Iesu, cyn esgyn oddi wrth ei ddisgyblion, "chwi a dderbyniwch nerth wedi i'r Ysbryd Glân ddod arnoch, a byddwch yn dystion i mi yn Jerwsalem, ac yn holl Judea a Samaria, a hyd eithaf y ddaear" (Act. 1: 8 BCN). Mae maes eu cenhadaeth i ehangu, ond i ddechrau yn eu hymyl, yn Jerwsalem.

Daeth 'dechrau yn Jerwsalem' i olygu cychwyn ar unrhyw dasg neu ymgymeriad yn ein hymyl, dechrau gartref, dechrau wrth ein traed.

Dwn i ddim pam mae angen anfon cenhadon i bellteroedd byd, a digon o waith cenhadu yma, yng Nghymru. 'Dechrau yn Jerwsalem' ddywedodd O.

Dedwydd yw rhoddi yn hytrach na derbyn. Yn ôl yr Apostol Paul, geiriau Iesu Grist yw 'dedwydd yw rhoddi yn hytrach na derbyn'. Mae'r apostol yn gorffen ei siars i henuriaid Effesus ym Miletus â'r geiriau: 'Mi a ddangosais i chwi bob peth, mai wrth lafurio felly y mae'n rhaid cynorthwyo y gweiniaid; a chofio geiriau yr Arglwydd Iesu, ddywedyd ohono ef, mai dedwydd yw rhoddi yn hytrach na derbyn' (Act. 20: 35 HFC). Mae'r BCN wedi crynhoi'r geiriau'n ardderchog: '. . . a dwyn ar gof y geiriau a lefarodd yr Arglwydd Iesu ei hun, "Dedwyddach yw rhoi na derbyn"'. 'Happiness lies more in giving than in receiving' (NEB). 'There is more happiness in giving than in receiving' (GNB). 'To give is happier than to get' (Moffatt).

'Chroniclwyd mo'r geiriau yn yr Efengylau, ond dywed Paul yn benodol mai Iesu a'u llefarodd. Yn wir, ni cheir trafferth i gredu hynny gan mor nodweddiadol ohono yw'r geiriau. Cawn eiriau sy'n cyfleu'r un gwirionedd yn yr Apocryffa ond yno nid yw'r mynegiant lawn mor gryno a bachog: 'Na fydded dy law yn agored i gymryd, ac yn gaead i roddi' (Ecclus. 4: 31 Arg. SPCK 1959). 'Paid â dal dy law yn agored i dderbyn, a'i chau'n dynn ddydd talu'n ôl' (BCN).

Daeth geiriau Iesu'n ddihareb, a defnydd diarhebol a wnawn ninnau ohonyn nhw. Yng nghyd-destun cyfrannu at achosion da a dyngarol y'u clywir fynychaf.

Peth ofnadwy ydy byw ar gardod yn barhaus, fel mae miliynau'n gorfod gwneud. Mae'r hen air yn hollol wir: 'dedwydd yw rhoddi yn hytrach na derbyn'.

Degymu'r mintys a'r cwmin. 'Degymu'r mintys a'r cwmin' yw'r ffurf a arferwn fel rheol pan ddefnyddiwn y priod-ddull Hebreig iawn yma. Daw o eiriau'r Arglwydd Iesu wrth iddo gyhuddo'r ysgrifenyddion a'r Phariseaid o roi pwys diddiwedd ar bethau bach a dibwys a hynny ar draul pethau mwy eu pwys. 'Roedd gan yr offeiriaid Iddewig hawl ar y ddegfed ran o gnwd y maes gan bawb. Yn wreiddiol, mae'n debyg, golygai hynny'r cnydau grawn. Ond am fod y gyfraith yn nodi 'popeth a dyfai o'r ddaear' fe'i dehonglid yn gwbl lythrennol ac felly rhaid oedd degymu'n fanwl hyd yn oed y pethau a dyfid i bwrpas rhoi blas ar fwyd ac i wneud meddyginiaethau fel mintys ac anis a chwmin. Dyna gefndir geiriau Iesu Grist. Cyhuddai'r ysgrifenyddion a'r

Phariseaid o fod yn bobl boenus ac afresymol o fanwl a deddfol gyda mân bethau'r ddeddf seremonïol, ond yn esgeuluso pethau llawer pwysicach fel cyfiawnder, trugaredd a ffyddlondeb (Math. 23: 23). Fe wyddom yn dda am y math hwn o berson dynol. Cawn y brid mewn byd ac eglwys. A chawn fod yr hen briod-ddull 'degymu'r mintys a'r cwmin' yn gwbl gartrefol yng nghylchoedd seciwlar bywyd, er mai mewn awyrgylch crefyddol hollol y'i ganwyd.

''Roedd deg ceiniog o wahaniaeth rhwng y derbyniadau a'r taliadau. Dim gwerth sôn amdano. Ond mi fynnodd un o'r pwyllgor fod y trysorydd yn edrych i mewn i'r peth erbyn y cyfarfod nesaf. Nodweddiadol; ''degymu'r mintys a'r cwmin'' bob amser.'

Derbyn wyneb. Un peth y mae'r Beibl yn drwm arno, o'i ddechrau i'w ddiwedd, yw 'derbyn wyneb'. Ffafrio rhywun, neu barchu rhywun, yn rhinwedd ei gyfoeth neu ei statws, yn hytrach nag yn rhinwedd ei deilyngdod neu ei haeddiant, yw 'derbyn wyneb'. 'Dydy Duw ddim yn dderbyniwr wyneb. "Canys yr Arglwydd eich Duw . . . ni dderbyn wyneb ac ni chymer wobr" (Deut. 10: 17 HFC). Rhybuddir dyn rhagddo. "Nid wyt i wyro barn na derbyn wyneb" (Deut. 16: 19 BCN).

Hwyrach mai yn ei ffurf negyddol, 'di-dderbyn-wyneb', y clywn yr ymadrodd fynychaf o lawer.

Dyn unplyg ryfeddol oedd Siencyn Hughes. Wrth gyflogi swyddogion, chymrodd o 'rioed sylw o'u llinach na'u safle, dim ond eu cymwysterau. Un o'r rhai mwyaf 'di-dderbyn-wyneb' a gwrddais erioed.

Deheulaw cymdeithas. Achlysur derbyn aelodau newydd mewn eglwys yw cynefin naturiol yr ymadrodd 'deheulaw cymdeithas' i ni yng Nghymru. Yno y mae ar ei fwyaf cartrefol. Ond 'does gan yr eglwysi ddim monopoli bellach ar yr ymadrodd. Fe'i defnyddir cryn lawer gan fudiadau seciwlar lle croesewir aelodau newydd, a.y.y.b. O'r Beibl y daeth, fodd bynnag. Yn TN William Salesbury 1567 y ceir yr enghraifft gynharaf ohono, a barnu oddi wrth GPC. Yn ei lythyr at y Galatiaid dywed Paul, "A phan wybu Iago, a Ceffas, ac Ioan, y rhai a dybid eu bod yn golofnau . . . hwy a roddasant i mi ac i Barnabas *ddehau-ddwylaw cymdeithas*" (Gal. 2: 9 HFC). Yn naturiol, aeth dehau-ddwylaw yn *deheulaw* yn y BCN. Diddorol yw sylwi mai *rhoi* deheulaw cymdeithas a wneir yn yr hen gyfieithiad a'r newydd, ac nid *estyn* deheulaw cymdeithas. Diau mai copïo'r Saesneg, "extend the right hand of fellowship", y mae'r ffurf *estyn*, ac mai cywirach ffurf felly, yn Gymraeg, yw *rhoi deheulaw cymdeithas*. Wrth gwrs, y mae ysgwyd llaw (deheulaw) yn rhan symbolaidd o roi deheulaw cymdeithas fel rheol. Bu ysgwyd llaw fel arwydd o groeso ac o ewyllys da yn rhan o ymddygiad y dyn gwâr ar bob adeg. Mae'n debyg mai pwrpas cyntefig y peth oedd profi nad oedd gan un erfyn yn ei law i beri niwed i un arall, h.y., ei fod yn gyfeillgar a diniwed. Hawdd gweld sut y daeth ysgwyd llaw yn arwydd o ewyllys da ac o groeso. Ac y mae hen syniad yn bod mai'r llaw dde yw'r llaw orau, a'r gryfaf a'r fedrusaf, o'r ddwy. Onid y syniad hwnnw yw gwraidd geiriau fel *deheuig* (deheu + ôlddodiad *ig*) a deheurwydd (deheu + rwydd) (*skill, dexerity*)? Ond gwell peidio mynd ar ôl yr ysgyfarnog honno. Ond mae'n rhaid dweud bod 'deheulaw cymdeithas' yn hen ymadrodd addas dros ben, mewn byd ac eglwys, o'i iawn ddefnyddio.

Yn Sasiwn y gwanwyn, fel rheol, y rhoir croeso a 'deheulaw cymdeithas' i'r llywydd newydd.

Delila. Gwraig Samson, un o farnwyr Israel ac yn enwog am ei gryfder diarhebol. Daeth Delila yn enwog fel hudoles a bradwres. Darganfu mai yng ngwallt Samson yr oedd cyfrinach ei nerth. Torrodd ei wallt tra oedd yn cysgu, a'i fradychu drwy ei roi yn nwylo'r Philistiaid am swm o arian (Barn. 16: 1-20).

Byth oddi ar hynny y mae pob merch ledrithiol, dwyllodrus, fradwrus, sy'n gyfrifol am niweidio ei gŵr neu ei chariad, yn 'hen Ddelila o ferch', neu yn 'dipyn o hen Ddelila'.

'Welaist ti'r hanes yn y papur bore 'ma am y ddynes 'na yn Lloegr yn rhywle wedi cael ei chariad i saethu ei gŵr? Hen "Ddelila" ofnadwy allwn i feddwl'.

Deufor gyfarfod. Ymadrodd o stori'r llongddrylliad yn Llyfr yr Actau yw 'deufor gyfarfod'. "Ac wedi inni syrthio ar le 'deufor-gyfarfod', hwy a wthiasant y llong . . ." (Act. 27: 41 HFC). "Ond daliwyd hwy gan ddeufor-gyfarfod, a gyrasant y llong i dir" (BCN). "And falling into a place where two seas met" (HFS). "Between cross currents" (NEB). "The ship hit a sandbank" (GNB). "Striking a reef

. . ." (Moffatt). O Feibl diwygiedig 1620 y cawsom 'deufor-gyfarfod'. 'Deufor-gyhwrdd' oedd gan W. Salisbury yn 1567, ac 'ar draethell dau-for' gan W. Morgan yn 1588.

Mae'n ymadrodd sy'n cyfleu ei ystyr ei hun: y fan lle mae dau fôr yn cyfarfod. Lle dyrys a pheryglus yw man cyfarfod dau fôr. Ai er mwyn cyfleu hynny y caed 'sand bank' gan y GNB, a 'reef' gan Moffatt? I ni, daeth yn ymadrodd diarhebol bron am sefyllfa o gyfyngder, o berygl, neu o argyfwng.

Heddiw, cawn ein hunain yng Nghymru wedi'n dal yn 'neufor-gyfarfod' argyfwng etifeddiaeth ac argyfwng hunan-hyder.

Didoli'r defaid oddi wrth y geifr. O un o ddamhegion mwyaf cofiadwy Crist, Dameg y Farn, y daeth y dywediad 'didoli'r defaid oddi wrth y geifr'. "Pan ddaw Mab y Dyn yn ei ogoniant . . fe gesglir yr holl genhedloedd ger ei fron, a bydd ef yn eu didoli oddi wrth ei gilydd, fel y mae bugail yn didoli'r defaid oddi wrth y geifr . . ." (Math. 25: 31-33 BCN). Byddai geifr gwyllt ar brydiau, mae'n debyg, yn dod i bori yn gymysg â defaid, a rhaid oedd eu didoli'n achlysurol.

Daeth yn ddywediad am rannu pobl yn ôl eu teilyngdod neu eu hannheilyngdod; y drwg oddi wrth y da; y cymeradwy oddi wrth yr anghymeradwy, neu'r goreuon o unrhyw grŵp oddi wrth rai salach; y rhai medrusaf i bwrpas neilltuol oddi wrth y rhai llai medrus.

'Newydd orffen eu cwrs hyfforddiant y mae'r llanciau. Ar y foment, mae hi'n anodd dweud pa rai ohonyn nhw sydd wedi manteisio fwyaf ar y cwrs. Wedi iddyn nhw ddechrau mewn gwaith, mi fydd modd "didoli'r defaid oddi wrth y geifr".'

Digon i'r diwrnod ei ddrwg ei hun. Geiriau o'r adran yn y Bregeth ar y Mynydd sy'n trafod gofal a phryder, ac yn swcro byw un dydd ar y tro. "Peidiwch felly â phryderu am yfory, oherwydd bydd gan yfory ei bryder ei hun. Digon i'r diwrnod ei drafferth ei hun" (Math. 6: 34 BCN). Mae'r cyfieithiad newydd yn hyfryd i'r glust ac yn cyfleu'r ystyr yn dda. Eto i gyd, 'does dim amheuaeth nad yr hen ffurf sy'n mynd i lynu wrth ein siarad bob dydd.

''Rydw i'n poeni'n fawr be sy'n mynd i ddŵad o Lisa 'ma; pe bai rhywbeth yn digwydd i mi, mae hi mor ddiymadferth'.

'Mae'n rhaid i ti gael rhywbeth i boeni amdano rownd y rîl. Pam poeni am hynny 'rŵan? A faint gwell wyt ti o wneud hynny? ''Digon i'r diwrnod ei ddrwg ei hun'', frawd annwyl.'

Difeddwl-ddrwg. Dyma'r ffurf lafar arferol ar yr ymadrodd hwn. Tarddu a wnaeth yn sicr o'r gosodiad "ni feddwl ddrwg" yn y salm i gariad gan yr Apostol Paul, yn ei lythyr cyntaf at y Corinthiaid. Ymhlith rhinweddau eraill cariad y mae: "ni feddwl ddrwg" (1 Cor. 13: 5 HFC). Hawdd oedd i 'ni feddwl ddrwg' ddatblygu yn 'ddifeddwl ddrwg'. "Nid yw'n cadw cyfrif o gam" sydd yn y BCN. Dyna a rydd y NEB hefyd: "Love keeps no score of wrongs"; "Love does not keep a record of wrongs" (GNB); "thinketh no evil" (HFS). Person diddichell, yn meddwl y gorau am bawb, yw person difeddwl ddrwg. Y geiriau a'r ffurfiau Saesneg cyfystyr a rydd GPC yw "unsuspecting, meaning no harm, without thinking evil".

Nid i ogoneddu priodwedd haniaethol fel cariad y'i defnyddir bellach, ond yn hytrach i deyrngedu i bobl o gymeriad da a ddiddichell.

Mae'n rhyfedd na fydda' Now wedi amau bellach nad ydy 'i wraig yn ffyddlon iddo fo. Ond dyna ni, nodweddiadol o'r hen Now, hollol 'ddifeddwl ddrwg'.

Dim heddwch i'r annuwiol. 'Ni bydd heddwch, medd fy Nuw, i'r rhai annuwiol' medd Eseia (Es 57: 21 HFC). Gw. hefyd Es. 48: 22, er fod y geiriau yno yn ôl pob tebyg, allan o le. 'Nid oes heddwch i'r drygionus' (BCN). 'There is no peace for the wicked' (NEB). 'There is no safety for sinners' (GNB). 'no prosperous peace for the ungodly' (Moffatt).

Braidd yn chwareus yw'r defnydd cyffredin a wnawn ni o'r geiriau, wrth ffug gydnabod, yn lled ddireidus, ein bod ni'n hunain, neu rywrai eraill, yn haeddu rhyw bethau neu'i gilydd.

'Mae'r brain wedi bod yn niwsans glân eleni, wedi ysu darn mawr o'r cnwd haidd 'ma. Fu 'rioed y fath beth'.
'Does dim arwydd eu bod yn cyffwrdd haidd Tyn Llan'.
'Wel nagoes, dyna sy'n od, mae hwnnw'n cael perffaith lonydd'.
'Mi wyddost be mae'r Beibl yn 'i ddeud, ''does dim heddwch i'r annuwiol''.'

Dinas barhaus. Yn ôl y Llythyr at yr Hebreaid, does i neb 'ddinas barhaus' ar y ddaear, h.y., does i neb gartref parhaol. Tros dro, ar y gorau, yw bywyd. "Oherwydd nid oes 'dinas barhaus' gennym yma; ceisio yr ydym (Cristnogion) yn hytrach, y ddinas sydd i ddod" (Heb. 13: 14 BCN).

Yn ein defnydd lletach o'r ymadrodd, 'dinas barhaus', saif yn gyferbyniad i unrhyw gyflwr neu sefyllfa dros dro. Mewn gosodiadau neu frawddegau negyddol y'i defnyddiwn lawer iawn. Anaml y daw i frawddeg gadarnhaol. Dichon er hynny y clywir ei ddefnyddio felly ar dro, fel pan ddywedwn fod hwn a hwn (un ansefydlog fel arfer) wedi ffeindio 'dinas eithaf parhaus' yn y swydd a'r swydd. Ond ar y cyfan mewn brawddegau negyddol y'i ceir.

'Fe fu'n teulu ni yn ffarmio pedwar tyddyn gwahanol mewn cyfnod o 30 mlynedd. 'Fu inni "ddinas barhaus" yn unlle.'

Dinas noddfa. Er mwyn diogelu rhag y dialydd y sawl a laddai gyd-ddyn drwy amryfusedd, neilltuwyd yn Israel chwech o'r hyn a elwid yn 'ddinasoedd noddfa'; tair i'r dwyrain o afon Iorddonen, Beser, Golan a Ramoth-Gilead; a thair i'r gorllewin o'r afon, Cades-Nafftali, Sichem a Hebron. Roedd gan bawb, yn ddiwahân, hawl i geisio noddfa yn un o'r dinasoedd hyn, yn ôl yr angen (Num. 35: 10-15).

Daeth y 'ddinas noddfa' yn ddelwedd dda, yn enwedig yn y Salmau, wrth glodfori nodded a gwarchodaeth Duw. Gellid dadlau fod pob defnydd o'r gair *'noddfa'* yn y Salmau yn seiliedig ar y ddelwedd hon. Ac wrth gwrs, daeth yn ddelwedd rymus at bwrpas rhai o'n hemynwyr, Ann Griffiths yn arbennig.

Dyma babell y cyfarfod,
  Dyma gymod yn y gwaed,
Dyma *'noddfa i lofruddion'*,
  Dyma i gleifion feddyg rhad; (LLEM 207).

Syndod i mi oedd darganfod nad yw'r gair *noddfa* yn y TN o gwbl.

Tybed ble mae Robat Lewis erbyn hyn? Ys gwn i beth ddaeth ohono? Efo rhyw gwmni siwrans neu'i gilydd 'roedd o nes iddo wneud rhywbeth o le: rhywbeth go fawr hefyd, yn ôl pob hanes. I Lunden yr aeth o, medden nhw, ac fel llawer o'i flaen ac ar ei ôl, mi gafodd 'ddinas noddfa' yn y fan honno.

Dincod ar ddannedd y plant. Wrth ddarogan dyfodol y genedl yn sgîl y cyfamod newydd, mae Jeremeia am bwysleisio y byddai cyfrifoldeb personol am bechod yn diorseddu'r hen athrawiaeth am gyfrifoldeb cyfun, lle mae'r plant yn dioddef am bechodau'r tadau. "Yn y dyddiau hynny, ni ddywedir mwyach":

'Bwytaodd y tadau rawnwin surion,
Ac ar ddannedd y plant y mae dincod' (Jer. 31: 29 BCN).

Dincod yw'r gwayw wrth fôn y dannedd ar ôl bwyta rhywbeth sur, siarp. Am ddweud y mae'r geiriau fod y plant yn gallu medi canlyniadau poenus yr hyn a heuodd eu tadau. Neu bod camsyniadau a chamgymeriadau eu tadau yn medru esgor ar sefyllfa boenus o anodd i'r plant. Yn ei olygyddol, Chwefror 20, 1992, yn *Y Goleuad*, gwnaeth y golygydd ddefnydd hollol bwrpasol o eiriau Jeremeia wrth sôn am ormod o gapeli:

'Os nad awn ni ati i docio nifer ein hadeiladau, y perygl yw y byddwn heb nemor ddim gweinidogion ymhen degawd, gyda'n haelodau ieuanc mwyaf byw wedi'n gadael, ac adeiladau gwag fydd ein hunig waddol i'r dyfodol. Creiriau gwag, ac nid ffydd fyw, a "dincod ar ddannedd y plant".'

Diod gadarn. Yn ôl GPC 'does dim enghraifft o'r ymadrodd 'diod gadarn' mewn llenyddiaeth Gymraeg cyn 1567, blwyddyn cyfieithiad W. Salisbury (ac eraill) o'r TN. Mae'n ymddangos mai Salisbury oedd y cyntaf i'w ddefnyddio mewn print, beth bynnag am ei fathu. Gwnaeth hynny wrth roi'r hanes am yr angel yn egluro i Sachareias ac Elisabeth sut un fyddai eu mab (Ioan Fedyddiwr). Ymhlith rhinweddau eraill a berthynai iddo, byddai yn ddirwestwr: "nid yf na gwin na 'diod gadarn' " (Luc 1: 15 HFC). Myn y BCN wneud Ioan yn llwyrymwrthodwr: "nid yf win na diod gadarn *byth*". Mae adlais yn Luc o eiriau'r angel yn rhybuddio mam Samson cyn ei eni: "Gwylia rhag yfed gwin na diod gadarn" (Barn. 13: 4 BCN). Cawn yr ymadrodd ddeuddeg o weithiau yn yr HD.

Yn yr HFS a'r NEB cawn 'strong drink' ym mhob achos. 'Beer' yw'r gair yn y GNB yn yr HD ond 'strong drink' yn y TN. Cawn 'liquor' gan Moffatt yn yr HD, ond wedi iddo yntau gyrraedd y TN y mae wedi mynd yn 'strong drink'!

Gall *'cadarn'* olygu cryf, nerthol, neu rymus fel y gwna yn 'diod gadarn' ac mewn enwau priod fel Derfel Gadarn a Hu Gadarn. Ond mae *'cadarn'* yn gallu golygu diysgog neu safadwy hefyd. A dyna'r union nodweddion sy'n diflannu lle mae unrhyw un dan ddylanwad y 'ddiod gadarn'!

Un o'r ymadroddion sydd bellach braidd yn hen ffasiwn a llai a llai o ddefnyddio arno yw 'diod gadarn'. Hoff o'i 'ddiod', o'i 'gwrw', o'i 'lasiad' neu o'r 'botel' yw'r Cymro erbyn hyn. Diddorol oedd canfod mai 'diod gadarn' yw ymadrodd cyffredin Cymry Patagonia. Rhaid mai hwn oedd yr ymadrodd arferedig yn yr iaith adeg yr ymfudiad yn 1865 a diwedd y ganrif ddiwethaf.

Doctor penigamp ydy Dr. Simson-Hughes: reit saff o'i betha' fel arfer. Wrth gwrs fe ŵyr pawb am ei wendid, braidd yn rhy hoff o'r 'ddiod gadarn', one mae gan bawb feddwl y byd ohono.

Disgyblion y torthau. 'Cheir mo'r ymadrodd 'disgyblion y torthau' fel y cyfryw yn yr ysgrythurau, dim ond geiriau Iesu, y tarddodd yr ymadrodd ohonyn nhw. 'Doedd dim prinder cefnogaeth i Grist, mae'n ymddangos, wedi iddo borthi'r miloedd. Cafwyd llanw uchel o frwdfrydedd trosto. Ond, meddai Iesu wrth y torfeydd, — "Yr ydych chwi yn fy ngheisio i, nid oherwydd ichwi weled y gwyrthiau, ond oherwydd i chwi fwyta o'r torthau a'ch digoni" (Ioan 6: 26 HFC). "Nid am ichwi weld arwyddion, ond am ichwi fwyta'r bara a chael digon" (BCN). "You are looking for me now, not because you saw my signs, but because you ate that food and had all you wanted" (JBP). Pobl yn ei ddilyn am yr hyn a gaent allan ohono, — 'disgyblion y torthau'.

Daeth yr union ymadrodd i'w ddefnyddio lle gwelwn bobl yn cefnogi personau, neu fudiadau, am resymau cwbl faterol a hunanol, — pobl yn ffugio cefnogaeth er mwyn mantais bersonol. Yn Saesneg cawn 'cupboard love', sy'n weddol gyfystyr â 'disgyblion y torthau'. Cefndir 'cupboard love' yw hoffter plant o rai sy'n barod i estyn iddyn nhw rywbeth o'r cwpwrdd yn barhaus. Serch yn cael ei ddangos pan fo gobaith cael rhywbeth.

Mi gewch lond y lle o blant i'r Ysgol Sul, ychydig o Suliau cyn y Parti Nadolig neu'r trip blynyddol. 'Dydy Iesu Grist byth yn brin o 'ddisgyblion y torthau'.

Dod ato'i hun. 'Does dim dwywaith nad o ddameg y Mab Afradlon y cawsom y dywediad 'dod ato'i hun' (Luc 15: 17). Dyma'r enghraifft gynharaf ohono a rydd *Geiriadur Prifysgol Cymru.* Mae Luc yn ei ddefnyddio wedyn yn Llyfr yr Actau wrth ddisgrifio profiad rhyfeddol Pedr yn y carchar, — "wedi i Pedr ddod ato'i hun" (Actau 12: 11 BCN). Onid yw'n ffaith ddiddorol, os nad arwyddocaol, mai gan Luc, y doctor, y cawsom yr ymadrodd? Wedi'r cwbl, mae iddo ryw arlliw meddygol a meddylegol. Pan lewyga person am unrhyw reswm, a mynd yn anymwybodol, *dod ato'i hun* (come round) y mae wrth adennill ei ymwybyddiaeth. Dyna union brofiad Pedr yn ôl Dr. Luc. Ac wrth gwrs, pan fo rhywun yn gwella o afiechyd mae'n *'dod ato'i hun'*. Wedyn lle mae dyn yn colli arno'i hun, yn naturiol neu'n foesol, ac yn dod i weld ei ffolineb, fel y Mab Afradlon yn y ddameg, y mae'n *'dod ato'i hun'*. Mae'n un ffordd o ddweud bod rhywun yn dod at ei synhwyrau, neu at ei goed, neu ddod i'w lawn bwyll. "When he came to his senses" sydd gan y cyfieithiadau diweddaraf yn Saesneg wrth sôn am y Mab Afradlon. Ac er mai'r un gair Groeg a geir yn stori Pedr yn Llyfr yr Actau, cadwyd at "when he came to himself" yn yr achos hwnnw gan y mwyafrif. Yn y modd yma gwahaniaethwyd rhwng un yn *'dod ato'i hun'* o golli arni'n foesol (y Mab Afradlon), ac un yn *'dod ato'i hun* o freuddwyd neu o berlewyg (Pedr yn y carchar). Cadw at ymadrodd da Dr. Luc a wnaeth y BCN, fodd bynnag, yn y naill achos a'r llall. Hynny'n ddigon derbyniol yn siŵr.

'Mi fu Guto am flynyddoedd heb ddweud dim wrth Dafydd. 'Doedd gan Dafydd ddim syniad pam. Ond mae wedi "dod ato'i hun" yn reit sydyn yn ddiweddar.'

Does dim newydd dan yr haul. Llyfr y Pregethwr sy'n dweud, 'Y peth a fu, a fydd; a'r peth a wnaed, a wneir: ac nid oes dim newydd dan yr haul' (Preg. 1: 9 HFC). Mae'r BCN yn dda ac yn gryno; 'Yr hyn a fu a fydd, a'r hyn a wnaed a wneir; nid oes dim newydd dan yr haul'. Tebyg iawn i'w gilydd yw'r cyfieithiadau diweddar i'r Saesneg ac eithrio'r GNB, sy'n dweud, 'What has happened before will happen again. What has been done before will be done again. There is nothing new in the whole world' (GNB).

Er mai o gyd-destun pesimistaidd iawn, yn Llyfr y Pregethwr, y cawsom y geiriau, maen nhw, er hynny, yn datgan y gred gyffredin fod hanes yn ei ailadrodd ei hun.

Bu tuedd gref mewn amaethyddiaeth yn ddiweddar i greu ffermydd mawr; cydio maes wrth faes yn ddidrugaredd. Ac eto, dydy hynny ddim yn beth newydd. Roedd y peth yn digwydd yn nyddiau'r proffwyd Eseia, saith canrif cyn Crist. 'Does dim newydd dan yr haul', yn amlwg.

Doethineb Solomon. Fel efo amynedd Job daeth doethineb Solomon yn ddihareb. Yn rhinwedd ei 'ddoethineb' diamheuol, priodolwyd iddo un o lyfrau'r Apocryffa, "Doethineb Solomon", er nad efô yw'r awdur. Gwnaed hynny yn sicr er mwyn ychwanegu at bwysigrwydd ac awdurdod y llyfr. Ond yr hyn, yn fwy na dim arall, a'i gwnaeth yn chwedl fel perchen doethineb oedd ei ffordd o benderfynu prun o ddwy wraig oedd mam wirioneddol plentyn bach. Mynnai pob un o'r ddwy mai hi oedd y fam. Rhoes Solomon orchymyn i dorri'r plentyn yn ddau hanner, a rhoi hanner bob un i'r ddwy wraig. Cytunodd un i dderbyn y syniad. Gwrthododd y llall, gan ildio'i hawl i'r plentyn er mwyn achub ei fywyd. Gwelodd Solomon yn syth prun oedd mam y plentyn, a'i roi iddi.

Pobl hirben, cyfrwysgall fel arfer yw'r rhai a adwaenwn fel rhai â 'doethineb Solomon'. Neu rywun sydd mewn sefyllfa sensitif lle mae gwahanol farnau am rywbeth neu'i gilydd.

Mi fydd lle Thomas Jones fel cadeirydd yn y cyfarfod cyhoeddus 'na yn un anodd iawn. 'Yn y canol rhwng y ddwyblaid' y bydd o. Mi fydd arno fo angen 'doethineb Solomon'.

Dos, a gwna dithau yr un modd. Ar ddiwedd ei ddameg enwog, y Samariad Trugarog, mae Iesu Grist yn annog y cyfreithiwr, a fu'n achos llefaru'r ddameg, i efelychu'r Samariad: 'Dos, a gwna dithau yr un modd' (Luc 10: 37 HFC a BCN). 'Go and do as he did' (NEB). 'You go, then, and do the same' (GNB).

Mae'r defnydd a wnawn o'r anogaeth yn bur estynedig.

Mae dy wallt ti'n fawr, fachgen. 'Rwyt ti fel Hwfa Môn. Mae'n amser iti weld y barbwr.
'Does gen ti ddim byd i'w ddweud; rwyt ti'n waeth na fi. 'Dos a gwna dithau 'run modd' ddyweda' i.

Dos yn f'ôl i, Satan. "Dos ymaith o'm golwg, Satan; rhwystr ydwyt imi" (Math. 16: 23 BCN). Dyma adwaith Iesu i Bedr pan awgrymodd hwnnw na ddylai ac na châi farw ar y groes. "Away with you, Satan; you are a stumbling block to me", medd y NEB. Ac meddai Moffatt, "Get behind me, you Satan, you are a hindrance to me". Pedr yn cael cerydd am feiddio temtio'r Meistr i ymwrthod â thorri ei gŵys ei hun. Pan chwiliwn ninnau am eiriau i wrthod temtasiwn, onid 'cer o'ma', neu 'dos o 'ngolwg i', neu weithiau eiriau Iesu Grist yn llawn, 'dos yn f'ôl i Satan', h.y., y temtiwr, a ddefnyddiwn ni?

'Mi fynnai Dic fy mod yn cymryd peint arall cyn cychwyn am adre. "Dos yn f'ôl i, Satan," meddwn inna'.'

Draen yn ystlys. Idiom Hebreig yw 'draen yn ystlys' ac o'r Beibl y daeth i'r Gymraeg. Felly hefyd 'thorn in one's side' neu 'thorn in one's flesh' yn Saesneg. Yn nghyd-destun meddiannu Gwlad yr Addewid gan yr Israeliaid y mae'r ymadrodd i'w gael. Mae nhw i yrru allan o'u blaen holl drigolion y wlad. Dyna rybudd yr Arglwydd i Moses, yng ngwastadedd Moab, ar drothwy'r wlad: "Os na fyddwch yn gyrru allan drigolion y wlad o'ch blaen, yna bydd y rhai a adawyd gennych yn bigau yn eich llygaid ac yn 'ddrain yn eich ystlys' " (Num. 33: 55 BCN) (Gw. hefyd Barn. 2: 3).

Y lluosog *drain* a geir yn yr HFC ac yn y BCN, fel, yn wir, yn y cyfieithiad Saesneg hen a diweddar yn ddieithriad. Mae'n ymddangos felly mai rhywbeth a fagodd gydag amser yw'r unigol *'draen'* yn yr ymadrodd. Digwyddodd yr un peth yn Saesneg. Y lluosog 'thorns' sydd yn yr ysgrythur ond, ar lafar, yr unigol 'thorn'.

Fe arhosodd yr ystyr yr un, heb newid dim, er pan gyfieithiwyd y Beibl bedwar can mlynedd a rhagor yn ôl. Bod yn helbul parhaus, yn flinder parhaus, neu'n boendod parhaus, yw bod yn 'ddraen yn ystlys' rhywun. Mae'n rhywbeth, neu'n rhywun, nad oes lonydd rhagddo na chanddo.

Pam tybed y cydiodd yr idiom hon, tra bo'i chymar yn yr un adnod ac yn dwyn yr un ystyr, heb gydio o gwbl: 'pigau (pigyn) yn eich llygaid?' Mae hi'n idiom mor fyw ac mor graffig â'r llall. Ond dyna ni, nid felly y gwelodd y tafod llafar yn dda.

'Rwy'n siŵr bod yn dda calon gan y gweinidog ddeall bod yr Huw Jones

'na'n symud i fyw i'r dre. Fuo fo'n ddim ond 'draen yn ystlys' y gweinidog er pan mae o yma. (Gw. Swmbwl yn y cnawd.)

Drwy groen fy nannedd. Job yn cwyno am y driniaeth a gaiff, a hynny gan ei gyfeillion yn arbennig, yw cyd-destun 'drwy greon fy nannedd'. 'Fy esgyrn a lynodd wrth fy nghroen . . . ac â chroen fy nannedd y diengais' (Job 19: 20 HFC). Annelwig iawn yw'r ystyr a bu cryn ddyfalu yn ei gylch. Wedi'r cwbl, does i ddannedd ddim croen yn ystyr arferol y gair. Pery'r amwysedd. Bodlona esbonwyr ar ddweud fod amheuaeth am gywirdeb y testun.

Nid yw'r cyfieithiadau hen na diweddar yn goleuo nemor ddim ar yr ystyr chwaith. 'Only there is left me the skynne about my teth' (Coverdale). 'And I am escaped with the skin of my teeth' (HFS). 'Dihengais â chroen fy nannedd' (BCN). 'I gnaw my under lip with my teeth' (NEB). 'My teeth are falling out' (Moffatt). 'I have barely escaped with my life' medd y GNB gan roi'r ystyr cyffredinol yn dda, ond wedi tynnu'r dannedd allan!

Mae gan R. E. Jones yn ei LLIC awgrym da mai teneurwydd y croen o gwmpas y dannedd yw'r ddelwedd 'i ddangos meined y ddihangfa'. Dyfynna R. E. Jones drosiad Coverdale: 'skin about my teeth'.

Fodd bynnag, yn ein defnydd ni o'r ymadrodd, rhown yr ystyr o lwyddo i wneud rhywbeth heb ddim wrth gefn, dim ond 'i gwneud hi, y nesaf peth i fethu, cael a chael.

Mi gysgais yn hwyr bore 'ma. Bu'n rhaid imi 'i gwadnu hi heb damaid o frecwast. 'Drwy groen fy nannedd' y daliais i'r bws.

(Y) dwthwn hwnnw (hwn). Digwydd yr ymadrodd nifer o weithiau yn yr HD a'r TN. Ei ffurf wreiddiol oedd y "dydd-hwn" (neu hwnnw). Dan ddylanwad yr *h* caledodd yr *dd* yn *th*, a daeth y *dydd-hwn* yn *dythwn*. Wedyn drwy i'r *y* yn y goben fynd yn *w* dan ddylanwad yr *w* yn y sillaf olaf, daeth *dythwn* yn *dwthwn*. Yng nghwrs amser, wedi i'r gair ddod yn *dwthwn*, anghofiwyd am rannau gwreiddiol y gair, sef y *dydd-hwn*, a mynnodd ddenu ato'i hun *hwnnw* a *hwn* o'r newydd, a dyna gael y *dwthwn hwn* (neu hwnnw).

Yn fwy na dydd neu ddiwrnod penodol, daeth i olygu "yr amser hwnnw" neu "yr adeg honno". Dyma'r defnydd a wna Bardd yr Haf ohono yn ei soned "Adref":

'Digymar yw fy mro drwy'r cread crwn,
Ac ni fu dwthwn fel y "dwthwn hwn" '.

Yr enghraifft fwyaf adnabyddus o'r ymadrodd yn y Beibl yw'r un yn Efengyl Luc: "A'r dwthwn hwnnw yr aeth Herod a Pheilat yn gyfeillion" (Luc 23: 12 HFC). "Y dydd hwnnw" sydd yn y BCN, sef diwrnod neu ddyddiad penodol. Mae'n debyg bod cywirdeb cyfieithu yn hawlio hynny. "That same day" sydd yn y NEB a "that very day" yn y GNB. Ychydig o ddefnydd a wneir o'r ymadrodd. Oni bai i'r Beibl roi rhyw fath o anadl einioes newydd iddo, mae'n hollol bosibl y byddai wedi hen ddiflannu o'n hiaith.

'Rwy'n mwynhau f'ymddeoliad. Er fy mod o angenrheidrwydd yn nes i'r bedd, 'ni fu dwthwn fel y dwthwn hwn' chwedl R. Williams Parry.

(Y) Dydd blin. Dyma un o ymadroddion y Beibl am ddydd trallod neu ddydd adfyd. Mewn un enghraifft adnabyddus, fodd bynnag, y mae'n golygu 'dyddiau henoed'. 'Cofia yn awr dy Greawdwr yn nyddiau dy ieuengctid, cyn dyfod y *dyddiau blin* a nesáu o'r blynyddoedd yn y rhai y dywedir, Nid oes i mi ddim diddanwch ynddynt' (Preg. 12: 1 HFC). '. . . cyn i'r dyddiau blin ddod' a rydd y BCN hefyd.

Mae'r amrywiadau a geir ar yr ymadrodd yn cyfleu ei ystyr: 'dydd drwg' (Diar. 16: 4; Amos 6: 3; Effes. 6: 13); 'dydd du' (Seff. 1: 15); 'dydd dinistr' (Job 21: 30); 'dydd trallod' (Salm 50: 15, 77: 2). Dichon mai'r enghraifft fwyaf cyfarwydd o'r ymadrodd, 'y dydd blin', yw honno yn Salm 27: 5 'Canys yn "y dydd blin" y'm cuddia o fewn ei babell'. 'dydd adfyd' a rydd y BCN. 'In times of trouble he will shelter me' (GNB). 'in the day of misfortune' (NEB).

Yr ystyr wreiddiol, 'dydd trallod', neu 'dydd adfyd', a rown ninnau i'r ymadrodd. Gan amlaf, profedigaeth yw ei gyd-destun arferol i ni.

'Rydan ni'n dymuno cydymdeimlo'n ddwys ag aelodau'r teulu annwyl yma yn eu profedigaeth, ac yn 'y dydd blin' hwn yn eu hanes.

Dydd o lawen chwedl. O stori am bedwar gŵr gwahanglwyfus, o bawb, y daeth y dywediad 'dydd o lawen chwedl'. "Y dydd hwn sydd ddydd llawen-chwedl, ac yr ydym ni yn tewi â sôn" (2 Bren. 7: 9

HFC). "Dydd o newyddion da yw heddiw a ninnau'n dweud dim" (BCN). "This is a day of good news, and we keep it to ourselves" (NEB).

Dyma'r pedwar a ddarganfu fod y Syriaid, a fu'n gwarchae ar Samaria, wedi dianc am eu heinioes, dan gamargraff bod byddinoedd brenin Israel yn gryfach nag oeddent mewn gwirionedd. Daeth y pedwar gŵr gwahanglwyfus i deimlo y dylai Israel i gyd wybod am y newyddion da, — "y dydd hwn sydd ddydd llawen-chwedl, ac yr ydym ni yn tewi â sôn".

Ymwthiodd 'o' i'r ymadrodd a daeth yn 'ddydd o lawen chwedl'. Mae'n sefyll am ddiwrnod hapus, llawen, sydd fel rheol yn ganlyniad newydd da.

Wedi bod am saith mlynedd heb yr un, mae dyfodiad gweinidog newydd yn 'ddydd o lawen chwedl' yn Salem. (Gw. Tewi â Sôn.)

Dydd y pethau bychain. Heb os, gan y proffwyd Sechareia y cawsom yr idiom *dydd y pethau bychain*. Proffwydo llwyddiant i waith Sorobabel yn dechrau ailgodi'r deml y mae. "Dwylo Sorobabel sy'n sylfaenu'r tŷ hwn, a'i ddwylo ef a'i gorffen . . . Pwy bynnag a ddirmygodd *ddydd y pethau bychain* caiff lawenhau wrth weld carreg y gwahanu yn llaw Sorobabel" (Sech. 4: 10 BCN). Yn y ffurf o gwestiwn y mae'r geiriau perthnasol yn yr HFC: "Canys pwy a ddiystyrodd ddydd y pethau bychain?" Cwestiwn a geir yn yr HFS a'r NEB hefyd: "Who has despised the day of small things?"

Ymddengys i dipyn o oedi ddigwydd ar ôl gosod sylfeini'r deml cyn mynd ati i godi'r deml ei hun. Bu hynny'n siom i'r bobl ac yn destun eu dirmyg, ond â Sechareia rhagddo i'w sicrhau mai dim ond y cychwyn oedd gosod y sylfeini ac y trawsnewidid eu dirmyg yn llawenydd wrth weld Sorobabel yn cwblhau'r gwaith. "Pwy bynnag a ddirmygodd ddydd y pethau bychain caiff lawenhau wrth weld . . ." Dyry'r GNB yr ystyr yn dda, er nad yn defnyddio'r union ymadrodd *dydd y pethau bychain*. "They are disappointed because so little progress is being made. But they will see Zerubbabel continuing to build the Temple, and they will be glad." Rhydd y trosiad hwn inni siom y bobl yn rheswm am eu diystyrwch.

Ar y cefndir yna daw ystyr yr ymadrodd *dydd y pethau bychain*, a'r defnydd cyffredin a wnawn ohono, yn ddigon amlwg: dydd y dechreuadau neu'r cychwyniadau dinod, distadl, a diaddewid ar dro. Gall hynny fod am unrhyw fudiad, ymdrech, ymgyrch neu anturiaeth. "Small beginnings" fyddai ymadrodd cyfarwydd y Sais am hyn.

'Rwy'n cofio sefydlu cangen gyntaf 'Merched y Wawr' yn y Parc, y Bala. Ond erbyn hyn, a'r mudiad wedi tyfu cymaint, mae'n amlwg mai 'dydd y pethau bychain' oedd y cychwyn hwnnw.

Dyddiau wedi eu rhifo. Dyma briod-ddull o stori am dranc Belsasar yn Llyfr Daniel. Ystyr "Mene, Mene", sef rhan gyntaf yr ysgrifen ar y mur, oedd, "rhifodd Duw flynyddoedd dy deyrnasiad" (Dan. 5: 26 BCN). *Blynyddoedd* ac nid *dyddiau* yw'r gair yn y BCN. 'Doedd yr un o'r ddau yn yr HFC na'r HFS. 'Duw a rifodd dy frenhiniaeth *(God hath numbered thy Kingdom)*' a geid. Mae'r cyfieithiadau diweddar yn gwneud y cyfeiriad at amser yn fwy penodol drwy roi *rhifo dyddiau* neu *rifo blynyddoedd.* 'God has numbered *the days* of your Kingdom' sydd gan y NEB, y GNB a Moffatt. Am ryw reswm "rhifodd Duw *flynyddoedd* dy deyrnasiad" sydd gan y BCN. Mi fyddai'n ddiddorol gwybod pam *blynyddoedd* yn hytrach na *dyddiau.* Yn sicr, nid yw ein defnydd ni o'r idiom yn caniatáu hynny. "*Dyddiau* wedi eu rhifo" a ddywedwn ni yn gyson, ac nid *blynyddoedd.*

Fodd bynnag, 'run yw'r syniad wrth gwrs, sef bod oes neu barhad person, neu fudiad, neu idioleg, a.y.y.b. yn anochel ddirwyn i ben.

Pan ddaeth glasnost *a* perestroika *i Rwsia mi welwyd bod marcsiaeth a'i 'dyddiau wedi eu rhifo'. A phan ddaeth Anthony Meyer allan yn erbyn Margaret Thatcher, mi welwyd bod drwg yn y caws, a 'dyddiau ei theyrnasiad hithau wedi eu rhifo'.*

Dyfnder daear. Dameg yr Heuwr a roes 'dyfnder daear' inni: "Syrthiodd peth arall ar leoedd creigiog, lle ni chafodd fawr o bridd, a thyfodd yn gyflym, am nad oedd iddo 'ddyfnder daear' (Math. 13: 5 BCN). Gw. hefyd Marc 4: 5 BCN. "Little soil" a rydd y NEB a'r GNB. "Not much earth" medd Moffatt. Mae gan Luc ei ffordd ei hun o ddweud yr un peth: "syrthiodd peth arall ar graig, tyfodd, ond gwywodd am nad oedd iddo wlybaniaeth" (Luc 8: 6 BCN). "Am nad oedd iddo wlybwr (HFC). "withered for lack of moisture" (NEB).

Ymadrodd Mathew a Marc, 'dyfnder daear', a gartrefodd yn y Gymraeg, fodd bynnag.

Mae ei ystyr llythrennol a'i ystyr trosiadol yn ddigon eglur. Llythrennol hollol yw ei ystyr yn Nameg yr Heuwr: dim digon o bridd i sicrhau twf i'r grawn wedi iddo egino. Bu dehongliad Iesu Grist o'i ddameg yn help mawr iddo fagu ei ystyr trosiadol, sef rhoi croeso neu dderbyniad i neges, neu bregeth, neu apêl.

Yr enwadau ymneilltuol a boblogeiddiodd yr ymadrodd 'dyfnder daear' yng Nghymru. Bu'n un o ymadroddion stoc y sêt fawr am genedlaethau, wrth ddiolch i'r pregethwr ar derfyn oedfa. Mor aml y clywsom y penblaenor, cymeriad hunangreëdig nad yw'n bod mwyach, yn defnyddio'r ymadrodd ar ôl y bregeth. Mae'n ardderchog o ymadrodd yn ei le. Haeddai gadw ei le yn y BCN.

Gobeithio'n wir y caiff y gwirioneddau mawr, 'ryden ni wedi eu gwrando heno, 'ddyfnder daear' yn ein calonnau.

Dyfroedd dyfnion. Pan fo'r Cymro mewn trafferthion neu helbulon ariannol neu gyfreithiol y mae mewn 'dyfroedd dyfnion'. Byddai dweud ei fod mewn 'dŵr poeth' yn golygu'r un peth. Trallodion a gofidiau bywyd yw'r ystyr sydd i'r ymadrodd yn ei gynefin gwreiddiol, yn Salm 69: 14, fodd bynnag, 'Gwareder fi oddi wrth fy nghaseion ac o'r "dyfroedd dyfnion".' 'Achuber fi o'r mwd ac o'r dyfroedd dyfnion' (BCN).

Gan nad oes gan GPC enghraifft o'r ymadrodd cyn 1588, gallwn gymryd yn ganiataol mai o'r Beibl y'i cawsom. Dywed y *Shorter Oxford English Dictionary* mai o Salm 69 y daeth yr ymadrodd 'deep waters' i'r Saesneg. Does dim dwywaith nad o'r un ffynhonnell y daeth 'dyfroedd dyfnion' i'r Gymraeg hefyd. Cadwyd yr ymadrodd yn y BCN. Fe'i defnyddiwn mewn tri arlliw ystyr; wrth sôn am rywun ynghanol gofidiau bywyd; wrth sôn am rai mewn trafferthion ariannol a chyfreithiol; ac ar dro, i gyfeirio at ambell un allan o'i ddwfn yn ddeallusol. Mae hwnnw mewn 'dyfroedd dyfnion' yn ei resymu neu yn ei ddadl. Wrth gwrs, tu ôl i'r tri arlliw ystyr y mae'r syniad o ddyn mewn dygn berygl o suddo mewn dŵr rhy ddwfn. Hen ymadrodd defnyddiol iawn, ac fe dâl am ei gadw.

Mae 'na sôn bod ffermwr mwya'r ardal 'ma mewn 'dyfroedd dyfnion' a'r hwch yn prysur fynd drwy'r siop.

Dyfroedd Mara. Lle y daeth yr Israeliaid iddo ar eu taith drwy'r anialwch, o'r Aifft i Ganaan, oedd Mara. 'Roedd y peth pwysicaf o bopeth mewn anialwch yn brin, sef dŵr. "A phan ddaethant i Mara, ni allent yfed dyfroedd Mara am eu bod yn chwerwon" (Ecs. 15: 23 HFC). Yn ôl yr hanes dechreuodd y bobl rwgnach yn erbyn Moses. Galwodd yntau ar yr Arglwydd. Medd y stori, — "Yr Arglwydd a ddangosodd iddo ef bren, ac efe a'i bwriodd i'r dyfroedd, a'r dyfroedd a bereiddiasant" (Ecs. 15: 25 HFC). "Trodd y dŵr yn felys" (BCN). ". . . then the water became sweet" (NEB). "the water became fit to drink" (GNB). "the water became fresh" (Moffatt).

Daeth 'dyfroedd Mara' yn ymadrodd am brofiadau chwerw neu anfelys bywyd. Gwnaeth Eryron Wyllt Walia ddefnydd trosiadol o'r math hwnnw, a hynny'n rymus iawn, yn ei emyn:

Er dod o hyd i Mara
A'i dyfroedd chwerw'u blas,
Mae'r Iesu i'w pereiddio,
Melysa hwynt â'i ras. LLEM. 528

Fe gafodd Eben Fardd gyfres o brofedigaethau trist ar wahân i'w waeledd ei hun. Mi brofodd 'ddyfroedd Mara' yn helaeth. Ond rhaid bod ganddo rywbeth i'w melysu cyn y medrai gyfansoddi emyn fel yr un a deitlir 'Cadarn i Iacháu' (LLEM 116).

(Y) dyn oddi mewn. Paul sy'n sôn am 'y dyn oddi mewn'. Mae'n ymddangos ei fod yn ymadrodd a ddefnyddid gan y Groegiaid am reswm, cydwybod ac ewyllys dyn gyda'i gilydd. Gweddïa Paul am i Gristnogion Effesus gael eu nerthu yn 'y dyn oddi mewn'. 'Ac yn gweddïo ar iddo ganiatáu i chwi, yn ôl cyfoeth ei ogoniant, gryfder nerthol trwy'r Ysbryd yn "y dyn oddi mewn" ' (Effes. 3: 16 BCN) (gw. hefyd Rhuf. 7: 22; 2 Cor. 4: 16). Mae'n werth sylwi, fodd bynnag, mai 'y gwir ddyn sydd ynof' a rydd y BCN yn Rhuf. 7: 22 a 'y dyn mewnol' yn 2 Cor. 4: 16, er mai 'y dyn oddi mewn' a gawn ym mhob achos yn yr HFC. 'inner being' (NEB). 'inner selves' (GNB). 'inner man' (Moffatt a WB).

Yn fy mhrofiad i, gwamal braidd yw'r defnydd a wneir yn gyffredin o'r ymadrodd, a hynny wrth gyfeirio at chwant bwyd neu wanc y cylla.

'Rydw'i bron marw isio bwyd. Dowch i chwilio am gaffi, imi gael rhywbeth i'r 'dyn oddi mewn'.

Dd

Ddim yn deilwng i ddatod carrai ei esgidiau. Geiriau allan o dystiolaeth Ioan Fedyddiwr i Iesu Grist yw'r rhain. Fe'u recordir gan y pedair Efengyl. "Y mae un cryfach na mi yn dod ar f'ôl i. Nid wyf fi'n deilwng i blygu a datod carrai ei sandalau" (Marc 1: 7 BCN). Mae Mathew yn gwahaniaethu ychydig oddi wrth y tri arall. "Un nad wyf fi'n deilwng i gario'i sandalau" a gawn ganddo ef. Erys yr ystyr 'run fath. Does gan y cyfieithiadau Saesneg ddim i'w ychwanegu chwaith. "I am not fit to unfasten his shoes" (NEB). "I am not good enough even to bend down and untie his sandals" (GNB). "I am not fit to stoop and untie the string of his sandals". (Moffatt.)

Mae'r cyfeiriad yng ngeiriau'r Bedyddiwr yn sicr at yr hyn oedd yn rhan o ddyletswydd caethwas. Rhan o'i waith oedd datod a thynnu esgidiau ei feistr. Ystyr y geiriau wedyn o'u haralleirio fymryn yw 'nid wyf fi deilwng i fod yn gaethwas distadlaf iddo'. Er mai ymwneud yn uniongyrchol â Iesu Grist y mae'r geiriau, fe wnawn ddefnydd digon cyffredin ohonyn nhw.

'Mae'r is-brifathro wedi ei benodi'n brifathro'r ysgol, yn ôl y sôn. Dydy o "ddim yn deilwng i ddatod carrai esgid" yr hen syr'.

E

Ecsodus. O air Groeg am fynd allan y daeth y gair Ecsodus. Ac mae'n debyg na fyddai'r gair ar ein gwefusau o gwbl oni bai ei fod yn enw ar ail lyfr y Beibl. Fe'i galwyd yn Llyfr Ecsodus am ei fod yn rhoi hanes y mynd allan o'r Aifft, dan arweiniad Moses.

Daeth yn air cyffredin iawn i ddisgrifio unrhyw fath o ymfudiad pobl ar raddfa weddol niferus.

'Ecsodus' pobl o Gymru i America, ac i rannau eraill o'r byd, oedd un o'r cymhellion tu ôl i sefydlu gwladfa ym Mhatagonia.

'Rhwng y ddau ryfel byd gwelodd Cymru 'ecsodus' ar raddfa fawr. Collodd 500,000 o'i phobl, sef un rhan o bump o'i phoblogaeth.

Eden. Yr ardd a ddarlunnir fel paradwys ddaearol yn Llyfr Genesis a chartref, am dymor byr, i'r diniweidrwydd dynol. Ar ôl hynny, pery paradwys yn y byd hwn yn baradwys goll. Deil dyn, er hynny, i freuddwydio a hiraethu am y lle neu'r stâd ddelfrydol honno yn y byd hwn. Cymer y baradwys ddychmygol hon weithiau y ffurf o 'ynys', ac weithiau'r ffurf o 'ardd'. Dyma a roes fod i'r traddodiadau Celtaidd am Ynys Afallon a Thir na n'Og. Mae'r gofid am a gollwyd yn Eden yn corddi mewn dyn o hyd. Ac mae'n arwyddocaol mai yn nhermau gardd y mae dyn yn dal i feddwl am baradwys. Y lle tebycaf i Eden y gallwn feddwl amdano yw gardd flodeuog. Daeth Eden yn rhyw fath o enw cyffredin inni wrth gyfeirio at ein hoff leoedd, y mangreoedd a garwn fwyaf.

Fel yna'n ddigon syml y daeth
Yr 'Eden' fach i'w rhan. (Crwys, 'Y Border Bach')

Bywiol 'Eden' y blodau. (Ioan Machreth, 'Meirionnydd')

Goludog, ac ail 'Eden'
Dy sut, neu baradwys hen.

(Goronwy Owen, *Hiraeth am Fôn*)

Mi fydda i'n cael pleser diddiwedd o eistedd yn yr hen ardd acw. I mi mae hi fel 'Eden' fach.

Eiddo Cesar i Gesar. Rhai o'r Phariseaid oedd yn ceisio cornelu Iesu Grist efo cwestiwn y gallai'r ateb yn hawdd fod yn fagl iddo: "A yw'n gyfreithlon talu treth i Gesar, ai nid yw?" (Math. 22: 17 BCN). O ddweud ei bod yn gyfreithlon fe allai Iesu gythruddo'r gwladgarwyr Iddewig. Ond o ddweud nad oedd yn gyfreithlon gallai dynnu gwg yr awdurdodau Rhufeinig. Ateb Iesu oedd, "Talwch felly bethau Cesar i Gesar, a phethau Duw i Dduw" (Math. 22: 21 BCN). "Talwch chwithau yr eiddo Cesar i Gesar, a'r eiddo Duw i Dduw" sydd yn yr HFC. "Pay Caesar what is due to Caesar, and pay God what is due to God" (NEB).

Mae'r geiriau yn gallu'n glanio yng nghanol mater dyrys perthynas y cysegredig a'r seciwlar, y byd a'r eglwys. Fe'i defnyddir yn ddiethriad mewn dadleuon dwys ar faterion felly. Clywsom eu defnyddio hefyd yn y ddadl anorffen ar dreth y pen, gyda chymaint o bobl yn gwrthod ei thalu. Ond anghofir weithiau yn llwyr am bwrpas ac ergyd wreiddiol y geiriau ac fe'u defnyddiwn yn ysgafnach o lawer.

"Gefais i'r newid gen ti, dywed?"
"Naddo wir, dyma nhw iti."
"Roeddwn i'n meddwl braidd. 'Eiddo Cesar i Gesar', fachgen!"

Efengyl. Gair Groeg wedi magu ffurf Gymreig ac wedi cartrefu yn y Gymraeg, yn union fel 'apostol' ac 'eglwys' ac eraill, yw 'Efengyl'. Ar un adeg fe'i cyfieithid i'r Anglo-Sacsoneg fel 'Godspell'. Mewn Saesneg diweddarach daeth yn 'Gospel'. Ei ystyr llythrennol yw 'newyddion da'. Fe'i defnyddir am y cofnod ysgrifenedig, gan y pedwar efengylydd, o waith, bywyd a dysgeidiaeth Iesu Grist yn y TN. Dyna pam y disgrifir y llyfrau hyn fel 'yr Efengyl yn ôl Mathew, neu Marc, neu Luc neu Ioan' — h.y., yr hyn sy'n wir, yn gywir ac yn ddibynadwy am Dduw yng Nghrist.

Trwy drosiad ac estyniad ystyr, daeth 'efengyl' yn air i ategu cywirdeb a geirwiredd gosodiadau a datganiadau. Fe'i defnyddir yn arbennig pan fo angen am argyhoeddi pobl; i bwysleisio bod yr hyn a ddywedwn yn hollol wir a'r wybodaeth o ffynhonnell hollol ddibynadwy.

"Mae Sarah Hughes wedi ennill £150,000 ar y pŵls. Mae'n 'efengyl' iti."

Efydd yn seinio neu symbal yn tincian. Dyma yn union yw pob dawn, a phob dawn ymadrodd yn arbennig, heb gariad, medd Paul. 'Os llefaraf â thafodau dynion ac angylion, a heb fod gennyf gariad, efydd swnllyd ydwyf, neu symbal aflafar' (1 Cor. 13: 1 BCN). 'I am a sounding gong or a clanging cymbal' (NEB). 'my speech is no more than a noisy gong or a clanging bell' (GNB).

Er rhagored y cyfieithiad newydd, mae'n weddol sicr mai'r ffurf sydd i'r geiriau yn yr HFC sy'n mynd i lynu wrth dafodau'r Cymry.

Mae Debora wedi cael rhyw gyffyrddiad ysbrydol o rywle. Credu yng Nghrist ydy'r alffa a'r omega iddi. 'Cred yn yr Arglwydd Iesu Grist, a chadwedig fyddi' ydy'i hadnod hollbarod hi. Ac eto, mae hi wedi gwrthod dod i gymryd rhan yn y gwasanaeth undebol fore'r Groglith wrth ochr pawb arall ohonon ni. 'Efydd yn seinio neu symbal yn tincian' ydy ffydd felna i mi.

Eich poetau chwi eich hunain. Dywediad o araith yr Apostol Paul yn yr Areopagus, yn Athen. "Megis y dywedodd rhai o'ch poetau chwi eich hunain, 'canys ei hiliogaeth ef hefyd ydym ni' "(Act. 17: 28 HFC). Dyfynnu'r bardd stoicaidd Aratus yr oedd Paul, yn ôl pob tebyg. Ar ymyl y ddalen yn yr HFC cawn 'prydyddion'. 'Beirdd' yw gair y BCN; "fel y dywedodd rhai o'ch beirdd chwi".

Mynych ein defnydd o'r geiriau wrth gyflwyno bardd, neu lenor lleol, neu wrth ddyfynnu o waith bardd neu lenor lleol. Ond fe'i defnyddiwn hefyd wrth gyfeirio, a hynny'n lleol fel rheol, at unrhyw un, mewn unrhyw faes, sydd wedi gwneud ei farc ac yn glod i'w henfro.

Mae'n hyfrydwch o'r mwyaf cael cyflwyno ichi heno y Dr. John Morgan. Gŵr blaenllaw iawn mewn cangen o wyddoniaeth fel y gwyddom i gyd. Fe'i magwyd yn y fro hon, ac felly mae'n 'un o'n poetau ni'n hunain'.

Eraill a lafuriasant. Ioan yn unig sydd wedi recordio'r geiriau hyn o eiddo Iesu Grist: 'eraill a lafuriasant, a chwithau a aethoch i mewn i'w llafur hwynt' (Ioan 4: 38 HFC). 'Eraill sydd wedi llafurio, a chwithau wedi cerdded i mewn i'w llafur' (BCN). 'Others toiled and you have come in for the harvest of their toil' (NEB). 'Others worked there, and you profit from their work' (GNB).

Wrth y disgyblion, ar ôl ymddiddan â'r wraig o Samaria, y llefarodd Iesu'r geiriau: geiriau'n ôl pob tebyg oedd yn ddihareb. Nid yw'n glir pam y bu i Iesu ddefnyddio'r ddihareb ar yr achlysur arbennig hwnnw, fodd bynnag. Dichon mai cyfeirio y mae at yr hedyn a heuodd ef ei hun yng nghalon y wraig o Samaria, ond mai eraill a welai'r cnwd a'r cynhaeaf mewn canlyniad i'r hau hwnnw. Mae'n gwbl bosibl, fodd bynnag, mai Ioan a osododd y geiriau yng ngenau Iesu, i adlewyrchu'r sefyllfa yn Samaria ddiwedd y ganrif gyntaf neu ddechrau'r ail. Erbyn hynny roedd llwyddiant cenhadaeth Philip yn amlwg yn Samaria.

Gwnawn ddefnydd cyffredinol ac estynedig iawn o'r rhan gyntaf o'r ddihareb.

Mae'n bechod gweld esgeuluso, a gwaeth fyth, chwalu cymaint o gloddiau ar ffermydd heddiw, a hynny i wneud lle i anghenfilod o beiriannau. Yr hen dadau wedi llafurio i'w codi yn gysgod i anifeiliaid a ninnau'n eu chwalu. 'Eraill a lafuriasant' a ninnau'n dadwneud ffrwyth eu llafur.

Ergyd carreg. Unwaith yn unig y mae'r ymadrodd 'ergyd carreg' yn ymddangos yn y Beibl. Rhydd Mathew, Marc a Luc adroddiad am Iesu a'i ddisgyblion yng Ngardd Gethsemane. I bwrpas gweddïo dywed y tri i Iesu fynd ychydig o'r neilltu. Ffordd Mathew a Marc o ddweud hynny, yn yr HFC ac yn y BCN fel ei gilydd, yw iddo 'fynd ymlaen ychydig' (Math. 26: 39 a Marc 14: 35). Dull Luc o ddweud yr un peth yw "Efe a dynnodd oddi wrthynt tu ag 'ergyd carreg' " (Luc 22: 41 HFC). "Yna ymneilltuodd Iesu oddi wrthynt tuag ergyd carreg" medd y BCN. "Stone's cast" (HFS) "stone's throw" (NEB, GNB a Moffatt).

Rhydd GPC un enghraifft o'r ymadrodd 'ergyd carreg' cyn cyhoeddi'r Beibl yn Gymraeg. Mae'r enghraifft honno, fodd bynnag, yn *Kynifer llith a ban* William Salisbury (1551), sef cyfieithiad o'r Efengylau a'r Epistolau. Mae'n ymddangos felly mai'r Ysgrythur biau'r clod am roi'r ymadrodd 'ergyd carreg' ar ein gwefusau.

Mae gwahanol ystyron i'r gair *ergyd*. Yn yr ymadrodd 'ergyd carreg' golyga dafliad carreg. Ar lafar hwyrach mai'r ffurf 'tafliad carreg' a ddefnyddiwn fynychaf os nad yn rheolaidd.

Mae yna siop ardderchog newydd agor o fewn 'ergyd carreg' (tafliad carreg) i'r tŷ acw.

Er yn farw yn llefaru eto. Am Abel y mae'r Llythyr at yr Hebreaid yn dweud hyn. Dweud y mae fod Abel drwy ffydd, er wedi marw, yn dal i lefaru. "Y mae efe, wedi marw, yn llefaru eto" (Heb. 11: 4 HFC). "a thrwyddi hi (ffydd) hefyd y mae ef, er ei fod wedi marw, yn llefaru o hyd" (BCN). "and through faith he continued to speak after his death" (NEB). "By means of his faith Abel still speaks, even though he is dead" (GNB).

Gwnawn ddefnydd aml o'r geiriau, yn enwedig wrth roi teyrnged i bobl dda. Mae sylw James Moffatt yn werth dal arno: "Death is never the last word in the life of a righteous man". Ceir y geiriau ar garreg fedd llawer un, a hynny'n ddigon haeddiannol yn sicr. Fe'u ceir ar garreg fedd Francis Kilvert, y dyddiadurwr o Sais a fu'n gurad am saith mlynedd o 1885-1892 yng Nghleirwy, Powys. Mae'r geiriau yn arbennig o addas yno, oherwydd am yr 16 o Fawrth, 1870, mae'n ysgrifennu: "Below Tybella, a bird singing, unseen, reminded me how the words of the good man live after he is silent and out of sight". Pa angen dweud rhagor?

Mae pedair blynedd a deugain er pan fu farw George M. Ll. Davies. Bûm yn darllen ei lyfr 'Pererindod Heddwch' yn ddiweddar, hynny am y trydydd tro beth bynnag. Mi deimlais ei fod 'er wedi marw, yn llefaru eto'.

Esgud i wrando. Ystyr y gair 'esgud' yw parod, awyddus neu gyflym. Felly, esgud i wrando yw parod i wrando. Yn ôl GPC bu'r Cymro yn esgud i wneud llawer o bethau cyn cyfieithu'r ysgrythurau i Gymraeg ond yn y TN (1567) y mae'n 'esgud i wrando' am y tro cyntaf. "Bydded pob dyn 'esgud i wrando', diog i lefaru, diog i ddigofaint" (Iago 1: 19 HFC). Bu'r gair 'diog' yn gyfystyr â'r gair 'araf'. Meddai'r BCN, "Rhaid i bob dyn fod yn 'gyflym' i wrando, ond yn araf i lefaru, ac yn araf i ddigio". Fel y mae 'esgud' a 'diog' mewn gwrthgyferbyniad yn yr HFC, y mae 'cyflym' ac 'araf' yn y BCN.

"Swift to hear" (HFS); "Quick to listen" (NEB, GNB, JBP, a Moffatt). Mae'n amlwg fod y mwyafrif o'r cyfieithwyr yn dewis y gair 'gwrando' (to listen) yn hytrach na'r gair 'clywed' (to hear). Wedi'r cwbl, gellir clywed heb wrando.

Aeth y gair 'esgud', er ei fod yn weddol arferedig, yn air braidd yn hen ffasiwn. Y ffurf lafar fel rheol yw ''sgud' neu 'sgut'. Rhywun neu'i gilydd yn 'sgut' am y peth yma neu am y peth acw. "'Rydw i'n 'sgut' am hufen iâ. 'Fedra'i ddim madda' pan wela'i beth". Fe ddaliwn i ddefnyddio'r ymadrodd 'esgud i wrando', ond yn fwy ar bapur nag ar lafar hwyrach erbyn hyn.

Fe garwn ategu cais Aled Jones am y swydd dan sylw. Dylai ei brofi ei hun yn fachgen cwrtais, meddylgar, hawdd ei drin ac 'esgud i wrando'.

Esgyrn sychion. O weledigaeth 'Dyffryn yr Esgyn Sychion', Eseciel, y daeth yr ymadrodd hwn, heb amheuaeth. "Ac efe a ddywedodd wrthyf, 'proffwyda am yr esgyrn hyn, a dywed wrthynt, O 'esgyrn sychion' clywch air yr Arglwydd" (Esec. 37: 4 HFC). Tebyg iawn yw trosiad y BCN. Â'r stori rhagddi, wrth gwrs, i ddisgrifio adfywiad yr esgyrn.

Cylch crefydd a diwylliant yw cynefin yr ymadrodd yn ein siarad, yn enwedig wrth ddyheu am adfywiad. Gwnaeth Thomas Jones, Dinbych, ddefnydd nodweddiadol ohono yn ei emyn

Tyrd, Ysbryd Glân, sancteiddiol,
Anadla'r nefol ddawn:
Gwna heddiw gynnwrf grasol
Mewn 'esgyrn sychion' iawn (LLEM 254).

Ond fe'i harferwn hefyd i olygu amlinell ambell i beth heb lawer o fanylion, neu fframwaith ambell i gynllun heb lawer o wybodaeth, —yr esgyrn sychion heb gnawd.

Mae gen i fframwaith pregeth at fore Sul. Dyma hi am 'i gwerth iti. Cofia, dim ond yr 'esgyrn sychion' sydd yn fan'ma. Eto y bydda' i'n rhoi cnawd am yr esgyrn.

Estyn cortynnau. Pobl a ŵyr rywbeth am osod pabell neu adlen fedr werthfawrogi orau ystyr darddiadol 'estyn cortynnau'. Eseia sy'n ei ddefnyddio wrth geisio ysbrydoli ei gynulleidfa â'i freuddwyd am dwf a chynnydd ei genedl wedi iddi ddychwelyd o'r gaethglud: "Helaetha le dy babell, ac estyn gortynnau dy breswylfeydd, estyn dy raffau a sicrha dy hoelion" (Eseia 54: 2 HFC).

Ystyr cyffredin y gair cortynnau i ni yw rhaffau neu linynnau. Daeth inni drwy'r Saesneg 'cord' o bosibl, hwnnw yn ei dro o'r Lladin 'chorda' a'r Groeg 'chorde', yn golygu llinyn neu dant offeryn cerdd, neu raff o geinciau wedi eu plethu. Nid y cortynnau yna sydd gan Eseia mewn golwg, fodd bynnag. Yn hytrach cortynnau yn golygu llenni. O'r Lladin 'cortina' cafwyd 'curtain' yn Saesneg a 'cortyn' yn Gymraeg, — cortyn yn yr ystyr o len (curtain). "Estyn allan lenni dy drigfannau" (BCN). "Let them stretch forth the curtains" (HFS) "make the tent larger" (GNB) "Spread wide the curtains of your tent" (NEB). 'Ddefnyddiwn ni mo'r gair 'cortynnau' yn yr ystyr hwn bellach. Yn y *Geiriadur Mawr* fe'i nodir fel un anarferedig.

I'r Iddewon a oedd mor gyfarwydd â phebyll, 'roedd metaffor Eseia o 'estyn cortynnau' yn gyforiog lawn o ystyr. Ac, yn wir, bu'n ymadrodd llawn ystyr i ninnau'r Cymry, ac am a wn i, y mae'n dal felly. Wrth sôn am ehangu neu helaethu mewn amrywiol gylchoedd, mewn byd ac eglwys, y mae'n magu arwyddocâd. Mor ysbrydoledig o addas y mae'n swnio yn yr emyn-weddi cenhadol

Helaetha le dy babell glyd,
'Estyn gortynnau' i maes (LLEM 396).

Mae Edward Jones wedi agor siop arall eto; 'estyn ei gortynnau' yn go arw!

(Yr) Euog a ffy heb neb yn ei erlid. 'Yr annuwiol a ffy' a geir yn yr adnod yn Llyfr y Diarhebion, ac nid 'yr euog a ffy'. Mae'n hawdd deall sut y datblygodd y naill o'r llall. 'Yr euog a ffy' yw'r ystyr, wedi'r cwbl. Cydwybod euog yr annuwiol sy'n peri iddo ffoi heb neb yn ei erlid. 'Yr annuwiol a ffy heb neb yn ei erlid' (Diar. 28: 1 HFC). 'Y mae'r drygionus yn ffoi heb neb yn ei erlid' (BCN). 'The wicked man runs away with no one in pursuit' (NEB). 'The wicked run when no one is chasing them' (GNB). 'Rascals will run away, though no one pursues them' (Moffatt).

Gwnawn ddefnydd o'r ddihareb lle bo unrhyw un yn ymddwyn dan ddylanwad cydwybod euog.

Erbyn i mi ddwad adre ddoe roedd y moch, ddeunaw ohonyn nhw, yn y cae ŷd. 'Roedd hi'n hollol amhosibl iddyn nhw fod wedi agor drws eu cwt. Mi amheuais yn syth pwy oedd wedi 'i agor. Dim golwg o Robin, y crwt deg oed acw, a ddaeth o ddim i'r golwg chwaith nes 'i bod hi'n hwyr bnawn. Mi wyddwn i'n syth 'i fod o'n euog, a dyma roi tamaid o'r ysgrythur iddo, 'Yr euog a ffŷ heb neb yn 'i erlid'.

Fel cicaion Jona. Does dim amheuaeth am darddiad 'cicaion Jona'. Dyma'r stori o lygad y ffynnon: "A'r Arglwydd a ddarparodd gicaion ac a wnaeth iddo dyfu dros Jona i fod yn gysgod uwch ei ben i'w waredu o'i ofid, a bu Jona lawen iawn am y cicaion. A'r Arglwydd a baratôdd bryf ar godiad y wawr drannoeth ac efe a darawodd y cricaion ac yntau a wywodd" (Jona 4: 6, 7 HFC). Disodlwyd y gair 'cicaion' gan y gair 'planhigyn' yn y BCN. *Unlabelled*! 'Does dim sicrwydd pa blanhigyn oedd. 'Gourd' yw'r enw arno yn yr HFS; 'climbing gourd' (NEB); 'plant', heb enw arno (GNB). I'r rhai sydd â diddordeb garddwriaethol, gweinidogion yn arbennig, 'cucurbita' yw'r enw Lladin arno! Yn y Cassell's *New English Dictionary* fe'i disgrifir fel 'large fleshly fruit of climbing or trailing plants'.

I ddychwelyd at 'cicaion Jona', mae'r ergyd yn y disgrifiad ohono yn tyfu a diflannu dros nos. "Mewn noswaith y bu ac mewn noswaith y darfu" (Jona 4: 10 HFC). Yn ein defnydd trosiadol ni o'r ymadrodd mae'n cynrychioli pethau, bwriadau neu fudiadau sy'n tyfu'n gyflym ond yn diflannu yr un mor gyflym. Hwyrach mai i bwysleisio'r diflannu yn fwy na'r tyfu, a hynny braidd yn wawdlyd, y'i defnyddiwn fwyaf.

Mae'r defnydd a wnaeth Lloyd George o'r ddelwedd 'cicaion Jona' yn etholiad 1929 yn dra adnabyddus. Un o wrthwynebwyr Lloyd George ym Mwrdeisdrefi Arfon oedd Lewis Valentine dros y Blaid Genedlaethol, fel y'i hadweinid 'radeg honno. Braidd yn wawdlyd oedd Ll.G. o'r Blaid Genedlaethol:

Fel cicaion Jona yw'r blaid hon; mewn noson y daeth ac mewn noson y darfu.

Mae'n dda calon gweld mudiad rhyng-bleidiol fel hwn ar gerdded. Ryden ni wedi bod yn llawer rhy ranedig ar fater senedd i'n gwlad. Rwy'n gobeithio mai nid 'Cicaion Jona' o fudiad fydd hwn.

Fel clai yn llaw crochenydd. Jeremeia wedi taro ar eglureb rymus i gyfleu'r ffaith mai Duw sydd wrth y llyw, a'i fod yn mowldio bywyd Juda i'w ddibenion ei hun. "Megis ag y mae clai yn llaw y crochenydd, felly yr ydych chwithau yn fy llaw i, tŷ Israel" (Jer. 18: 6 HFC). "Fel clai yn llaw'r crochenydd, felly yr ydych chwi yn fy llaw i, tŷ Israel" (BCN). Y BCN wedi cael hwyl ar ddweud y peth yn glir ac yn gryno.

I ni, daeth yn ddisgrifiad da o rywrai ag ewyllys wan, hawdd eu perswadio, hawdd dylanwadu arnyn nhw, rhai hawdd eu cynnwys, rhai sy'n ildio'n rhwydd i ddylanwad rhywrai eraill, a hwnnw'n ddylanwad drwg fel arfer.

Mae 'na gwyno bod plant y pentre 'ma'n ddrwg. 'Does dim dadl nad ydyn nhw'n ddrwg. Ond cymryd 'u harwain gan y rhai hŷn y maen nhw. Fel'na mae plant: 'clai yn llaw crochenydd' ydyn nhw.

Fel haid o Locustiaid. Un o blâu'r Aifft oedd y pla locustiaid (Ecs. 10). Mae'n debyg mai pryfyn adeiniog o'r un teulu â cheiliog y rhedyn, neu sioncyn y gwair, yw'r locust. Fe'i ceir yn Nwyrain Ewrop, Affrica a'r gwledydd Arabaidd. Yn heidiau anferth y gweithia'r locustiaid gan ddifa cnydau a phob math o gynnyrch a thyfiant. Dyna'n union oedd pwrpas y pla locustiaid yn yr Aifft; difa popeth er mwyn gorfodi Pharo i ollwng yr Israeliaid yn rhydd. 'Dywedodd yr Arglwydd wrth Moses, "Estyn allan dy law dros wlad yr Aifft er mwyn i'r locustiaid ddisgyn ar dir yr Aifft, a bwyta holl lysiau'r ddaear a'r cyfan a adawyd ar ôl y cenllysg" ' (Ecs. 10: 12 BCN).

Defnydd cymariaethol a wnawn ni o'r ymadrodd.

Roedd hi'n barti 'Dolig yn y capel acw ddoe. Yr hen blant yn dwad yn syth o'r ysgol, ac fel 'tasa' nhw heb weld bwyd ers mis. Hanner cant ohonyn nhw yn talu i'r jeli a'r minspeis 'fel haid o locustiaid'.

Fel oen i'r lladdfa. O ddarlun Eseia o'r gwas dioddefus y cafwyd 'fel oen i'r lladdfa'. "Fel oen yr arweiniwyd ef i'r lladdfa" (Es. 53: 7 HFC). "Arweiniwyd ef fel oen i'r lladdfa" (BCN). Beth yn hollol yw ergyd a phriodoledd y ddelwedd "oen i'r lladdfa?" Gan fod y geiriau "nid agorai ei enau" yn yr un adnod, gellid dadlau mai mewn mynd i'r lladdfa yn ufudd a di-brotest y mae'r gymhariaeth. Ond mae'n sicr braidd mai yn niniweidrwydd y mynd y mae'r wir ergyd.

I gyfleu diniweidrwydd person, fel rheol, y defnyddiwn ni'r dywediad: person sydd drwy gynllwyn, ac yn ei ddiniweidrwydd, wedi syrthio i ryw drap neu'i gilydd.

'Does dim amheuaeth na ddenwyd Llywelyn y Llyw Olaf drwy gynllwyn, rywsut neu'i gilydd, i drap a osodwyd ar ei gyfer ar lan afon Irfon, ger Llanfair ym Muallt. Aeth 'fel oen i'r lladdfa'.

(Y) Fwyell ar fôn y pren. Un o ddelweddau Ioan Fedyddiwr yn ei bregeth i'r Phariseaid a'r Sadwceaid yn Niffeithwch Jwdea yw 'y fwyell ar wreiddyn y prennau'. Mynnai fod dyddiau eu cyfrif eu hunain yn blant i Abraham, ar bwys gwaedoliaeth, ar ben. Byddai Duw yn codi plant i Abraham o leoedd hollol annisgwyl, a'i farn yn disgyn ar y rhai a gysgodai yn nhraddodiadau a gorchestion y gorffennol. 'Ac yr awrhon hefyd y mae y fwyell wedi ei gosod ar wreiddyn y prennau' (Math. 3: 10 HFC). 'Ac y mae'r fwyell eisoes wrth wraidd y coed' (BCN). 'Already the axe is laid to the roots of the trees' (NEB). 'The axe is lying all ready at the root of the tree' (Moffatt). 'The axe is ready to cut down the trees at the root' (GNB).

Y ffurf unigol, 'y fwyell wrth wraidd y pren' neu'r 'fwyell wrth fôn y pren', yw'r ffurf arferol a rown ni i'r dywediad.

Mae'r holl doriadau ariannol ar addysg yn fygythiad difrifol i lawer o ysgolion bach y wlad. A chasglu oddi wrth y trafodaethau yn y pwyllgorau addysg, y mae'r 'fwyell ar fôn y pren' yn barod.

Fy llinynnau a syrthiodd mewn lleoedd hyfryd. 'Y llinynnau a syrthiodd i mi mewn lleoedd hyfryd; ie, y mae i mi etifeddiaeth deg' (Salm 16: 6 HFC). 'Syrthiodd y llinynnau i mi mewn mannau dymunol' (BCN). 'The lines fall for me in pleasant places' (NEB).

Llinynnau mesur tir yw'r llinynnau. Cawn y gair coelbren yn yr adnod flaenorol yn cyfeirio at yr un peth. Yn y geiriau dan sylw, fodd bynnag, uniaethir y llinynnau â'r tir a fesurwyd a cheir bod y mesur yn un hael ryfeddol. Mewn gwirionedd, canmol ei amgylchiadau a'i stad y mae'r salmydd. Mynegir hynny'n glir gan y GNB: 'How wonderful are your gifts to me, how good they are'.

Daw'r geiriau'n rhai ystyrlon i ni pan gawn ein hunain mewn amgylchiadau hapus, cysurus, llwyddiannus, ac yn dymuno cydnabod hynny.

'Roeddwn i'n falch ryfeddol o fod wedi cael gweinidogaeth mewn tref fach wledig ac mor Gymreig: lle ardderchog i fagu'r plant. Mi fûm yn arbennig o ddedwydd yno: mi 'ddisgynnodd fy llinynnau mewn lle hyfryd' ym mhob ystyr.

Ff

Ffon bara. O'r Beibl yn ddi-os y cawsom yr ymadrodd cyfarwydd a chyffredin, "ffon bara". Mae'n fenthyciad llythrennol, mae'n debyg, o idiom Hebreig yn golygu moddion cynhaliaeth. Yn union fel y mae ffon yn cynnal y sawl a'i defnyddia, felly hefyd y mae bara (bwyd, cynhaliaeth) yn cynnal einioes dyn. Cawn bedair enghraifft o'r ymadrodd yn y Beibl, tair o'r rhain gan Eseciel (Lef. 26: 26; Esec. 4: 16; 5: 16; 14: 13). 'Cynhaliaeth o fara' a geir yn lle 'ffon bara' gan y BCN yn y pedair enghraifft. Aeth "pan dorrwyf ffon eich bara" yn "pan dorraf eich cynhaliaeth o fara". Diau mai am mai idiom hollol Hebreig yw *ffon bara*, ac mewn ymdrech onest i wneud i'r Beibl, hyd y gellir, siarad mewn arddull ac idiomau Cymreig, y gwrthodwyd *ffon bara* yn ffafr *cynhaliaeth o fara*. 'Does dim dwywaith nad yw'r ymdrech honno'n un gymeradwy a llwyddiannus mewn nifer o achosion. Ond tybed, gydag ymadrodd sydd â'i ystyr yn hollol eglur, a mwy na hynny, wedi hen gartrefu yn y Gymraeg, ai da ei newid? Cyfyd y cwestiwn hwn pan nad yw'r hyn a roir yn ei le yn gorffwys mor esmwyth ar glust. Onid gwell fyddai *bara beunyddiol* na *cynhaliaeth o fara*, o fod angen newid? Dyna, yn wir, a gawn yn y NEB: 'daily bread'. Fodd bynnag, nid ar chwarae bach y diflanna *ffon bara* oddi ar wefusau'r Cymry. Lledodd ei ystyr i olygu bywoliaeth dyn, ei alwedigaeth neu foddion ei gynhaliaeth. Yn union fel y mae *bara beunyddiol* a *bywoliaeth* wedi dod yn gyfystyr, felly hefyd *ffon bara* a *bywoliaeth*. Oni siaradwn am ein swydd neu ein gwaith fel ein *ffon bara*? Mae'n anodd meddwl am *cynhaliaeth o fara* yn disodli *ffon bara*. Ymgysurwn; fe erys yr hen ffrind Beiblaidd hwn yng ngeirfa'r Gymraeg y rhawg.

Yn atomfeydd Trawsfynydd a'r Wylfa y mae 'ffon bara' cannoedd o bobl Meirion a Môn. Os na ddaw gwaith arall i'r ardaloedd hyn, bydd diweithdra dychrynllyd pan gaeir y ddwy atomfa, os mai felly bydd.

Ffordd Damascus. Ar ei ffordd i Ddamascus y cafodd Saul (Paul) ei dröedigaeth fythgofiadwy. Am Ddamascus yr anelai, i gymryd i'r ddalfa ddilynwyr Iesu oedd wedi dianc yno ar ôl llabyddio Steffan. "Yr oedd yn dal i chwythu bygythion angheuol yn erbyn disgyblion yr Arglwydd, . . . ond yn sydyn fflachiodd o'i amgylch oleuni o'r nef. Syrthiodd ar lawr, a chlywodd lais yn dweud wrtho, Saul, Saul, pam yr wyt yn fy erlid i . . . Iesu wyf fi, yr hwn wyt yn ei erlid . . ." (Act. 9: 1, 5 BCN).

Daeth 'ffordd Damascus' yn ymadrodd diarhebol am bob math o dröedigaeth mewn byd ac eglwys. Pan fo unrhyw un, o argyhoeddiad, yn troi at achos neu at gredo arbennig, y mae hwnnw wedi bod ar 'ffordd Damascus'.

Mae'r hen Eirlys, medden' nhw, wedi troi at y Pabyddion. A hithau wedi bod yn un o golofnau'r achos efo'r Hen Gorff ar hyd ei hoes. Mi fu ar 'ffordd Damascus' yn siŵr ichi.

Ffordd troseddwyr sydd galed. "Deall da a ddyry ras, ond ffordd troseddwyr sydd galed" (Diar. 13: 15 HFC). Rhan olaf yr adnod a ddaw i'n siarad: "ond garw yw ffordd y twyllwyr" (BCN), "but treachery leads to disaster" (NEB); "but those who can't be trusted are on the road to ruin" (GNB).

Yn aml wrth wneud sylwadau ar achosion mewn llys barn y daw'r geiriau'n hwylus, ac yn fwy neilltuol fyth mewn adwaith i ambell ddedfryd a chosb.

'Roedd hi'n amser dal y cnafon, a phawb tebyg iddyn nhw. Mae'r gosb o ddeng mlynedd yn edrych braidd yn hallt. Ond dyna ni, be allen nhw'i ddisgwyl? Mae 'ffordd troseddwyr yn galed'.

Ffordd yr holl ddaear. Dafydd frenin, erbyn hyn mewn oed mawr, yn teimlo nad oedd ganddo lawer i fynd, ac yn ceisio paratoi ei fab, Solomon ar gyfer hynny. "Myfi wyf yn myned 'ffordd yr holl ddaear', am hynny ymnertha a bydd ŵr" (1 Bren. 2:2 HFC). Diogelwyd yr ymadrodd yn y BCN: "yr wyf fi ar fynd i 'ffordd yr holl ddaear', am hynny ymnertha, a bydd yn ddyn". "I go the way of all the earth" sydd gan y cyfieithiadau Saesneg hen a diweddar ac eithrio'r GNB. Meddai hwnnw "my time to die has come". A dyna'r ystyr wrth gwrs: *marw*. 'Ffordd yr holl ddaear' yw'r ffordd y mae'n rhaid i bawb ei thramwyo.

Mae'n ymadrodd a ddefnyddiwn mewn cysylltiad â phethau yn ogystal ag â phobl. Nid annaturiol na dieithr inni yw sôn am rywun sydd wedi marw fel wedi 'mynd i ffordd yr holl ddaear'. Ond clywir y dywediad mewn amgylchiadau llawer llai dwys.

Y Ferguson llwyd, neu'r ffyrgi bach, fel 'roedd o'n cael ei alw, oedd y tractor cynta' i mi 'i gael. Ond mae o wedi mynd i 'ffordd yr holl ddaear' ers talwm.

(Y) Ffyrling eithaf. Mae popeth i'w ennill, heb ddim i'w golli, medd Iesu Grist, o unioni cam a chymodi, lle bo cweryl, cyn mynd i lys barn. Ar wahân i bob ystyriaeth ariannol, ac nid yw Iesu'n ddibris o honno, mae unrhyw gweryl rhwng dau, o'i gohirio, ac o fynd â hi i lys barn, yn gallu rhwygo teulu a chymdeithas. 'Cytuna â'th wrthwynebwr ar frys . . . rhag un amser i'th wrthwynebwr dy roddi di yn llaw y barnwr . . . yn wir meddaf i ti, ni ddeui di allan oddi yno, hyd oni thalech y ffyrling eithaf' (Math. 5: 25, 26 HFC). '. . . ni ddoi di byth allan oddi yno cyn talu'n ôl y ddimai olaf' (BCN). '. . . till you have paid the last farthing' (NEB). '. . . until you pay the last penny of your fine' (GNB).

'Siaradodd neb fwy o synnwyr cyffredin na Iesu Grist. Mae ei anogaeth i osgoi cyfraith a llys barn lle bo cweryl yn enghraifft dda o hynny.

'Dimai' a geir yn lle 'ffyrling' yn y BCN. Er, o fanylu, fod dimai yn *ddwy* ffyrling, mae cael 'dimai' yn lle 'ffyrling' yn ddigon priodol gan mai dimai oedd y swm a'r gwerth lleiaf erbyn rhoi inni'r BCN, yn union fel mai ffyrling oedd y swm a'r gwerth lleiaf yn oes y TN. Erbyn hyn, aeth y ddimai hithau, fel y ffyrling, i ffordd yr holl ddaear.

'Rydw'i bob amser wedi prynu fy nillad i gyd yn siop Dafydd Jôs. Chefais i rioed yr un ddimai o ddiscownt, dim ond talu'r 'ffyrling eitha' am bopeth.

G

Gadael enw ar (ei) ôl. Yn naturiol, ac yn ddealladwy, ychydig o ymadroddion o lyfrau'r Apocryffa a ddaeth i'r Gymraeg. Gair Groeg yn golygu 'o'r golwg' yw Apocryffa. Gan na chynhwyswyd llyfrau'r Apocryffa yng nghanon y Beibl Hebraeg gwreiddiol, llyfrau 'o'r golwg' ydyn nhw wedi bod lawer iawn byth oddi ar hynny. 'Chafwyd mo'r un cyfle i ymgydnabod â nhw. O ganlyniad, ychydig o ymadroddion a ddaeth i'n iaith o'r Apocryffa.

Oherwydd addasrwydd arbennig y cynnwys wrth gofio am enwogion a chymwynaswyr, fel ag ar Ŵyl Ddewi, er enghraifft, daeth rhan o un bennod yn Llyfr Ecclesiasticus yn ddarn cyfarwydd iawn. O'r bennod honno y daeth yr ymadrodd 'gadael enw ar eu hôl'. Wrth ganmol y gwŷr enwog dywedir, "Bu rhai ohonynt hwy gyfryw ag a adawsant enw ar eu hôl" (Ecclus. 44: 8; LLEM Adran 48).

Gwnawn ddefnydd o'r dywediad wrth gyfeirio at enwogion a phobl sydd wedi gwneud eu marc, neu wneud enw iddynt eu hunain, mewn gwahanol gylchoedd.

Gŵr cwbl arbennig, gŵr unigryw, oedd George M. Ll. Davies. Er gwaethaf ei ddiwedd trist, 'gadawodd enw ar ei ôl' heb os.

Gadael yn angof. "A'r disgyblion a 'adawsant yn angof' gymryd bara, ac nid oedd ganddynt gyda hwynt ond un dorth yn y llong" (Marc 8: 14 HFC). A barnu oddi wrth y ddau fynegair Cymraeg sydd gen i, dyma'r un a'r unig waith y ceir yr ymadrodd 'gadael yn angof' yn y Beibl. Derbyn ffordd Gymraeg gyfoes o ddweud yr un peth a wna'r BCN: "Yr oeddent wedi anghofio dod â bara". "They had forgotten to take bread with them" (NEB).

Cyfystyr 'gadael yn angof' a 'gollwng dros gof'. 'Anghofio' yw ystyr y naill a'r llall. "Fy mab, na ollwng fy nghyfraith dros gof" (Diar. 3: 1 HFC). "Fy mab, paid ag anghofio fy nghyfarwyddyd" (BCN). Hwyrach nad oes llawer o ddefnyddio ar yr ymadrodd erbyn hyn. Mae'r iaith lafar, ac ysgrifenedig, yn ffafrio 'anghofio' ar ei draul.

Mi gefais olwyn ôl fflat ar yr M1 o bobman. Gwaeth na dim, ffeindio fy mod i wedi 'gadael yn angof' fynd â jac efo mi. (Gw. Gollwng Dros Gof.)

Gad ef y flwyddyn hon eto. Dameg y ffigysbren yw cartref gwreiddiol 'gad ef y flwyddyn hon eto'. Bygwth torri'r ffigysbren i lawr, am na chafodd ffrwyth oddi arno am dri thymor yn olynol, y mae'r meistr. Ond eiriol dros y goeden y mae'r gwas, — "Gad ef y flwyddyn hon hefyd, hyd oni ddarffo imi gloddio o'i amgylch a bwrw tail" (Luc 13: 8 HFC). Llwyddodd y BCN i roi geiriau'r eiriolaeth yn fyr ac i bwrpas, — "Gad iddo eleni eto, imi balu o'i gwmpas a'i wrteithio". "Leave it this one year" (NEB). "Leave it along just one more year" (GNB).

Daw i'n siarad gryn dipyn. Lle mae rhywbeth wedi gweld ei ddyddiau gwell, a ninnau yn gorfod ystyried cael un newydd, mi ddywedwn 'gad ef y flwyddyn hon eto'. Neu, lle mae ambell un heb fod yn tynnu'i bwysau fel aelod o eglwys, neu o unrhyw gymdeithas arall, daw'r geiriau'n hwylus i eiriol dros y rheini.

Welson ni mo Twm Hughes yn y capel 'ma ers blynyddoedd, a does yna byth geiniog wrth 'i enw yn yr adroddiad. Pan godwyd y mater yn y cyfarfod swyddogion, 'gad ef y flwyddyn hon eto' oedd ymateb y gweinidog.

Gair yn ei bryd. Llyfr y Diarhebion sy'n dweud 'O mor dda yw gair yn ei amser' (Diar. 15: 23 HFC). Rhoi'r geiriau yn y ffurf o gwestiwn a wna'r BCN: 'a beth sy'n well na gair yn ei bryd?'. 'A word spoken in due season, how good is it?' (HFS). 'How much better is a word in season' (NEB). 'A word in season, what a help it is!' Moffatt). Rhoi'r ystyr ar ei ben a wna'r GNB: 'What a joy it is to find just the right word for the right occasion'.

Daliwn i arfer 'gair yn ei amser', ond y ffurfiau mwyaf cyffredin yw 'gair yn ei bryd' neu 'gair yn ei le'. Oherwydd hyn, peth i'w ddisgwyl oedd cael 'gair yn ei bryd' yn y BCN.

'Roeddwn bron iawn â dod i ben fy nhennyn, ac ar fin ymddiswyddo, pan ddaeth hen gyfaill heibio yn fwyaf rhagluniaethol. Cefais gyfle i fwrw fy nghalon iddo. Rhoes gyngor gyda'r calla' a'r mwya' amserol imi. Os bu'r fath beth â 'gair yn ei bryd' erioed, cyngor fy nghyfaill oedd hwnnw.

Galwad. Galwedigaeth yw gair y TN, a dim ond yn y TN y ceir y gair hwnnw. Mae'r syniad o Gristnogion wedi eu galw i alwedigaeth yn bod o'r dechrau cyntaf. "Deisyf yr wyf ar rodio ohonoch yn addas i'r alwedigaeth y'ch galwyd iddi" (Eff. 4: 1 HFC). Mae gwedd gyffredinol fel 'na i'r alwedigaeth. Ond y mae yna 'alwad' o fath arall o fewn i'r alwad fwy cyffredinol. Aiff hyn yn ôl i alwad y disgyblion cyntaf i ddilyn Iesu. Yn yr ystyr hwn y soniwn am rai wedi eu 'galw' i'r weinidogaeth, neu wedi 'cael galwad' i'r weinidogaeth.

Yn y Gymru Gymraeg daeth 'galwad' yn air mwy neu lai technegol, yn enwedig i'r Ymneilltuwyr, am y gwahoddiad a gaiff person i fod yn weinidog ar ofalaeth. Os wy'n deall yn iawn, gwahoddiad (*invitation*) i ddod yn weinidog a roir i weinidog o Sais, ond 'galwad' i'r Cymro. 'Dyw'r gair fel y cyfryw ddim yn y Beibl, ond y mae ei holl ddeunydd yno, a'i hawl i fod yn ein siarad yn yr ystyr sydd iddo.

Mae'r ofalaeth acw wedi rhoi 'galwad' i fachgen ifanc addawol iawn o'r Coleg Diwinyddol. Yn ôl pob sôn, mae o wedi derbyn yr 'alwad' hefyd.

Gau broffwydi. Bu pobl erioed yn gwyro'r gwir a'r gwirionedd. Rhybudd rhag hynny sydd gan Iesu Grist pan ddywed, "Gwyliwch rhag 'gau broffwydi' sy'n dod atoch yng ngwisg defaid, ond sydd o'u mewn yn fleiddiaid rheibus" (Math. 7: 15 BCN). "Ymogelwch rhag 'gau broffwydi' " sydd yn yr HFC hefyd. "Beware of false prophets" sydd yn y cyfieithiadau Saesneg bron yn ddieithriad. Mae'r GNB yn rhoi "Be on your guard against false prophets".

Cawn ddigon o gyfeiriadau at 'gau broffwydi' yn y ddau Destament. 'Bleiddiaid' yw'r disgrifiad cyffredin ohonyn nhw, yn union fel o lywodraethwyr gau. "Y mae ei swyddogion o'i mewn fel bleiddiaid rheibus yn llarpio ysglyfaeth . . . a'i phroffwydi'n dweud "Fel hyn y dywed yr Arglwydd a'r Arglwydd heb ddweud" (Esec. 22: 27, 28 BCN). A meddai Paul wrth ffarwelio â henuriaid Effesus, "Mi wn i y daw i'ch plith, wedi f'ymadawiad i, fleiddiaid mileinig nad arbedant y praidd" (Act. 20: 29 BCN).

Daliwn i alw pobl sy'n gwyrdroi a chamgynrychioli'r gwirionedd yn 'gau broffwydi'. Yn ei ystyr letach daw yn ymadrodd inni am bobl y mae amheuaeth yn eu cylch, pobl sy'n amddifad o ddiffuantrwydd, a phobl sy'n cam-ddarogan y dyfodol mewn unrhyw fodd.

Roedd pobl y bocs wedi addo tywydd braf inni heddiw. Maen nhw wedi methu'n go arw. 'Gau broffwydi' ydy'r proffwydi tywydd 'ma reit aml.

Glawio ar y cyfiawn a'r anghyfiawn. Yn sgîl annog caru gelyn y dywed Iesu fod ei Dad yn 'glawio ar y cyfiawn a'r anghyfiawn'. "Carwch eich gelynion . . . ac fe fyddwch yn feibion i'ch Tad . . . oherwydd y mae ef yn peri i'r haul godi ar y drwg a'r da, ac yn rhoi glaw i'r cyfiawn a'r anghyfiawn" (Math. 5: 44-45 BCN).

Gwamal, a direidus braidd, er nad amharchus na chableddus, yw'r defnydd cyffredin a wnawn ni o'r geiriau.

'Gawsoch chi law bore 'ma?'
'Naddo wir, yr un diferyn'.
'Brensiach, mi fu'n pistyllio bwrw acw drwy'r bore. Rhaid nad ydy hi ddim yn "glawio ar y cyfiawn a'r anghyfiawn" y dyddiau yma.'

Glyn cysgod angau. "Ie, pe rhodiwn ar hyd glyn cysgod angau, nid ofnaf niwed . . ." (Salm 23: 4 HFC). "the valley of the shadow of death" (HFS). Am '*dir* cysgod angau' y sonnir, fel arfer, yn y Beibl. Er enghraifft, "Cyn myned ohonof . . . i *dir* tywyllwch a chysgod angau . . ." (Job 10: 21, 22 HFC). Neu, "y rhai sy'n aros yn *nhir* cysgod angau, llewyrchodd arnynt oleuni" (Es. 9: 2 HFC). Ond yn Salm 23 cawn 'glyn cysgod angau'. Mae GPC yn disgrifio 'glyn', yn ei ystyr ffigurol, fel "y man cyfyng a thywyll ym mhrofiad dyn, yn enwedig cyfyngder cysgod angau". Disgrifiad, yn siŵr, dan ddylanwad Salm 23. Bu'r ymadrodd o Salm 23 yn was da i ddyn yng nghyd-destun gwewyr ac ofn marwolaeth. Mae 'rhodio ar hyd glyn cysgod angau' yn ddisgrifiad mor ddarluniadol.

Chadwodd yr ymadrodd mo'i le yn y BCN, mwy nag y cadwodd 'valley of the shadow of death' ei le yn y cyfieithiadau Saesneg. Rhaid bod digon o resymau ieithyddol dros ei newid i "Er imi gerdded trwy ddyffryn tywyll du, nid ofnaf unrhyw niwed" (BCN). "Even though I walk through a valley dark as death" (NEB). "Even if I go through the deepest darkness" (GNB). "My road may run through a glen of gloom" (Moffatt).

Un rhinwedd yn y cyfieithiadau diweddar o'r ymadrodd dan sylw yw eu bod yn caniatáu fod rhyw bethau heblaw angau yn bwrw'u cysgodion, a'r Salm yn foddion cysur mewn profiadau heblaw gwewyr marwolaeth. I'r Cymro sy'n gyfarwydd â'r HFC erys 'glyn cysgod angau' fodd bynnag yn ymadrodd ystyrlon y rhawg.

"A dedwydd fyddaf yn y 'glyn',
Os caf amdano sôn;
Mi waedda'n ŵyneb angau du –
'O! wele, wele'r Oen'!"

(C. Welsey. Cyfieithiad LLEM 118)

'Mae Mari Lewis yn sincio 'rwy'n ofni'.
'Be, wyt ti'n ofni'r gwaetha'?'
'Mae hi yn y "glyn" iti'.

Goddef ffyliaid yn llawen. Daw'r unig enghraifft o'r ymadrodd hwn yn y Beibl o 2 Cor. 11: 19. Mewn hunan-gyflwyniad dywed Paul wrth y Corinthiaid, dweud â'i dafod yn ei foch, mai ffŵl ydy yntau ond y medran nhw, fel pobl synhwyrol, oeddef ffyliaid. "Oherwydd yr ydych yn goddef ffyliaid yn llawen, a chwithau mor ddoeth!" (BCN). "a chwithau mor synhwyrol" (HFC). "You yourselves are so wise, and so gladly tolerate fools" (GNB). "You put up with fools so readily, you who know so much" (Moffatt). "From your heights of superior wisdom I am sure you can smile tolerantly on a fool" (JPB).

Yn amlach na pheidio heddiw cawn y ffurf 'diodde ffyliaid'. 'Goddef' wedi ildio'i le i 'dioddef'. Ychwanegwyd at 'goddef' y rhagddodiad cryfhaol 'di'. Gan golli'r 'g', aeth 'di' a 'goddef' yn air teirsill 'dïoddef' ac yn ddiweddarach yn air deusill 'dioddef'. Anaml ar lafar y defnyddiwn y ffurf 'goddef' erbyn hyn er iddo ffeindio'i ffordd i'r BCN.

Ar y cyfan 'ddefnyddiwn ni mo'r ymadrodd yn llawn chwaith. Bodlonwn ar 'dioddef ffyliaid' gan ragdybio y rhan arall. Cartrefodd 'suffer fools gladly' yn Saesneg hefyd, a hawliodd yr ymadrodd ei le yn y cyfieithiadau diweddar i'r ddwy iaith.

Daeth yn ymadrodd i gyfleu agwedd anoddefgar at rai sy'n

ymddangos yn brin o synnwyr cyffredin neu'n gyndyn o ddysgu. Negyddol yw'r defnydd amlaf a wnawn ohono.

Dydy Rhodri 'na mo'r dyn iawn i fod yn ngofal criw ifanc. Yn un peth fedr o'n amlwg ddim 'diodde ffyliaid yn llawen'.

Golchi dwylo (oddi wrth). Cefndir hollol Iddewig sydd i'r ymadrodd 'golchi dwylo'. Ei ystyr yw gwrthod derbyn cyfrifoldeb am rywbeth neu'i gilydd (Deut. 21: 1-9). Fel arfer mae'n hawlio'r arddodiad 'oddi wrth' ar ei ôl. Golchi dwylo oddi wrth rywbeth neu'i gilydd a wneir bob amser. I'r Iddew golygai beidio â chael rhagor i'w wneud â rhywbeth, ac yn arwydd o fod yn ddieuog. "Golchaf fy nwylaw mewn diniweidrwydd" (Salm 26: 6 HFC). "Golchaf fy nwylo am fy mod yn ddieuog" (BCN). "I wash my hands in innocence" (NEB). "Lord, I wash my hands to show that I am innocent" (GNB). "Blamelessly I wash my hands" (Moffatt).

Ond 'does dim dwywaith nad stori Peilat yn golchi ei ddwylo adeg y prawf ar Iesu Grist a'i gwnaeth yn ymadrodd cyfarwydd i ni yn Gymraeg. "Pan welodd Peilat nad oedd dim yn tycio . . . cymerodd ddŵr a golchodd ei ddwylo o flaen y dyrfa . . ." (Math. 27: 24 BCN). "Pilate could see that nothing was being gained . . . so he took water and washed his hands in full view of the people" (NEB). Daeth 'to wash one's hands (of)' yn ymadrodd arferedig iawn yn Saesneg hefyd. Ni welwyd angen am ei newid yn y BCN, nac yn y cyfieithiadau diweddar i'r Saesneg.

Mi wnes bopeth fedrwn i gymodi Llew ac Ifan. Yn y diwedd cefais siars reit siort i feindio fy musnes. Rydw'i wedi penderfynu 'golchi fy nwylo' oddi wrth yr holl beth. Rhwng gwŷr Pentyrch a'i gilydd!

Gollwng dros gof. Cawn yr idiom 'gollwng dros gof' ar waith yn Gymraeg cyn cael y Beibl yn yr iaith. Er hynny, mae gan ddyn deimlad mai'r defnydd ohoni yn y Beibl a'i sodrodd yn y Gymraeg. O'r deuddeg o weithiau y mae'n ymddangos yn y Beibl, dichon mai un o'r Diarhebion fu pennaf achos ei sefydlu fel idiom yn ein iaith. "Fy mab, na ollwng fy nghyfraith dros gof" (Diar. 3: 1 HFC).

'Anghofio' yw'r ystyr wrth gwrs. Dyna a gawn yn y BCN. "Fy mab, paid ag anghofio fy nghyfarwyddyd". "My son, do not forget my teaching" (NEB).

Un tymor yn unig y bûm i'n gweini yn y Fron a thymor anhapus ryfeddol oedd o. Dyna'r unig gyfnod o f'oes y carwn i ei 'ollwng dros gof'. (Gw. Gadael yn angof.)

(Y) Graig y'ch naddwyd ohoni. Annog y genedl i ymfalchïo yn ei thras y mae Eseia. Ffurfia'r geiriau'n llawn gyfochredd, nodwedd unigryw ym marddoniaeth yr Iddew. Ailadroddir yn yr ail linell, mewn geiriau ychydig yn wahanol, yr hyn a ddywedwyd yn y llinell flaenorol:

"Edrychwch ar y graig y'ch naddwyd ohoni ac ar y chwarel lle'ch cloddiwyd" (Eseia 51: 1 BCN).

Yn yr HFC mae'r ail linell fel hyn: "ar geudod y ffos y'ch cloddiwyd ohonynt". Tebyg iawn yw'r HFS hefyd: "and the hole of the pit whence you were digged". Gallai'r ffurf hon fod yn ystyrlon iawn ar lan twll chwarel Dorothea yn Nyffryn Nantlle. Fan'no ddaeth i'm meddwl wrth weld y geiriau.

Gwelliant yn sicr, o safbwynt ystyr, yw'r BCN, a'r cyfieithiadau diweddar i'r Saesneg. Cawn bron yr un geiriau'n union gan y NEB, y GNB, a Moffatt.

"Look to the rock from which you were hewn, to the quarry from which you were dug".

Fel y dywedais anogaeth i ymhyfrydu mewn tras sydd yn y geiriau. Fel ffordd effeithlon o gymell teyrngarwch i Dduw ac i'r etifeddiaeth Iddewig, arferai'r proffwydi atgoffa'r genedl o'i llinach anrhydeddus. Disgynyddion Abraham, Isaac a Jacob oedd y bobl, mewn Duw ac mewn etifeddiaeth. Mae'n arwyddocaol fel y mae Eseia, ar ôl eu hannog 'i gofio'r graig y'u naddwyd ohoni', yn mynd rhagddo i ddweud, "edrychwch at Abraham eich tad".

Daeth hwn yn ymadrodd cyfarwydd iawn yn y cyd-destun Cymreig. Mae'n gyforiog o ystyr wrth annog teyrngarwch i'r dreftadaeth Gymreig, sydd mor amlwg yn prysur eiddilo. Sawl gŵr gwadd ar Ŵyl Ddewi sy'n taer alw arnom fel Cymry i "gofio'r graig y'n naddwyd ohoni"? Ac mae'n werth sylwi mai *cofio'r* graig a wnawn yn gyffredin yn Gymraeg, ac nid *edrych ar* y graig fel yn yr HFC a'r BCN.

'Dyw'r idiom ddim wedi cyrraedd yr iaith Saesneg. 'Does ar y Sais mo'i hangen. 'Dyw ei etifeddiaeth ddim dan fygythiad. A phrin, prun bynnag, y mae'n cael cyfle i anghofio'r graig y'i naddwyd ohoni.

Mi garwn i fanteisio ar achlysur dathlu Gŵyl ein Nawddsant, i sôn mymryn am ogoniant ein gorffennol, ac i atgoffa'n gilydd am y 'graig y'n naddwyd ohoni'.

Gwagedd o wagedd. Llyfr a'i holl awyrgylch yn besimistaidd yw Llyfr y Pregethwr. Ynfyd, ffôl ac ofer hollol yw pethau bydol. Daeth ei ddedfryd ar 'deganau gwag y byd' yn adnabyddus: "Gwagedd o wagedd, gwagedd yw y cwbl" (Preg. 1: 2 HFC). 'Does dim llawer o newid yn y BCN. "Gwagedd llwyr, gwagedd llwyr yw'r cyfan". "Vanity of vanities, all is vanity" a gawn yn yr HFS. Gall "vanity" olygu "conceit", ond nid dyna sydd yma. Gwell yw'r NEB, ac yn nes at y Gymraeg yn wir, "Emptiness, emptiness, all is empty".

Beth bynnag am ei ddedfryd mae'n rhoi geiriau yn ein genau ninnau wrth ymateb i ryw bethau mewn bywyd.

'Fedrais i wneud na rhych na gwellt o'r ddrama 'na noson o'r blaen. 'Chyflawnodd hi ddim, hyd y gwela 'i. "Gwagedd o wagedd" fuaswn i yn ei galw hi'.

'Mae'r rhaglen ysgafn 'na ar S4C yn un wan ddifrifol. 'Does 'na ddim cig o gwbl ynddi hi. "Gwagedd o wagedd" ydy'r cwbl.'

Gwala a gweddill. O ddameg y mab afradlon (y mab colledig, BCN), gan Iesu y daeth yr ymadrodd 'gwala a gweddill'. "Pa sawl gwas cyflog o'r eiddo fy nhad sydd yn cael eu 'gwala a'u gweddill' o fara, a minnau'n marw o newyn?" (Luc. 15: 17 HFC). Dyna eiriau'r mab afradlon wrth ddod ato'i hun. 'Dyw'r gair 'gweddill' ddim ym Meibl W. Morgan 1588. Yno cawn "A phan ddaeth ato'i hun, efe a ddywedodd, pa sawl gwâs cyflog o' eiddo fy nhâd sydd yn cael eu gwala o fara? a minne yn marw o newyn". "Faint o weision cyflog sydd gan fy nhad, a phob un yn cael *mwy na digon* o fara, a minnau yma yn marw o newyn?" (BCN). Mae'r BCN, felly, wedi hepgor yr ymadrodd ei hun yn ffafr ei union ystyr. Digonedd neu helaethrwydd yw ystyr 'gwala'. Y mae ei bartneru â'r gair 'gweddill' sy'n golygu'r hyn sydd dros ben, yn rhoi inni'r syniad o fwy na digon. 'Mwy na digon', fel y gwelwyd, sydd yn y BCN. "More food than they can eat" (NEB).

"More than they can eat" (GNB). "More than enough to eat" (Moffatt).

'Roedd y ddau air 'gwala' a 'gweddill' yn eiriau arferedig cyn cyfieithu'r Beibl, wrth gwrs. Ond a barnu oddi wrth GPC mae'n ymddangos mai newydd hollol oedd eu priodi yn un ymadrodd. Cartrefodd 'gwala a gweddill' yn ein hiaith, a hynny'n rhannol, o bosibl, oherwydd ein hoffter o gyseinedd neu gyflythreniad. Hyd y gwn, 'ffeindiodd yr hyn sy'n cyfateb iddo yn Saesneg, 'have bread enough and to spare', mo'i ffordd i iaith bob dydd y Sais, fel y gwnaeth 'gwala a gweddill' yn Gymraeg.

O'n cymharu'n hunain â phobl mewn rhannau eraill o'r byd, mae hi'n frenin arnom. Cawn ein 'gwala a'n gweddill' o bopeth.

Gwar-galed. Yn ystod eu taith yn yr anialwch disgrifir yr Israeliaid sawl gwaith fel rhai gwar-galed. Medd Duw wrth Moses, "Gwelais y bobl hyn; ac wele pobl 'war-galed' ydynt" (Ecs. 32: 9 HFC). "Yr wyf wedi gweld pa mor wargaled yw'r bobl hyn" (BCN). Mae Steffan hefyd yn ei araith yn defnyddio'r gair wrth geryddu'r Iddewon am ladd Iesu Grist, y Cyfiawn. "Chwi rai gwar-galed" (Act 7: 51 HCF). Ar wahân i un enghraifft yn Deuteronomium 9: 13, lle y ceir 'ystyfnig', cadwodd y BCN at y ffurf gyfansawdd 'gwargaled'. 'Stiffnecked' sydd gan yr HFS. 'Stubborn' yw gair y GNB a'r NEB ym mhob achos. 'Obstinate' sydd amlaf gan Moffatt.

Mae'n amlwg mai'r ystyr yw ystyfnig, cyndyn, penstiff, pengaled, neu rai anodd eu trin.

Mi driais gael pwyllgor y 'steddfod leol 'ma i symud y 'steddfod o'r gaea' i'r ha', oherwydd menter tywydd. Ond 'doedd gen i ddim gobaith. 'Welais i ddim criw mwy anhyblyg a 'gwar-galed' erioed.

Gwasanaethu dau arglwydd. "Ni ddichon neb wasanaethu dau arglwydd . . . ('meistr', BCN); Ni ellwch wasanaethu Duw a mamon" ('arian', BCN) (Math. 6: 24 HFC). Mae Iesu'n hawlio teyrngarwch llwyr i Dduw. O'r gair Groeg am gaethwas (gwas caeth) y daeth y ferf am 'gwasanaethu'. Rhaid oedd i deyrngarwch y caethwas i'w feistr fod yn llwyr, ac nid yn rhanedig. Felly, hefyd, deyrngarwch y Cristion i Dduw: "ni all neb wasanaethu dau feistr" (BCN).

Gair Hebraeg am fuddiannau neu gyfoeth bydol yw Mamon. Bu dyn eiroed yn chwannog i roi ei holl fryd ar gyfoeth materol. Ar un ystyr, yr hyn y mae dyn yn rhoi ei holl fryd arno yw ei dduw. Yn arwyddocaol iawn, daeth mamon yn Mamon, efo 'M' fawr: yn dduw. "Ni allwch wasanaethu Duw ac Arian" medd y BCN: arian efo 'A' fawr.

I ni, yn gyffredin, mae'n cyfeirio, fel dywediad, at rannu teyrngarwch rhwng egwyddor a mantais bersonol. Dyn sy'n barod i aberthu egwyddorion er mwyn rhyw fantais neu'i gilydd iddo'i hun yw'r sawl sy'n 'gwasanaethu dau arglwydd' i ni.

'Mi fuo Tom yn selog iawn efo'r Gymdeithas. Ond welsom ni ddim golwg ohono ers tro rŵan. 'Doedd hi ddim yn talu iddo fod yn rhy amlwg efo achos fel hwn. Nid am ddim, yn siŵr, y cafodd o ddyrchafiad yn ddiweddar. Llanc yn 'gwasanaethu dau arglwydd' ydy yntau, 'r wy'n ofni'. Gw. Mamon.

Gweithio allan eich iachawdwriaeth. Yn ôl Paul y mae i Dduw, ac i ddyn ei hun, ran yn iachawdwriaeth dyn. Ar y naill law cawn 'Duw yw'r hwn sydd yn gweithio ynoch' (Phil. 2: 13 HFC), ac ar y llaw arall ceir 'gweithiwch allan eich iachawdwriaeth eich hunain trwy ofn a dychryn' (Phil. 2: 12 HFC). 'Gweithredwch, mewn ofn a dychryn, yr iachawdwriaeth sy'n eiddo ichwi' (BCN). 'You must work out your own salvation in fear and trembling' (NEB). 'Keep on working with fear and trembling to complete your salvation' (GNB).

Dyna, felly, gyd-destun gwreiddiol 'gweithiwch allan eich iachawdwriaeth'. Yn ein defnydd o'r geiriau rhown orwelion eang iawn i'r gair 'iachawdwriaeth'!

Byrdwn araith Ŵyl Ddewi'r Syr oedd fod yn rhaid inni, fel Cymry, ddibynnu fwy a mwy ar ein hadnoddau'n hunain, a 'gweithio allan ein iachawdwriaeth ein hunain', drwy sefydlu diwydiannau a busnesau bychain o bob math.

Gweld â'm llygaid fy hun. Gan Job y cawsom y dywediad hwn. Wedi ei siomi yn yr hyn a ddywedai pobl eraill wrtho am Dduw, meddai Job: 'Myfi a glywais â'm clustiau sôn amdanat, ond yn awr fy llygad a'th welodd di' (Job 42: 5 HFC). Mae'r BCN yn taro'r hoelen ar ei phen: 'Trwy glywed yn unig y gwyddwn amdanat, ond yn awr 'rwyf wedi dy weld â'm llygaid fy hun'. 'I knew of thee only by report, but now I see thee with my own eyes' (NEB). 'In the past I knew only what others had told me, but now I have seen you with my own eyes' (GNB).

Cyferbynnu gwybodaeth am Dduw drwy glywed amdano, ac adnabyddiaeth uniongyrchol ohono, y mae Job, yn amlwg. Yn estynedig dyna'r union ddefnydd a wnawn ninnau o'r ymadrodd, i bwysleisio, fel rheol, y gwahaniaeth rhwng bod wedi clywed am rywun a'i gyfarfod yn y cnawd, neu wyneb yn wyneb. Fe'i defnyddiwn yn yr un modd wrth sôn am bethau ac am leoedd.

Roeddwn i wedi clywed llawer am Venice, ac yn wir wedi darllen am y lle, ond yr haf 'ma mi gefais gyfle i fynd yno a 'gweld y lle â'm llygaid fy hun'.

Gweld lygad yn llygad. Priod-ddull o'r Beibl yn sicr yw 'gweld lygad yn llygad'. Mae yno unwaith yn unig yn Eseia 52: 8: "Dy wylwyr a ddyrchafant lêf, gyda'r llêf cyd-ganant; canys gwelant 'lygad yn llygad' pan ddychwelo yr Arglwydd Seion" (HFC 1620). Yr hyn a gafwyd gan W. Morgan yn 1588 oedd, "Llef dy wil-wŷr [a glywir], derchafant lef, cyd-ganant, canys *'gwelant yn eglur'* pan ddychwelo'r Arglwydd Sion".

Ystyr yr ymadrodd 'gweld lygad yn llygad' yw 'cytuno'n llwyr', neu 'bod o'r un farn' neu 'o'r un feddwl'. Dyna'r ystyr a roed i'r priod-ddull yn y Gymraeg, fel yn y Saesneg 'see eye to eye'. Idiom hollol Hebreig yw'r gwreiddiol yn golygu 'wyneb yn wyneb', ac felly heb fod o'r un ystyr â 'gweld lygad yn llygad'. Cam-gyfieithiad, y mae'n ymddangos, oedd yr hen gyfieithiad o'r geiriau yn Eseia, yn y Gymraeg ac yn y Saesneg fel ei gilydd. Cywirwyd yr ystyr yn y BCN, fel yn y cyfieithiadau diweddar i'r Saesneg. Fel hyn y mae'r adnod bellach: "Clyw, y mae dy wylwyr yn codi eu llais, ac yn bloeddio'n llawen gyda'i gilydd; â'u llygaid eu hunain y gwelant yr Arglwydd yn dychwelyd i Seion" (BCN). Mae llawer mwy o arlliw yr Hebraeg 'wyneb yn wyneb' yn y BCN. Yn wir, yn y Jerusalem Bible a chan Moffatt cawn "For they see the Eternal (Yaweh) 'face to face'." Ond cam-gyfieithiad neu beidio, mae'r hen briod-ddull 'gweld lygad yn llygad' yn mynd i aros yn y Gymraeg. Bu ar dafodau'r Cymry yn rhy hir i gymryd ei ddisodli'n hawdd.

Mae'na ryw anghytuno di-baid rhwng y ddwy blaid fwyaf yn y Senedd. Anaml iawn y mae'r ddwy yn 'gweld lygad yn llygad' ar ddim.

Gwingo yn erbyn y symbylau. O stori'r dröedigaeth fawr, bellgyrhaeddol ei chanlyniadau, tröedigaeth yr Apostol Paul, y daeth inni'r priod-ddull "gwingo yn erbyn y symbylau". "A'r Arglwydd a ddywedodd, myfi yw Iesu, yr hwn wyt ti yn ei erlid: caled yw i ti wingo yn erbyn y symbylau" (Actau 9: 5 HFC). Yn y cyfieithiadau diweddar i'r Gymraeg a'r Saesneg, 'does dim sôn am ail ran y frawddeg uchod, sef 'caled yw i ti wingo yn erbyn y symbylau'. Mae'n ymddangos nad oedd yn adroddiad gwreiddiol Luc am yr hyn a ddigwyddodd. Ond yn Actau 26, cawn Paul, wrth ei amddiffyn ei hun gerbron Agripa, yn adrodd am ei dröedigaeth ar y ffordd i Ddamascus, ac iddo glywed llais Iesu yn dweud, "Saul, Saul, pam yr wyt yn fy erlid i? Y mae'n galed iti wingo yn erbyn y symbylau" (Actau 26: 14 BCN).

Lleddfwyd y gofid a deimlais o weld nad oedd yr ymadrodd bellach yn Actau 9, wrth ganfod ei fod yn Actau 26. Ac y mae yno yn y cyfieithiadau i gyd.

Lluosog 'swmbwl' yw 'symbylau', wrth gwrs, ac yn golygu'r ffon bigfain a ddefnyddid gynt i annog yr ychen neu'r ceffylau yn eu blaenau wrth drin y tir. Cawsom y ferf 'symbylu' o 'swmbwl' sef annog, swcro neu gymell. Mae'r pictiwr y tu ôl i'r idiom yn ddigon clir. Ceffyl yn gyndyn o dynnu ei bwysau, yn gwingo'n ystyfnig rhag mynd yn ei flaen, ac yn cael ei niweidio oherwydd hynny. Cael ei symbylu mewn ystyr lythrennol. Yn wir, yn peri niwed iddo'i hun o fod yn gyndyn.

Magodd yr ymadrodd ystyr trosiadol ac fe'i defnyddiwn am rai sy'n fwy cyndyn na'i gilydd o wneud yr hyn a ofynnir ganddyn nhw, a hynny er niwed neu golled iddyn nhw'u hunain.

Mae geiriau mam, pan welodd fy mod yn gyndyn o fynd i'r Gobeithlu ers talwm, yn aros yn fy nghlustiau. 'Waeth iti heb na 'gwingo yn erbyn y symbylau', 'rwyt ti'n mynd, a dyna ddiwedd arni.

Gwisgo mantell. Daw 'gwisgo mantell' o'r stori am Elias yn gwneud Eliseus yn olynydd iddo fel proffwyd. "Ac Elias a gafodd Eliseus . . . yn aredig . . . Ac (Elias) a aeth heibio iddo ef, ac a fwriodd ei fantell arno" (1 Bren. 19: 19 HFC). "a daflodd ei fantell drosto" (BCN). Nid llawn mor briodol yn fy meddwl i. Mae llawer gormod o awgrym ei bod yn oer neu'n bwrw glaw mewn ffurf fel 'taflu ei fantell drosto'! Mae'r union ystyr gan y GNB, "Elijah took off his cloak and put it on Elisha". Gresyn er hynny na chaed '*mantle*' yn lle 'cloak'. Canmoliaeth felly i'r BCN am gadw at y gair *mantell.*

Fe ddefnyddiwn yr ymadrodd yn ei ystyr trosiadol ynglŷn â rhywun sy'n olynu un arall mewn swydd neu safle arbennig, swydd allweddol neu swydd o awdurdod. Mae'n addas iawn hefyd lle sonnir am olyniaeth mewn medr neu ddawn arbennig.

Er bod y gair mantell yn yr iaith am ganrifoedd cyn cyfieithu'r Beibl, (benthyciad o'r Lladin 'mantelum' yw, fel ei gymar yn Saesneg) eto 'does dim dwywaith nad o'r Ysgrythur y cawsom ni'r dywediad yn ei wahanol ffurfiau.

'Roedd Cymraeg y gŵr canol oed 'na o Ddyffryn Conwy ar y rhaglen 'Cefn Gwlad' y noson o'r blaen yn fiwsig i glust. Gwyn fyd na 'ddisgynnai ei fantell' a'r rai o gyflwynwyr ifainc, hunan hyderus, ein rhaglenni teledu ni.

Gwlad yr Addewid. "Sefydlaf fy nghyfamod yn gyfamod tragwyddol â thi, ac â'th ddisgynyddion ar dy ôl dros y cenedlaethau . . . a rhoddaf y wlad yr wyt yn crwydro ynddi, sef holl wlad Canaan, yn etifeddiaeth dragwyddol i ti, ac i'th ddisgynyddion, ar dy ôl . . ." (Gen. 17: 7-8 BCN). 'Gwlad yr Addewid' felly oedd Canaan a addawyd i Abraham a'i ddisgynyddion. Mae'r Llythyr at yr Hebreaid yn dweud am Abraham: "Trwy ffydd yr ymfudodd i wlad yr addewid" (Heb. 11: 9 BCN).

Wrth alw Moses i fynd i arwain yr Israeliaid o wlad yr Aifft, meddai Duw wrtho: "Yr wyf wedi dod i'w gwaredu o law'r Eifftiaid, a'u harwain o'r wlad honno i wlad ffrwythlon ac eang, gwlad yn llifeirio o laeth a mêl . . ." (Ecs. 3: 8 BCN). Byddai gwlad fel yna, gwlad i bori gwartheg ac i gadw gwenyn, yn baradwys i bobl oedd wedi arfer byw mewn diffeithwch.

Nid syndod oedd i 'wlad yr addewid' ddod yn ddisgrifiad o'r wlad ddelfrydol, y wlad i'w chwennych. Daeth yr ymadrodd i gynrychioli addewid am sefyllfa o ffyniant a dedwyddwch. Fe'i defnyddiwn yn aml ar adeg etholiadau Seneddol, a hynny'n bur grafog, pan fo'r pleidiau'n addo nef a daear newydd inni!

Wrth wrando ar y pleidiau yn addo fel y maen nhw, gallech gredu, oni bai ein bod ni'n gwybod yn wahanol, y byddwn ni yng 'ngwlad yr addewid', yn llifeirio o laeth a mêl, ar ôl yr etholiad. (Gw. Llifeirio o Laeth a Mêl.)

Gwlad bell. Ystyr lythrennol hollol sydd i'r dywediad 'gwlad bell' yn y Beibl, h.y., gwlad sy'n ddaearyddol bell. "Fel dŵr oer i lwnc sychedig, felly y mae newydd da o wlad bell" (Diar. 25: 25 BCN). I wlad bell yr aeth y mab afradlon yn y ddameg. "Ychydig ddyddiau yn ddiweddarach, wedi newid y cwbl am arian, ymfudodd y mab ieuengaf i wlad bell" (Luc 15: 13 BCN). "He took his journey into a far country" (HFS). "He left home for a distant country" (NEB).

'Gwlad bell' y mab afradlon a ddaeth i'n iaith, ond magodd yr ansoddair 'pell' ystyr foesol yn hytrach na daearyddol, a hynny, yn amlwg, yn sgîl y ddameg. Pobl ar ddisberod yn foesol ac ysbrydol yw pobl y 'wlad bell' i ni.

'Does gan neb obaith cael Wmffra'n ôl i'r gorlan. Mae'n rhy hoff o'r 'wlad bell'.

Gwlad well. Abraham, ac arwyr eraill y ffydd, oedd yn dyheu am 'wlad well', yn ôl yr Hebreaid. "Eithr yn awr, 'gwlad well' y maent hwy yn ei chwennych; hynny ydyw, un nefol" (Heb. 11: 16 HFC). "Ond y gwir yw eu bod yn dyheu am 'wlad well', sef gwlad nefol" (BCN). "We find them longing for a better country — I mean, the heavenly one" (NEB).

Does dim dadl nad o'r Hebreaid y cafwyd yr ymadrodd 'gwlad well', yn golygu y nefoedd. "I 'fyd' sydd well i fyw" sydd gan Ieuan Glan Geirionydd yn ei emyn (LLEM 467). Enw arall ar y nefoedd, wrth gwrs, yw 'y byd arall'. Ond pam, tybed, na lynodd 'bardd mwyaf y 19g" yn glosiach at y gwreiddiol yn yr Hebreaid a rhoi

"Ar fôr tymhestlog teithio'r wyf
I *wlad* sydd well i fyw?"

Boed fel y bo am hynny, mae'r 'byd sydd well' a'r 'wlad well' yn cario'r un ystyr, — y nefoedd.

Mi fu'n fwriad gen i ers tro byd i fynd ati i gorlannu tipyn o atgofion mewn cyfrol fach. Rhaid imi drio mynd ati o ddifri, rhag ofn imi gael fy ngalw i'r 'wlad well' yn ddirybudd.

Gwneud cyfrif. O'r Beibl y daw enghraifft gynharaf GPC o'r idiom hon, — 'gwneud cyfrif o'. Gallwn fod yn weddol sicr, felly, mai'r Beibl a'i gosododd yn ein iaith. Yr enghraifft fwyaf adnabyddus yw'r un o broffwydoliaeth Eseia: "dirmygedig oedd, ac ni wnaethom gyfrif ohono" (Es. 53: 3 HFC). "Yn ei ddirmygu ac yn ei anwybyddu" (BCN). "He was despised, and we esteemed him not" (HFS). "We despised him, we held him of no account" (NEB). "We ignored him as if he were nothing" (GNB). "We took no heed of him" (Moffatt). (Gw. Salm 144: 3; Dan. 6: 13 a 2 Cor. 12: 6).

Yr ystyr yw dangos gwerthfawrogiad o rywun neu o rywbeth; gwneud yn fawr o rywun a rhoi iddo'r parch dyladwy. Yr hyn sy'n gwbl gyferbyniol i 'gwneud cyfrif o' a rydd y BCN, sef 'anwybyddu'. 'Ignore' sydd yn y GNB hefyd. Berf gymharol ddiweddar yn Gymraeg yw '*anwybyddu*'. Bu cryn ragfarn yn erbyn y gair gan mai un o greadigaethau W. O. Pughe yw. Ond does mo'i well i gyfleu 'peidio â gwneud cyfrif', neu'r Saesneg 'to ignore'. Wedi'r cwbl, anwybyddu rhywun a wnawn wrth beidio â gwneud cyfrif ohono.

O'r diwedd, wedi blynyddoedd o alw ac o ymgyrchu am Ddeddf Iaith, mae'r llywodraeth wedi gorfod 'gwneud cyfrif' o gryfder yr alwad.

Gwneud ymdrech deg. "Ymdrechu ymdrech deg" a wnaeth Paul. Dyma fel y teimlai, ac yn haeddiannol felly, wrth nesu at y dalar. O faes mabolgampau y cafodd ei ddameg. Pan fo mabolgampwr yn medru dweud â'i law ar ei galon iddo roi o'i orau mewn ras, neu ornest, yna, colli neu ennill, y mae'n cael bodlonrwydd. 'Fedr neb wneud mwy na'i orau. "Yr wyf wedi ymdrechu ymdrech lew" (ddewr) medd y BCN (2 Tim. 4: 7 BCN). Yn sicr roedd gan yr Apostol hawl i deimlo felly.

Gall y geiriau droi'n gyffes ffydd i bob un sy'n gwneud ei orau, yn ôl ei allu, mewn unrhyw ymdrech neu anturiaeth neu ornest. Daw yn ymadrodd stoc wrth roi teyrnged i rai sydd wedi 'ymdrechu hardd-deg ymdrech y ffydd' (1 Tim. 6: 12 HFC). Ond mae'n ymadrodd sy'n ddigon cartrefol mewn eisteddfod, mewn sioe amaethyddol, neu mewn chwaraeon. '*Gwneud* ymdrech deg' yw'r ffurf amlaf arno erbyn hyn yn hytrach nag '*ymdrechu* ymdrech deg'.

Enillodd Trefor mo'r wobr gyntaf ar y brif unawd, ond chware teg i'w galon, mi 'wnaeth ymdrech deg'.

Gwregysu lwynau. Yn llythrennol, rhwymyn am y canol, neu'r lwynau, yw gwregys (S. girdle, belt). Roedd yr Iddewon yn gyfarwydd iawn â 'gwregysu lwynau' yn yr ystyr lythrennol. Gan mai dillad llaes a llac oedd eu dillad arferol, cyn medru closio at unrhyw orchwyl neu waith corfforol rhaid oedd rhwymo'r dillad â gwregys o gwmpas y canol (lwynau). (Gwel. 2 Bren. 4: 29 a 9: 1.) "Yna y dywedodd Eliseus wrth Gehasi, 'clyma dy wisg am dy ganol' " (BCN). Yn yr HFC, fodd bynnag, "gwregysa dy lwynau" a geir.

Yn ogystal â'i ystyr lythrennol, fe'i cawn hefyd, fel ymadrodd, yn ei ystyr ffigurol yn y TN. "Gan 'wregysu lwynau' eich meddwl" medd Pedr (1 Pedr 1: 13 HFC). Ystyr hynny, yn ôl y BCN, yw "rhowch fin ar eich meddwl". "Brace up your minds" (JBP). "You must be mentally stripped for action" (NEB). Mae'n amlwg mai bod yn barod at waith yw'r ystyr.

Mae yna gostau mawr ar yr adeiladau yn Soar. Mi fydd yn rhaid i'r aelodau 'wregysu'u lwynau' gryn lawer.

Gwreiddyn y mater. Mae pawb ohonom o dro i dro wedi cyfarfod â phobl, yn y cylchoedd crefyddol, hwyrach, yn fwyaf arbennig, y gellid eu disgrifio fel rhai â 'gwreiddyn y mater' ganddyn nhw, pobl â'r gwir beth, neu galon y gwirionedd yn eiddo iddyn nhw. Yn Llyfr Job y mae'r unig enghraifft o'r ymadrodd 'gwreiddyn y mater'. "Canys gwreiddyn y mater a gaed ynof" (Job 19: 28 HFC). Cadwodd ei le yn y BCN: 'gan fod gwreiddyn y mater ynof'. 'The root of the matter' (HFS). Yn anffodus y mae amheuaeth am ddilysrwydd y testun yn Job 19: 28. Gall 'gwreiddyn y mater', o gywiro'r testun, olygu nid unplygrwydd Job ond yn hytrach ei ddrygioni a hwnnw'n achos ei holl dreialon. I ni, fodd bynnag, y mae'r ymadrodd wedi ei angori yn ein hiaith yn ei ystyr gorau. Disgrifia berson sownd a chraff ei gred a'i grefydd a'i ddiwylliant.

Wrth gwrs, lledaenodd ei adenydd i'r cylchoedd mwy seciwlar. Fe soniwn am ambell un wedi methu mynd at 'wreiddyn y mater' wrth holi ar ryw bwnc neu'i gilydd. Fe siaradwn am ambell i adroddiad ar ryw sefyllfa neu'i gilydd fel un a fethodd fynd at 'wreiddyn y mater'. Mae'n hen ffrind defnyddiol iawn yn yr iaith.

Roedd pawb yn eu ffordd yn siarad yn dda, ond gan Abram Hughes, yn fy marn i, yr oedd 'gwreiddyn y mater'.

Gwthio i'r dwfn. Ymadrodd o stori'r helfa fawr o bysgod. "Efe a ddywedodd wrth Seimon 'gwthia i'r dwfn a bwriwch eich rhwydau am helfa' " (Luc 5: 4 HFC). "Dos allan i'r dŵr dwfn" (BCN) "Launch out into the deep" (HFS). "Put out into deep water" (NEB). "Push the boat out further into deep water" (GNB).

Y ddelwedd yw gwthio'r cwch o ddŵr bas, yn agos i'r lan, i ddŵr dwfn. Daeth i gynrychioli mentro'r anodd neu anturio ar y caled. Gwnaeth Moelwyn ddefnydd o'r ymadrodd yn ei gerdd: 'Yr Antur'

> 'Gwthia i'r dwfn' a lleda dy hwyl.
> Rho ffarwel i'r draethell dawel.
>
> Caniadau Moelwyn (4)

Roeddwn i'n hoffi d'arddull di'n pregethu. Ond am y bregeth, dipyn yn arwynebol oedd honno, yn fy marn i. Rhaid iti 'wthio i'r dwfn' dipyn, fachgen.

Gwth o oedran. 'Tynnu ymlaen mewn dyddiau' neu fod 'mewn oed mawr' yw'r ystyr. 'Advanced in years' a ddywedai'r Sais, mae'n siŵr. Golyga'r gair 'gwth' symud ymlaen, gyrru neu gyrru ymlaen. Daeth y ferf 'gwthio' ohono, sef gyrru rhywbeth yn ei flaen drwy roi grym neu bwysau y tu ôl iddo. Mi soniwn am 'roi gwth' i rywun neu rywbeth ac, ar lafar, cawn 'gwth o wynt'. Cedwir y syniad o yrru ymlaen yn yr ymadrodd 'gwth o oedran', sef gyrru ymlaen mewn dyddiau.

Dwy enghraifft sydd o'r ymadrodd yn y Beibl, a'r ddwy yn yr un cysylltiadau, adeg geni Ioan Fedyddiwr. Am y tad a'r fam, Sachareias ac Elisabeth, dywedir "ac nid oedd plentyn iddynt am fod Elisabeth yn amhlantadwy, ac yr oeddynt wedi mynd ill dau mewn 'gwth o oedran' " (Luc 1: 7 HFC). Yn ddiweddarach yn yr un bennod mae Sachareias yn cadarnhau hyn efo'r un geiriau'n union, 'gwth o oedran'. "Ac yr oeddent ill dau wedi cyrraedd oedran mawr" (BCN). 'Gwth o oedran' felly wedi colli ei le yn y testun. Ond nid yw'n debyg o golli ei le'n fuan ar ein tafodau.

''D'wed i mi, ydy Hannah Wilias yn dal yn fyw?'
'Ydy'n tad'.
'Mae hi'n siŵr o fod mewn 'gwth o oedran' bellach?'

Gwyro barn. "Na wyra farn, ac na chydnebydd wynebau" (Deut. 16: 19 HFC). "Nid wyt i wyro barn na derbyn wyneb" (BCN). Disgrifir meibion anystywallt Samuel fel rhai "heb gerdded yn llwybrau eu tad, ond yn ceisio elw, yn derbyn cildwrn, ac yn 'gwyro barn' (1 Sam. 8: 3 BCN). Camfarnu'n fwriadol neu wyrdroi cyfiawnder yw 'gwyro barn'. "Pervert the course of justice" a rydd y NEB yn y ddwy enghraifft uchod. Medd un o gwestiynau Llyfr Job, "A yw Duw yn gwyrdroi barn, a yw'r Hollalluog yn gwyro cyfiawnder?"

Mae'n anodd credu i'r Cymry fod yn ymladd, am genedlaethau, am yr hawl i gael gwrando eu hachos mewn llys barn yn Gymraeg. 'Does dim dwywaith na fu llawer o 'wyro barn' oherwydd hynny.

H

Haearn a hoga haearn. Llyfr y Diarhebion a roes inni'r idiom hon sy'n bur arferedig o hyd. Mae'r adnod i gyd fel hyn: 'Haiarn a hoga haiarn: felly gŵr a hoga wyneb ei gyfaill' (Diar. 27: 17 HFC). Ceir *hayarn* yn ogystal â *haiarn* yn hen sillafiad o'r gair. 'Un arf a hoga'r llall' oedd gan Feibl 1588. Cyfieithiad diwygiedig 1620 a roes inni 'haiarn a hoga haiarn'. Tybed ai dan ddylanwad yr HFS y bu hynny: 'iron sharpeneth iron'?

Mae'r darlun yn rhan gynta'r adnod yn hollol glir: rhwbio dau haearn yn ei gilydd i gael min, yn union fel y gwnawn â'r twca bara neu â'r gyllell dorri cig. Ond nid mor amlwg, nac mor eglur, ail ran yr adnod, fodd bynnag: 'felly gŵr a hoga wyneb ei gyfaill'. Dyna'n union a geir yn yr HFS hefyd; 'so a man sharpeneth the *countenance* of his friend.' Mae'r syniad yn ogleisiol braidd! Mae rhai ohonom â'n trwynau mewn gormod o bethau'n barod, heb hogi dim arnyn nhw!

Goleuir cryn dipyn ar yr ystyr yn y BCN. 'Y mae haearn yn hogi haearn, ac y mae dyn yn hogi meddwl ei gyfaill'. Meddwl yn hogi meddwl yw'r syniad yn siŵr. Yn bersonol 'rwy'n teimlo bod y cyfieithiadau Saesneg yn taro'r hoelen yn well yn yr achos hwn: 'As iron whets iron, so one man whets another' medd Moffatt. 'As iron sharpens iron, so one man sharpens the wits of another' medd y NEB. Fy hun, 'rwy'n ffansïo cyfieithiad y GNB: 'People learn from one another, just as iron sharpens iron.'

'Doeddwn i ddim yn ddigon siŵr o fy llwybr drwy'r mater. Yn ddamweiniol hollol mi drewais ar y feri dyn, yr Athro Aled Jones, a chael sgwrs hir efo fo am y peth. Mi ddois yn llawer sicrach o 'mhetha' ar ôl y sgwrs. Fel mae 'haearn yn hogi haearn' yntê'.

Halelwia. Gair Hebraeg yn golygu 'Molwch yr Arglwydd' yw 'Halelwia'. Yn y Beibl Hebraeg y mae ar ddechrau ac ar ddiwedd nifer o'r Salmau, o Salm 104 ymlaen. I bwrpas y Beibl Cymraeg fe'i cyfieithiwyd yn 'molwch yr Arglwydd' ym mhob achos. Fe'i cawn hefyd yn y Datguddiad, a hynny bedair gwaith ar gychwyn y bedwaredd bennod ar bymtheg, ond yno yn ei gymeriad Hebreig 'Aleluia'. 'Hallelu-iah' oedd ffurf y gair yn y Datguddiad yn 1567 a 1588, ond yn y Beibl Cymraeg diwygiedig, 1620, cawn 'aleluia'.

Yr ystyr 'Praise the Lord' a roddir yn y Salmau, ond y gair ei hun, 'alleluia', yn y Datguddiad, yn yr HFS a'r NEB. Ei ystyr a rydd y GNB yn y naill achos a'r llall, ond glynu at 'Hallelujah' a wna Moffatt drwodd a thro. Mae'n amlwg nad oes gytundeb ar sillafiad y gair yn Saesneg mwy nag yn Gymraeg. Gan amlaf yn Gymraeg cawn 'i' ymwthiol yn ei ganol i bwrpas ei lefaru a'i ysgrifennu: Haleliwia.

Bu'n air defnyddiol i rywrai cynhesach eu calonnau crefyddol na'i gilydd, a hynny'n aml i bwrpas porthi gweddïau a phregethau, yn enwedig yn y cylchoedd ymneilltuol. Ond nid bob amser y rhown ei ystyr gwreiddiol i'r gair. Gall fod yn air ein balchder a'n llawenydd mewn rhai amgylchiadau.

Mae yna ddarogan fod dyddiau Tŷ'r Arglwyddi wedi eu rhifo. 'Haleliwia' ddyweda'i; mae'n hen bryd diddymu sefydliad o'r fath, a chael corff neu ail siamber fwy democrataidd yn ei le.

Halen y ddaear. Hon yw un o ddelweddau Iesu Grist wrth ddweud wrth ei ddisgyblion beth oedd natur eu cenhadaeth. "Chwi yw halen y ddaear" (Math. 5: 13 BCN a'r HFC). Yn ogystal â rhoi blas ar fwyd, mae halen yn gadwolyn (preservative) hefyd. Fel cadwolyn daeth yn symbol o anllygredigaeth. Dyna brif ergyd y geiriau 'chwi yw halen y ddaear', yn amlwg. Erys halen fel delwedd yn gwbl safadwy, er bod cadwolion eraill erbyn hyn.

Cawn y geiriau yn eu helfen pan ddefnyddiwn hwy am ddyn da, da ei gymeriad a da ei ddylanwad.

Dyn tawel a chymharol swil oedd Robert Roberts, dyn yn caru'r encilion, ond dyn gwerth ei gael, yn 'halen y ddaear' o gymeriad.

Hatling y wraig weddw. Dwy hatling ac nid un, yn ôl yr hanes, a fwriodd y wraig weddw i'r casgliad yn y deml. Yn ein defnydd ni o'r dywediad yr aeth y ddwy yn un. Sylwai Iesu fel 'yr oedd llawer o bobl gyfoethog yn rhoi yn helaeth' (Marc 12: 41 BCN). 'A daeth gweddw dlawd a rhoi dwy hatling, hynny yw, ffyrling' (Marc 12: 42 BCN). Dyma'r cyfraniad a apeliodd at Iesu. 'Oherwydd rhoi a wnaethant hwy i gyd (y bobl gyfoethog) o'r mwy na digon sydd ganddynt, ond rhoddodd hon o'i phrinder y cwbl oedd ganddi i fyw arno' (BCN).

Daeth 'hatling y wraig weddw' yn ymadrodd yn ein siarad am unrhyw gyfraniad neu rodd fechan a thipyn o arlliw aberth arnyn nhw.

'Hatling y wraig weddw', o'i harian plwy, oedd cyfraniad Sarah Hughes i'r Capel, ond mor werthfawr a derbyniol â chyfraniad neb.

Daeth hefyd yn ymadrodd am gyfraniad i sgwrs, trafodaeth a dadl.

Mi fu'r ddadl yn un o safon uchel, chware teg, a phawb yn awyddus i gyfrannu i'r drafodaeth. At y diwedd mi 'fwriais innau fy hatling' i'r drafodaeth.

Hau gwynt a medi corwynt. Dyma fetaffor Hosea wrth ddarogan barn a gwae ar ei genedl (Hos. 8: 7). Bu hau a medi yn ddelweddau cyffredin wrth drafod canlyniadau anochel gwneud drygioni. "Y rhai sy'n aredig helynt ac yn 'hau' gorthrymder, hwy sy'n ei 'fedi' " (Job 4: 8 BCN). Ac meddai Paul wrth y Galatiaid: "Ni chaiff Duw mo'i watwar, oherwydd beth bynnag y mae dyn yn ei hau, hynny hefyd y bydd yn ei fedi" (Gal. 6: 7 BCN).

Ond 'hau gwynt' a 'medi corwynt' yr oedd Iddewon oes Hosea. Delwedd o wneud pethau di-fudd ac ynfyd — 'hau gwynt'. Hynny'n y diwedd yn dwyn ei ddinistr — 'medi corwynt'.

Pery hwn yn ymadrodd hwylus wrth sôn am rywun sydd wedi tynnu ei dŷ am ei ben, a neb i'w feio ond 'fo'i hun. 'Rhwydau weithiodd ef ei hun' (Pantycelyn LLEM 612).

Mae Ned, gwaetha'r modd, wedi gofyn amdani ers tro. 'Dydy o'n syndod i neb ei fod o flaen ei well. 'Does neb i'w feio ond fo'i hun. Mae o wedi 'hau gwynt ac yn medi corwynt'.

Haws i gamel fynd drwy grau nodwydd. Pan gymhellodd Iesu'r gŵr ifanc cyfoethog i werthu ei eiddo, helpu'r tlodion a dod a'i ddilyn, 'aeth i ffwrdd yn drist, canys yr oedd yn berchen da lawer' (Math. 19: 22 HFC). Dyna gyd-destun rhybudd Iesu Grist ar berygl cyfoeth. Mae'n defnyddio cymhariaeth fyw iawn, cymhariaeth o'i chymryd yn llythrennol sy'n un ddoniol iawn hefyd: 'Haws yw i gamel fyned trwy grai y nodwydd ddur, nag i oludog fyned i mewn i deyrnas Dduw' (Math. 19: 24 HFC). 'Y mae'n haws i gamel fynd trwy grau nodwydd nag i ddyn cyfoethog fynd i mewn i deyrnas Dduw' (BCN). Tebyg i'r Gymraeg a thebyg i'w gilydd yw'r cyfieithiadau Saesneg.

Ceisiwyd egluro'r gymhariaeth, 'camel trwy grau nodwydd', mewn sawl ffordd. Ond pa ystyr bynnag a roir iddi, erys yn un hynod o fyw. Myn rhai ei bod yn enghraifft dda o synnwyr digrifwch Iesu Grist.

Ar y cyfan, yn ein defnydd ni o'r gymhariaeth, caiff y cyfoethog lonydd! Daw i'n siarad, yn hytrach, i gyfleu'r anodd neu'r amhosibl, ac yn cario'r un syniad â'r dywediad, 'gobaith mul i ennill y Grand National'.

Mae Llew yn fardd lleol pur ddygn, a chanddo ambell i delyneg ac englyn digon del. Ond 'haws i gamel fynd trwy grau nodwydd' nag i Llew gael y goron neu'r gadair genedlaethol.

Heb ail. Rhywun neu rywbeth heb ei debyg neu heb ei hafal yw rhywun neu rywbeth 'heb ail' (heb ei ail). Fe soniwn am ambell ddyn fel un 'heb ei ail' am wneud rhywbeth neu'i gilydd. 'Mae John Jones heb ei ail am dalu diolch', medden ni. Gyda'r un ystyr yn union gellid dweud bod John Jones yn un di-ail, neu yn un dihafal, am dalu diolch. Yn Saesneg byddai John Jones yn un 'without his peer', neu yn 'unequalled', am dalu diolch. 'Does neb tebyg iddo. Mae ar ei ben ei hun, 'heb ei ail'.

Yn Llyfr y Pregethwr, ac yn yr HFC, y gwelir yr ymadrodd. "Y mae un yn unig, ac heb ail, ie, nid oes iddo na mab na brawd" (Preg. 4: 8 HFC). Tebyg yw cyfieithiad yr HFS hefyd; "there is one alone, and there is no second". Diau bod yr ymadrodd yn bod cyn trosi'r Beibl i'r Gymraeg. Un enghraifft ohono mewn llenyddiaeth, fodd bynnag, a rydd GPC cyn i'r Beibl ymddangos yn 1588. Ni ddefnyddiwyd yr ymadrodd gan W. Morgan yn ei gyfieithiad. Yr hyn a gafwyd gan Morgan oedd: 'Y mae un heb hiliogaeth iddo; i'r hwn nid oes na mâb na brawd . . .'. O Feibl 1620 felly y cafwyd 'heb ail', a'r Beibl hwnnw'n siŵr â'i poblogeiddiodd. Collodd ei le yn y BCN, fel ym mhob cyfieithiad Saesneg diweddar. Bu'n rhaid newid ychydig ar y syniad yn yr adnod. Ond os collodd ei le yno, mae'n debyg o gadw'i le yn yr iaith.

'Roedd Caradog yn ddyn medrus, yn gallu troi 'i law at bopeth yn go-lew, ond 'heb 'i ail' am blygu gwrych.

Heb frycheuyn na chrychni. Yn ei lythyr at yr Effesiaid, mae Paul yn cymell gwŷr i garu a pharchu eu gwragedd, i ofalu'n gyson amdanyn nhw, a gwneud hyn oll yn union fel y câr Crist ei eglwys a gofalu amdani. 'Y gwŷr, cerwch eich gwragedd, megis y carodd Crist ei eglwys, ac a'i rhoddes ei hun drosti; . . . Fel y gosodai efe hi yn ogoneddus iddo'i hun, yn eglwys "heb arni frycheuyn na chrychni" ' (Effes. 5: 25, 27 HFC). Cadwyd yr ymadrodd yn y BCN. 'Not having spot or wrinkle' (HFS). 'with no stain or wrinkle' (NEB). 'without spot or wrinkle' (GNB). 'free from spots, wrinkles or any other disfigurements' (JBP).

Diau fod y geiriau gan Paul yn adleisio Caniad Solomon. 'Ti oll ydwyt deg, fy anwylyd; ac nid oes ynot frycheuyn' (Can. 4: 7 HFC). Nid yw'n ymadrodd a ddefnyddiwn yn aml, ond mae'n un da wrth benelin.

Un dda ydy'r wraig acw am olchi a swmddio; mae fy nghrysau'n ddi-feth 'heb frycheuyn na chrychni'.

Mae Sian Owen yn tynnu am 'i deg a phedwar ugain, ond mae ganddi wyneb fel lodes ddeunaw oed: 'heb frycheuyn na chrychni'.

(Yr) Hen ddyn. Mae Paul yn sôn am roi heibio'r 'hen ddyn' a gwisgo'r dyn newydd. 'Dodi ohonoch heibio . . . "yr hen ddyn", yr hwn sydd lygredig, . . . ac ymadnewyddu yn ysbryd eich meddwl, a gwisgo y dyn newydd' (Effes. 4: 22-24 HFC). 'Rhoi heibio yr hen natur ddynol, . . . a gwisgo amdanoch y natur ddynol newydd . . .' (BCN). 'Old manhood' (Barclay). 'Old nature' (Moffatt). 'Old self' (GNB). 'Old human nature' (NEB). Cyflwr anadferedig dyn yw'r 'hen ddyn', a'i gyflwr adferedig yw'r dyn newydd.

Er mor ddiwinyddol ei linach fel ymadrodd, fe'i harferwn mewn cysylltiadau digon anniwinyddol.

Mi ddechreuodd y cnaf ladd ar bolisi iaith yr Awdurdod Addysg. Methais â dal a daeth yr 'hen ddyn' o'i wely yno'i ac mi gafodd lond ceg.

Hen fel Methwsela. Ei hirhoedledd a roes enwogrwydd i Methwsela. 'A holl ddyddiau Methuselah oedd naw mlynedd a thri ugain a naw can mlynedd' (Gen. 5: 27 HFC). 'Felly yr oedd oes gyfan Methwsela yn naw cant chwe deg a naw o flynyddoedd' (BCN). Hyd y gwn 'does neb wedi torri'r record yna!

Fel arfer, i ni, hen fel pechod yw *pethau*, ond hen fel Methwsela yw *pobl*.

'Dwn i ddim sut mae Isaac Jôs yn dal ati yn y siop 'na. Fel 'na 'rydw i'n 'i gofio pan ddechreuais i'r ysgol yn bump oed. Rhaid 'i fod o'n 'hen fel Methwsela'.

(Yr) Hen oruchwyliaeth — yr oruchwyliaeth newydd. Ymadroddion a ddatblygodd yw'r rhain am holl ymwneud Duw â dyn yn yr HD ac yn y TN. Yr 'hen oruchwyliaeth' yw'r naill a'r 'oruchwyliaeth newydd' yw'r llall. Er y byddai rhai yn dal bod pedair goruchwyliaeth. Ar y cyfan, dwy a gydnabyddir yn gyffredinol.

Mae'n ymddangos mai ymadroddion cymharol ddiweddar yw'r ddau. Yn ôl GPC, yn 1759 y ceir yr enghraifft gyntaf o 'yr hen oruchwyliaeth' mewn print, a hynny yn *'Traethiad am y Wisg Wen Ddisglair'*, Timothy Thomas, Aberduar. Yn 1825 y ceir yr enghraifft gyntaf o 'yr oruchwyliaeth newydd'. 'Goruchwyliaeth Moses (Moesen)' oedd yr hen enw ar y naill, a 'goruchwyliaeth yr Efengyl' ar y llall.

Mae'r ddau ymadrodd yn arferedig iawn mewn cylchoedd diwinyddol a chrefyddol; ac yn ddau bartner fel na ellir sôn am un heb ragdybio'r llall. Yn gyffredin, mae'r defnydd hanner trosiadol a wnawn ni ohonyn nhw yn un pur estynedig.

Dan 'yr hen oruchwyliaeth' yn y Clwch, mewn llofft stabal y cysgai'r gweision, ond dan 'yr oruchwyliaeth newydd' maen nhw'n cysgu mewn carafan.

Roedd bwyd gwerth chweil a rhesymol ei bris yn y Mona dan 'yr hen oruchwyliaeth', ond dan 'yr oruchwyliaeth newydd' mae o'n salach ac yn ddrutach.

Hen ŷd y wlad. O Lyfr Josua y cawsom yr ymadrodd 'hen ŷd y wlad'. Bwyd yr Israeliaid ar eu taith drwy'r anialwch oedd y 'manna'. Ond wedi cyrraedd gwlad yr addewid cânt eu bwydo â 'hen ŷd y wlad' (HFC). Fe'u diddyfnir oddi wrth y manna yn ffafr cynnyrch daear Canaan. Dywed y stori, 'Buont yn dathlu'r Pasg yn rhosydd Jericho. Trannoeth y Pasg, bwytasant o gynnyrch y wlad, a pharatoi bara croyw a chrasyd y diwrnod hwnnw. Peidiodd y manna drannoeth wedi iddynt fwyta o gynnyrch y wlad, ac ni chafodd yr Israeliaid fanna wedyn' (Jos. 5: 10-11 BCN).

Er gwell neu er gwaeth, newidiwyd 'hen ŷd y wlad', fel y gwelir, i 'gynnyrch y wlad' yn y BCN, 'Produce of the land' a rydd y NEB a Moffatt hefyd, ond cawn 'food grown in Canaan' yn y GNB. Mae'r ystyr yn hollol glir a diamwys yn y cwbl. Gwrthgyferbynnu a wneir, wrth gwrs, y bwyd a godid yn naturiol yn y wlad a'r manna o'r nef, sef y bwyd goruwchnaturiol.

Yn ei ystyr trosiadol cartrefodd yr ymadrodd 'hen ŷd y wlad' yn y Gymraeg a bu'n was da a ffyddlon i bwrpas ein siarad-bob-dydd ni. Pa ymadrodd arall sydd gennym i ddisgrifio'r hyn sy'n gynnyrch ein bywyd ni'n hunain o'i gyferbynnu â'r hyn a fewnforiwyd? Yr hyn sy'n frodorol ac yn wledig, ar y cyfan, o'i wrthgyferbynnu â'r hyn sy'n estron ac yn drefol! Gall hyn olygu cymeriadau gwerinol, gwledig, ansoffistigedig, a heb eu hwrbaneiddio. Neu gall olygu elfennau cysefin neu gynhenid yn ein diwylliant a'n ffordd o fyw. Er bod y math hwn o Gymro wedi prinhau'n enbyd erbyn hyn, mi ddaliwn i sôn am ambell un fel 'hen ŷd y wlad'. Gallwn hefyd yn hawdd honni mai 'hen ŷd y wlad' yw bron y cyfan o'n hwiangerddi yng Nghymru. Ac er i'r BCN roi 'cynnyrch y wlad' yn ei le yn Josua, mae'n siŵr gen i mai 'hen ŷd y wlad' a erys ar lafar.

Un gwerinol, gwledig ac ansoffistigedig hollol oedd Sam, ond un diarhebol o wreiddiol. 'Hen ŷd y wlad' heb os.

Hidlo gwybedyn a llyncu camel. Dyma enghraifft, yn sicr, o synnwyr digrifwch Iesu Grist, ac o'r modd y gallai ddefnyddio hiwmor (dychan) yn effeithiol wrth geryddu arweinyddion crefyddol ei ddydd. Meddai wrth yr ysgrifenyddion a'r Phariseaid: '. . . Arweinwyr dall! Yr ydych yn hidlo'r gwybedyn ac yn llyncu'r camel.' (Math. 23: 24 BCN). 'You strain a fly out of your drink, but swallow a camel' sydd gan y GNB, gan roi gwell syniad inni am gefndir rhan gyntaf y dywediad, 'hidlo gwybedyn'. Roedd y gwybedyn (a'r camel hefyd o ran hynny) yn aflan yng ngolwg yr Iddew. Cyn yfed y gwin, er mwyn gwneud yn hollol siŵr nad oedd gwybedyn ynddo, fe'i hidlid drwy fwslin. Daw'r darlun yn glir wedyn. Pobl yn llwyr ofalu na lyncid gwybedyn ac eto yn llyncu camel. Gwneud yn siŵr na lyncid y peth bach, ac eto'n llyncu'r peth mawr.

Rhai felna'n union, yn ôl Iesu, oedd yr arweinwyr crefyddol. Pobl yn manylu'n boenus ynglŷn â phethau dibwys fel degymu, ond yn euog o esgeuluso gofynion trymach, pwysicach y Gyfraith: cyfiawnder a thrugaredd a ffyddlondeb.

Fe ddefnyddiwn ninnau'r dywediad lle mae ambell un yn fawr ei sŵn ynglŷn â manion, ond heb na bw na be ynglŷn â phethau llawer mwy eu pwys. Yn ei *Ail Lyfr o Idiomau*, rhydd R. E. Jones enghraifft dda o'r defnydd a wneir o'r dywediad allan o hunangofiant D. J. Williams, *Yn Chwech ar Hugain Oed*: 'Y mae'r enwad crefyddol a all fodloni ar roddi'r prif bwyslais ar ofyn un cwestiwn personol yn unig i bob swyddog eglwysig, 'A ydych yn ddirwestwr?', mewn perygl o fod . . . yn hidlo gwybedyn a llyncu camel'. Bu D. J. Williams fyw i weld yr hidlo gwybedyn hwnnw'n diflannu.

Peth digon cyffredin yw clywed defnyddio 'hidlo gwybedyn' ar ei ben ei hun, heb y 'llyncu camel'. Pan glywn ni rywun wrthi'n manylu ar ryw fater, a hynny hwyrach braidd yn grancyddol, mi ddywedwn wrth hwnnw 'Paid â manylu cymaint; *hidlo gwybedyn* ydi petha felna'.

Yn ôl R. E. Jones, defnyddir *llyncu camel* ar ei ben ei hun hefyd, a rhydd enghraifft fel hyn: 'Yr oedd fy nhad yn Brotestant mor gul, ofnwn y gwrthwynebai i mi briodi Pabydd. Er syndod i mi, *llyncodd y camel* hwnnw yn ddibrotest'. (Nid amdano'i hun y soniai R. E. Jones, wrth gwrs.) Da gweld bod y dywediad wedi mynnu ei le yn y BCN.

Anodd iawn ydy hi i lawer i ysgrifennu Cymraeg cywir, yr holl ddyblu'r 'n' a dyblu'r 'r', a'r to bach bondigrybwyll ar y gair yma ac ar y gair acw. Mae llawer gormod o 'hidlo gwybedyn' ynglŷn â chywirdeb iaith.

Holl gyrrau'r ddaear. Lluosog 'cwr' yw 'cyrrau' a 'cyrion'. Mae'n golygu *ymyl* neu *derfyn*. Fe siaradwn am godi *cwr y llen*, sef ei hymyl neu ei godre. Ac fe soniwn am aredig y cae o'i *gwr*. Yn yr HFC, cyfeirir at Dafydd 'yn torri cwr y fantell oedd am Saul' (1 Sam. 24: 4).

Mae'r cyfuniad 'holl gyrrau'r ddaear' yn golygu 'eithafion' neu 'bellteroedd eithaf' y ddaear. Hyd y gallaf weld, yn Salm 65: 5 y mae'r enghraifft gyntaf ohono yn y Beibl. Cyferchir Duw fel 'gobaith holl gyrrau'r ddaear' (HFC). 'The ends of the earth' a rydd y NEB, ac 'all over the world' a gawn gan y GNB. Un i *ymddiried* ynddo yw Duw yn y BCN fodd bynnag: 'Ynot yr ymddiried holl gyrion y ddaear'. Pam rhoi'r lluosog *cyrion* yn y Salm a *chyrrau* y ddaear ym hob enghraifft arall o'r ymadrodd yn yr HD? Mae'n anodd dweud; cyfieithydd gwahanol hwyrach a'r gair *cyrion* yn fwy cyfarwydd ac yn fwy arferedig iddo.

'Pwy oedd yn pregethu acw ddoe?' 'Rhyw stiwdent bach o Aberystwyth 'na. A phe bae nhw wedi chwilio "holl gyrrau'r ddaear" efo lanter, 'allen nhw ddim anfon un salach.'

Yr hwn ni adnabuasai mo Joseff. Wedi marw Joseff, a'i holl frodyr, cynyddodd disgynyddion Jacob yn gyflym yn yr Aifft, yn ôl yr hanes, nes bygwth bod â mwyafrif dros y boblogaeth frodorol. '. . . a'r wlad a lanwyd ohonynt' (Ecs. 1: 7 HFC). 'aethant yn gryf a niferus nes bod y wlad yn llawn ohonynt' (BCN). Bu'n rhaid i'r awdurdodau wynebu'r broblem. Mewn canlyniad, rhoed gorchymyn didostur i ladd pob bachgen a enid. Erbyn hynny 'roedd y cof am Joseff a'i waith da wedi pylu. 'Yna y cyfododd brenin newydd yn yr Aifft, yr hwn ni adnabuasai mo Joseff' (Ecs. 1: 8 HFC). 'Un nad oedd yn gwybod am Joseff' (BCN). '. . . who knew nothing of Joseph' (NEB). 'Who knew nothing about Joseph' (GNB).

Awgrym y geiriau yw y buasai cofio am Joseff a'i gyfraniad i fywyd yr Aifft wedi gwneud gwahaniaeth ac wedi peri i Pharo ddelio'n drugarocach â'r Israeliaid. Glynodd eu hystyr gwreiddiol wrth y geiriau yn ein defnydd cyffredin ohonyn nhw.

Cymeriad ffederal sydd i Brifysgol Cymru. Gweithiodd yr arloeswyr yn ddygn i lunio a sicrhau'r cymeriad hwnnw iddi. Ond heddiw mae rhywrai, 'nad adwaenant mo Joseff', yn gwneud eu heithaf i ddinistrio'r cymeriad hwnnw.

Hyd yma yr ei. Geiriau o un o geinion llenyddol y Beibl, sef Job 38. 'Pan gaewyd ar y môr â dorau . . . a phan drefnais derfyn iddo, a gosod barrau a dorau, a dweud "Hyd yma yr ei, a dim pellach" ' (Job 38: 10, 11 BCN). 'Thus far shall you come and no further' (NEB). 'I told it, "so far and no further" ' (GNB). 'Thus far, and no further' (Moffatt). 'Hyd yma y deui' a geid yn yr HFC. Ar lafar, aeth hwnnw yn 'hyd yma yr ei', a'r ffurf honno a gafwyd yn y BCN.

Gwnawn ddefnydd cyson a chyffredin o'r dywediad.

Mae Wil Owen wedi mynd yn bur fethedig, ac yn cael anhawster mawr i wneud pethau drosto'i hun. Ond 'cha'i helpu fawr ddim arno; mae o mor annibynnol. 'Hyd yma yr ei' ydy hi efo fo, rwy'n ofni.

I

Ieuo'n anghymharus, O 'iau' (yoke) y daw 'ieuo'. Iau oedd y darn pren pwrpasol a roid dros warrau dau anifail, dau ychen fynychaf, i wneud gwedd ohonyn nhw i bwrpas trin y tir. Daeth yn enw hefyd ar y warrog a ddefnyddid hyd yn ddiweddar i gario dŵr o'r ffynnon efo dau biser neu ddwy bwced. Mae digon o bobl sy'n fyw yn gwybod beth oedd bod *dan yr iau*, yn yr ystyr llythrennol hwn, y blynyddoedd a fu. Fodd bynnag, gosod iau ar warrau dau anifail oedd ieuo yn ei ystyr wreiddiol. Ond daeth, yn drosiadol, ac yn addas iawn, i olygu cyplysu dau beth neu ddau berson. Y negyddol o *cymharus* (matchable) yw'r ansoddair *anghymharus* (ill-matched). Daw'r ddau yn eu tro o *cymar* (match). Daeth 'ieuo'n anghymharus' yn idiom gyffredin am briodi dau berson, neu am gyplysu dau beth, anghydweddol (unsuitable), â'i gilydd. Oni soniwn ni am ambell dôn ac emyn wedi eu hieuo'n anghymharus? Cawsom yr ymadrodd o Ail Corinthiaid 6: 14. "Na ieuer chwi yn anghymharus gyda'r rhai di-gred, canys pa gyfeillach sydd rhwng cyfiawnder ac anghyfiawnder, rhwng goleuni a thywyllwch?" (HFC) Mae'n rhaid i mi'n bersonol ofidio eu bod wedi rhoi sac i'r ymadrodd, ac wedi rhoi'r gwaith i un llawer mwy trwsgl yn ei le yn y BCN, sef 'ymgysylltu'n amhriodol'.

'Ieuo anghymarus' iawn, mae arna'i ofn, yw rhoi Ebeneser a Hermon efo'i gilydd yn ofalaeth.

Is na'r angylion. Rhydd yr wythfed salm inni statws dyn yn y cyfanfyd: hanner y ffordd rhwng y Creawdwr a'i greadigaeth. 'Gwnaethost ef ychydig is na'r angylion . . . gwnaethost iddo arglwyddiaethu ar weithredoedd dy ddwylaw' (Salm 8: 5, 6 HFC).

'Gwnaethost ef ychydig islaw duw' (BCN); 'Little less than a god' (NEB); 'inferior only to yourself' (GNB); 'Little less than divine' (Moffatt). Dyna goroni dyn 'â gogoniant ac anrhydedd' (BCN).

Fel rheol, fodd bynnag, nid wrth ddyrchafu dyn y daw 'ychydig is na'r angylion' i'n siarad ni, ond wrth edliw ei ffaeledigrwydd.

Yn y *Western Mail* am Chwefror 10, 1993, yn ei cholofn Gymraeg, mae Hafina Clwyd yn trafod y ffenomenon ddynol ddiweddar a labelir yn 'yuppies'. Wedi trafod eu cyfraniad difrodus a gwrthgymdeithasol daw i'r casgliad eu bod 'gryn lawer yn is na'r angylion'.

Rwy'n cyfadde' imi fod â meddwl uchel iawn o'r wraig alluog hon. Ond rydw'i wedi fy nadrithio'n llwyr gan ei phranciau diweddar. Mae hi'n amlwg 'dipyn is na'r angylion'.

J

Jehu. Dyma'r fellten honno o ddyn a laddodd Jehoram, mab Ahab, a brenin yn Israel. Ar ei ffordd i ladd Jehoram gyrrodd ei gerbydau â chyflymder mor gynddeiriog nes dod yn ddihareb. 'Ac y mae'r gyrru fel gyrru Jehu, ŵyr Nimsi, oherwydd y mae'n gyrru'n ynfyd' (2 Bren. 9: 20 BCN). 'He drives furiously' (NEB). 'Driving his chariot like a madman, just like Jehu!' (GNB). Rhwng y cwbl, cawn yr argraff o yrrwr gwallgof, anghyfrifol; gyrrwr hollol wirion. Erys 'Jehu' yn deitl addas ar yrrwr o'r math hwnnw.

'Dydy'r tad mo'r mwyaf pwyllog efo'i gar, ond mae'r bachgen ieuenga' 'na fel 'Jehu', yn beryg' bywyd.

Jeremeia. Proffwyd anfeddyginiaethol o bruddglwyfus oedd Jeremeia, yn ôl y syniad cyffredin amdano. Mae holl awyrgylch y llyfr sy'n dwyn ei enw yn besimistaidd. A 'dydy'r 'Galarnad' yn gwneud dim ond angerddoli'r pruddglwyf. O ganlyniad fe alwn ambell i gymeriad melancolaidd a phestimistaidd yn 'Jeremeia' o berson.

Galarnad o bregeth a gawsom ni bore 'ma – galarnadu didor a hollol ddiobaith am y dirywiad mewn moesau a safonau ymddygiad heddiw. Dim da yn unlle. 'Drygioni dyn ar y ddaear yn fawr' oedd ei destun o Genesis. 'Jeremeia' o bregethwr os bu un erioed.

Jiwbili. Gair a ddefnyddiwn yn lled aml am ddathliadau arbennig yw Jiwbili. O'r Hebraeg, ac o'r HD yn bennaf, y cawsom y gair. 'Does dim sicrwydd am ei ystyr. Dichon mai 'canu corn' neu 'bloeddio'. Roedd gan yr Iddewon flwyddyn y Jiwbili bob hanner can mlynedd, i gofio'r waredigaeth o'r Aifft (Lef. 25), a'r dathliad i bara blwyddyn gron gyfan. Yn ystod y flwyddyn câi caethweision eu rhyddhau a'r tir lonydd o gael ei drin, a'i drosglwyddo'n ôl i'w berchenogion gwreiddiol neu eu disgynyddion.

Fe alwn ninnau ddathliadau mewn byd ac eglwys yn Jiwbili hyn a'r llall. Mae galw dathliad yn Jiwbili yn ychwanegu at bwysigrwydd yr achlysur. 'Chyfyngwn ni mo'r enw Jiwbili, fodd bynnag, i benblwyddi pobl a sefydliadau yn 50 oed. Mae'r Eglwys Babyddol yn ei ddefnyddio am ei 'Blwyddyn Ymsancteiddio' (Plenary Indulgence) bob 25 mlynedd. Siaradwn am Jiwbili Arian Priodas a.y.y.b. yn ogystal â Jiwbili Aur.

Yn 1976 dathlai Cymdeithas y Beibl ei phen-blwydd yn 175. Yn Saesneg roedd yr achlysur wedi ei fedyddio yn 'Hundred and seventy fifth anniversary'. Anodd fodd bynnag oedd cael enw yn Gymraeg oedd yn mynd i orffwys yn esmwyth ar y glust. Mewn pwyllgor yn y Bala cafwyd gweledigaeth a galw'r achlysur yn 'Seithfed Jiwbili', sef saith pum mlynedd ar hugain.

Mae'r wraig a finna wedi sôn am fynd i'r 'Merica mis Mai nesa'. Mae hi'n 'Jiwbili' ein priodas.

Judas. Adwaenwn Judas fel y bradwr, yr un a fradychodd Iesu am ddeg darn ar hugain o arian. Mae ei enw'n gyfystyr â bradwr yn ein meddyliau. Prin y byddai Cristnogion yn unlle yn rhoi 'Judas' yn enw ar fachgen, oherwydd ei gysylltiadau. Dim mwy nag y byddai Cymry yn unlle yn rhoi Taff yn enw ar fachgen oherwydd cysylltiadau hwnnw.

Daeth Jwdas yn enw ar unrhyw un sy'n barod i fradychu câr neu gyfaill, neu'n wir yn label ar unrhyw gymeriad rhagrithiol, ystrywgar neu ffals.

Roeddwn wedi credu bob amser bod gen i gyfaill triw, teyrngar yn William. Ar ôl yr hyn sydd wedi digwydd 'rwan, 'rwy'n gwybod yn amgenach. Hen 'Judas' o ddyn oedd o erbyn gweld.

L

Lefeinio. Gall 'lefeinio' fod ag ystyr da neu ddrwg iddo, yn dibynnu ar natur y dylanwad sy'n gweithio neu'n hydreiddio. Dywed GPC am 'lefain' — 'dylanwad ymledol a holl-dreiddiol sy'n gweithio'n ddirgel (er da neu er drwg) gan beri trawsffurfiad llwyr a hollol.' Yn y Beibl saif y gair am ddylanwad da a drwg, ac fe'i cyfystyrir â surdoes. 'Am hynny certhwch allan yr hen lefain', medd Paul wrth y Corinthiaid (1 Cor. 5: 7 HFC). Cael gwared â'r hyn sy'n ddrwg yn yr achos hwn. Ond yn nameg y surdoes yn y blawd cawn ystyr da i lefeinio. 'Y mae teyrnas nefoedd yn debyg i *lefain*; y mae gwraig yn ei gymryd, ac yn ei gymysgu â thri mesur o flawd gwenith, nes *lefeinio'r* cwbl' (Math. 13: 33 BCN).

Yn ei ALIC rhydd R. E. Jones enghraifft o'r ddelwedd 'lefeinio' ar waith yn *Caban F'ewyrth Twm*, Gwilym Hiraethog.

'Rhoddi lefain yn y blawd yr oeddent hwy (Apostolion yr Eglwys Fore – h.y. nid swcro gwrthryfel yn erbyn camwri cymdeithasol), gan wybod y byddai iddo mewn amser "lefeinio" yr holl does.'

Mae sefydlu ysgolion Cymraeg wedi bod yn ddylanwad ardderchog yn eu dalgylchoedd, wedi bod yn 'lefain yn y blawd'. Maen nhw wedi megino hunan-barch cenedlaethol yn y plant a'u rhieni.

Ll

Lladd y llo pasgedig. Lladd y llo pasgedig oedd mesur llawenydd ei dad, a mesur ei groeso'n ôl i'w fab afradlon, yn nameg adnabyddus Iesu Grist (Luc 15: 11-32): 'y llo wedi ei besgi' (BCN); 'fatted calf' (HFS, NEB a Moffatt); 'the prize calf' (GBN). Dan ddylanwad y ddameg daeth 'lladd y llo pasgedig' yn ddelwedd o groeso hael a helaeth mewn ystyr gyffredinol. Ymadrodd agos ato o ran ystyr yw'r ymadrodd Saesneg 'pull out all the stops'.

Mi gefais wahoddiad i fynd yn ŵr gwadd Gŵyl Ddewi yn fy hen ardal 'leni. Am groeso, fachgen! Roedden nhw wedi 'lladd y llo pasgedig'.

Llaesu dwylo. Llacio, lliprynnu yw ystyr y gair llaesu. 'Llacio gafael' yw 'llaesu dwylo'. 'Llac ei afael a gyll', medd un ddihareb. 'Llac ei afael a gyll ei graff', medd un arall. Daw'r gair 'llaes' o'r Lladin 'laxus' mae'n debyg. Cafodd y Saesneg 'lax' ohono hefyd, a 'laxative' o ran hynny! Mae'n amlwg mai rhyddhau neu lacio gafael yw'r ystyr. Magodd yr ymadrodd ystyr drosiadol o ddigalonni, neu fynd yn ddifater a diofal. I 'laesu dwylo' rhaid bod dyn yn ddiog, yn ddigalon neu'n ddifater. Dyma'r ystyron sydd i'r ymadrodd yn y Beibl.

Mae'n ymddangos naw gwaith yn yr ysgrythurau yn yr HFC. Enillodd ei le chwe gwaith yn y BCN. Aeth yn 'digalonni' ddwywaith ac yn 'llesg' unwaith. 'A phan glybu mab Saul farw o Abner yn Hebron ei "ddwylaw a laesasant"' (HFC). '. . . a ddigalonodd' (BCN) (2 Sam. 4: 1). Yn Llyfr y Pregethwr ceir 'Trwy ddiogi lawer yr adfeilia'r adeilad ac wrth "laesu y dwylaw" y gollwng y tŷ ddefni' (Preg. 10: 18 HFC). Yn yr achos hwn 'llaesu dwylo' a gawn yn y BCN hefyd. 'Difaterwch', yn amlwg, yw ei ystyr yma. Dyma'r ystyr sydd iddo yn yr unig enghraifft ohono yn y T.N. hefyd. 'Cyfodwch i fyny y dwylaw a laesasant' (Heb. 12: 12 HFC); 'Codwch i fyny y dwylo sy'n llaesu' (BCN). Cafodd GPC ei enghreifftiau cynharaf o'r ymadrodd o'r Beibl.

I ni, yng Nghymru, mae'r dreftadaeth dan y fath fygythiad fel nad gwiw inni 'laesu dwylo' yn y modd lleiaf.

Llafur cariad. Yng nghanmoliaeth Paul i'r Cristnogion yn Thesalonica y cawn yr ymadrodd 'llafur eich cariad': 'Gan gofio'n ddibaid waith eich ffydd chwi, a "llafur eich cariad", ac ymaros eich gobaith yn ein Harglwydd Iesu Grist, ger bron Duw a'n Tad' (1 Thes. 1: 3 HFC). 'Llafur eich cariad' a rydd y BCN hefyd. 'Labour of love' (HFS). 'Your love in labour' (NEB). '. . . the love each of you has for others . . .' (GNB).

Yn ôl GPC, dyma'r enghraifft gyntaf o'r ymadrodd. Yn y ffurf gryno, 'llafur cariad', yr angorodd ei hun yn y Gymraeg. Yn cyfateb iddo, ac o'r un ffynhonnell, y mae 'labour of love' yn Saesneg; mae'n ymadrodd a roddir ar waith yn gyson ac yn eang.

Mae'n syndod mor drefnus a chywir ydy cyfrifon ariannol ein heglwysi. Pobl heb ddiwrnod o hyfforddiant mewn cadw llyfrau cyfrifon sy'n edrych ar eu holau bron yn ddieithriad. Ac yn gwneud y cyfan yn gwbl wirfoddol: 'llafur cariad' ydy'r cwbl.

Llaw flewog. 'Dyw'r ymadrodd 'llaw flewog' ddim yn y Beibl, ond yno y mae'r stori a roes fod iddo. Isaac, wedi mynd yn ddall, diwedd oes yn prysur nesu, ac yn mynd ati i roi ei fendith i Esau, ei fab hynaf. Ond tra oedd Esau allan yn hela, dyna Rebeca'r fam yn swcro Jacob, y mab ieuengaf, i dwyllo'i dad, fel y dôi'r fendith iddo fo yn hytrach nag i Esau. Croen blewog oedd gan Esau a chroen llyfn gan Jacob. Drwy ystryw Rebeca gwisgwyd dwylo a gwegil Jacob â chroen gafr, fel na fedrai Jacob, o'u teimlo, ddweud y gwahaniaeth. Gweithiodd y cynllwyn, a llwyddodd Jacob i ladrata bendith ei frawd. (Gen. 27)

Dyna darddiad 'llaw flewog', a daeth yn ymadrodd cyfarwydd am ladrata, neu fân ladrata. Mae rhai'n galw'r peth yn chwiwladrata (pilfering).

Mae'n ddrwg iawn gen i dros Mari. 'Does ganddi ddim help, mae'n siŵr, ond fedr hi ddim gadael llonydd i ddim. Rhyw hen chwiw am ladrata o hyd. Ond dyna ni, roedd gan ei thad 'law go flewog' hefyd.

Llawn dyddiau. Y ffurf Feiblaidd yn yr HFC yw 'llawn o ddyddiau' neu 'cyflawn o ddyddiau'. Yn ôl GPC '*cyflawn* o ddyddiau' a gaed ym mhob un o'r tair enghraifft sydd o'r ymadrodd yn y Beibl yng nghyfieithiad 1588. Ym Meibl 1620 y ceir '*llawn* o ddyddiau' mewn dwy o'r tair enghraifft. Idiom cwbl Iddewig yw 'llawn o ddyddiau', yn golygu 'mewn oed' neu 'mewn gwth o oedran'. Fe'i defnyddir wrth sôn am dri o enwogion yr HD: 'Isaac a drengodd . . . yn "gyflawn o ddyddiau"' (Gen. 35: 29 HFC); 'A phan oedd Dafydd yn hen ac yn "llawn o ddyddiau", efe a osododd Solomon ei fab yn frenin ar Israel' (1 Cron. 23: 1 HFC); 'Felly Job a fu farw yn hen ac yn "llawn o ddyddiau"' (Job 42: 17 HFC). Yn y BCN, 'oedrannus' oedd Isaac, 'mewn oedran teg' yr oedd Dafydd, ac 'mewn gwth o oedran' yr oedd Job.

Hyd y gwelaf, i ni daeth yn ymadrodd am ddyn mewn aeddfedrwydd dyddiau yn fwy na dyn hen ac oedrannus. Magodd y ffurf 'llawn dyddiau' yn hytrach na 'llawn o ddyddiau'.

Roedd i William a Marged Jones dri ar ddeg o blant. Bu farw dau yn bur ifanc. Ond magwyd un ar ddeg i'w 'llawn dyddiau'.

Lle bynnag y bo'r gelain yno y casgl yr eryrod. Wrth sôn am ei ailddyfodiad y cawn Iesu'n gwneud defnydd o'r ddihareb; 'Pa le bynnag y byddo y gelain, yno yr ymgasgl yr eryrod' (Math. 24: 28 HFC). Gw. hefyd Job 39: 30. 'Lle bynnag y bydd y gelain, yno yr heidia'r eryrod' (BCN). 'Where the corpse is, there the vultures will gather' (NEB). Mae'r cyfieithiadau Saesneg yr un fath â'i gilydd bron air am air.

Mae'n ymddangos mai mewn ystyr llac a chyffreinol hollol y mae'r ddihareb yn berthnasol yn nhraethiad Iesu ar ei ailddyfodiad. Daw i'n siarad, yn gyffredin, wrth sôn am hapfasnachwyr, neu bobl sy'n gwybod ple mae deunydd busnes a gobaith elw.

A'r llywodraeth wedi gofalu am wneud y diwydiant nwy a'r diwydiant dŵr yn ddeniadol, cyn eu preifateiddio, doedd dim prinder cwsmeriaid i'r cyfran-ddaliadau. Wedi'r cwbl, 'lle bynnag y bo'r gelain, yno y casgl yr eryrod'.

Lle bynnag y mae dy (eich) drysor. Geiriau sy'n selio rhybudd Iesu Grist rhag casglu trysorau ar y ddaear, ond yn hytrach yn y nef. 'Lle bynnag y mae eich trysor, yno y bydd eich calon hefyd (Math. 6: 21 HFC). 'Oherwydd lle mae dy drysor, yno hefyd y bydd dy galon' (BCN). 'For your heart will always be where your riches are' (GNB). Tebyg iawn i'w gilydd yw'r cyfieithiadau i gyd.

'Wnewch chi f'esgusodi i am 'chydig? Rydw'i wedi anghofio postio'r llythyr 'ma i'r ddarpar-wraig!'
'Ar bob cyfri, 'machgen i; "lle bynnag y mae dy drysor" ydy hi o hyd, gyfaill.'

Lle nid oes weledigaeth. Fel a ganlyn y ceir y dywediad cyfan yn Llyfr y Diarhebion: 'Lle ni byddo gwledigaeth, methu a wna y bobl' (Diar. 29: 18 HFC). 'Lle ni cheir gweledigaeth, bydd y bobl ar chwâl' (BCN). 'Where there is no one in authority, the people break loose' (NEB). 'A nation without God's guidance is a nation without order' (GNB). 'People break loose without a guiding hand' (Moffatt).

Gellir, yn amlwg, gyfieithu'r geiriau mewn amryfal ffyrdd. Ac eto, mae eu hergyd yn weddol eglur, nad oes na threfn na llwyddiant lle nad oes weledigaeth ac arweiniad.

Mae'r holl sefyllfa grefyddol yng Nghymru yn achos pryder mawr i bob enwad crefyddol fel ei gilydd. Does gan neb, rywfodd, weledigaeth eglur. Ac wrth gwrs, 'lle nid oes weledigaeth methu a wna'r bobl'.

Llef (llais) yn y diffeithwch. Ioan Fedyddiwr sy'n ei alw ei hun yn 'llef un yn llefain yn y diffeithwch' (Math. 3: 3 HFC), ac yn dyfynnu Eseia 40: 3 i wneud hynny. 'Llais un yn galw yn yr anialwch' (BCN). 'A voice crying aloud in the wilderness' (NEB).

Yn y diffeithwch, mewn ystyr gwbl lythrennol, yr oedd y Bedyddiwr yn galw. Magodd y gair ystyr drosiadol. Daeth 'llef yn y diffeithwch', gydag amser, yn ddisgrifiad delweddol o rywun sy'n ymgyrchu dros achos arbennig, achos lleiafrifol yn aml, ond heb fawr ddim ymateb. Lle felly yw diffeithwch: waeth faint a heuir, prin yw'r cnwd.

Mewn adeg o ryfel, pan fo'r peiriant propaganda llywodraethol ar ei eithaf, 'dydy ymdrech unrhyw un i hybu achos cymod yn ddim ond 'llef yn y diffeithwch'.

Llef ddistaw fain. Cawsom yr ymadrodd 'llef ddistaw fain' o'r stori am Elias, mewn cyflwr o iselder ysbryd, mewn ogof yn Horeb. 'Wele'r Arglwydd yn myned heibio a gwynt mawr a chryf yn rhwygo'r mynyddoedd . . . ond nid oedd yr Arglwydd yn y gwynt. Ar ôl y gwynt, daeargryn; ond nid oedd yr Arglwydd yn y ddaeargryn. Ac ar ôl y ddaeargryn, tân, ond nid oedd yr Arglwydd yn y tân. Ar ôl y tân, "llef ddistaw fain"' (1 Bren. 19: 11-12, HFC). 'Still small voice' (HFS); 'A low murmuring sound' (NEB); 'Soft whisper of a voice' (GNB); 'The breath of a light whisper' (Moffatt). Yn y BCN, am ryw reswm, rhoir 'distawrwydd llethol' yn lle 'llef ddistaw fain'. Mae pob cyfieithiad arall yn lwfio rhyw gymaint o sŵn! Ond nid y BCN. Boed fel y bo am hynny, yn y 'llef ddistaw fain' y clywodd Elias Dduw yn siarad.

Daeth yn ymadrodd am y lleisiau tawel, y gweithgareddau tawel a'r digwyddiadau tawel, o'u gwrthgyferbynnu â lleisiau a digwyddiadau cyffrous, dramatig, syfrdanol. Weithiau, wrth gwrs, cydwybod yw'r 'llef ddistaw fain', pan fo Duw yn siarad â dynion yn fewnol, ac nid mewn profiadau ysgytiol, syfrdanol.

Yn ysbrydol, ryden ni wedi'n cyflyru i gredu nad oes dim yn digwydd, ac nad yw'r Arglwydd yn gwneud dim, os nad oes cyffro a drama, fel yn niwygiad dechrau'r ganrif. Y gwir yw mai yn y 'llef ddistaw fain' y mae'r Arglwydd yn llefaru amlaf.

Lleng. 'Beth yw dy enw?' oedd cwestiwn Iesu i'r dyn ag ysbryd aflan ynddo, yng Nghadara (Gerasa, BCN). Ateb y dyn oedd, 'Lleng yw fy enw; am fod llawer ohonom' (Marc 5: 9 HFC). 'My name is Legion, for we are many' (HFS); 'My name is Legion, there are so many of us' (NEB); 'Legion, there is a host of us' (Moffatt). Yn ôl ei arfer, mae'r GNB ychydig yn wahanol. 'My name is "Mob" — there are so many of us.' 'Lleng yw fy enw, oherwydd y mae llawer ohonom' (BCN).

Lliaws neu llawer yw lleng. Gallai lleng yn y fyddin Rufeinig fod rhwng 4,000 a 6,000 o filwyr. Ar y cyfan, anffafriol braidd yw'n defnydd ni o'r ymadrodd. Fel arfer, daw i'n siarad a'n llên wrth gyfeirio at ryw ffaeleddau neu wendidau dynol neu'i gilydd. Ai oherwydd cysylltiad yr ymadrodd â'r ysbryd aflan yn ein meddwl y mae hynny tybed?

Yn ôl un o weinidogion y llywodraeth, mae'r rhai sy'n gweithio, er eu bod ar y dôl, yn 'lleng'.

Gochel y pechod cyntaf, canys y mae 'lleng' yn dynn wrth ei sawdl. (Dihareb.)

Beiau'n 'lleng' sydd i'r iengoed,
Ni fu i'r hen fai erioed. (Llŷr Evans, Ymryson y Beirdd).

Llifeirio o laeth a mêl. Dyma wlad yr addewid, gwlad Canaan, fel y'i disgrifiwyd gan Dduw wrth anfon Moses i arwain yr Israeliaid o'r Aifft. 'Yr wyf wedi gweld adfyd fy mhobl yn yr Aifft, a chlywed eu gwaedd o achos eu meistri gwaith, a gwn am eu doluriau. Yr wyf wedi dod i'w gwaredu o law'r Eifftiaid, a'u harwain o'r wlad honno i wlad ffrwythlon ac eang, "gwlad yn llifeirio o laeth a mêl"' (Ecs. 3: 8 BCN). Dichon y byddai'r Iddewon eto yn ein dyddiau ni yn dweud fod Duw wedi clywed gwaedd a gweld doluriau eu cymrodyr yn yr Almaen a Rwsia a gwledydd eraill, ac wedi penderfynu eu harwain wrth eu degau o filoedd eto i 'wlad yr addewid'. Gwell peidio â mynd dim rhagor ar y trywydd yna.

Daw'r ymadrodd 'llifeirio o laeth a mêl' i'n siarad yn achlysurol wrth gyfeirio at diroedd ffrwythlon neu at gyflwr ffyniannus.

'Rydach chi â thiroedd da yn Nyffryn Clwyd acw', yn "llifeirio o laeth a mêl" yn siŵr'.

'Gallech gredu oddi wrth siarad rhai o aelodau'r llywodraeth ein bod mewn gwlad yn "llifeirio o laeth a mêl," a hithau'n wasgfa ddifrifol ar amaethyddiaeth ac yn ddirwasgiad drwy'r wlad' (Gwel. Gwlad yr Addewid).

Yn llwch a lludw. Dyma ran o ymddiheurad Abraham, pan sylweddolodd yn sydyn beth yr oedd wedi ei wneud, wrth eiriol ar i'r Arglwydd beidio â dinistrio Sodom. 'Wele yn awr y dechreuais lefaru wrth fy Arglwydd, a mi "yn llwch ac yn lludw"' (Gen. 18: 27 HFC); 'Dyma fi wedi beiddio llefaru wrth yr Arglwydd, a minnau'n ddim ond "llwch a lludw"' (BCN); 'May I persume to speak to the Lord, "dust and ashes" that I am?' (NEB); 'Here am I venturing to speak to the Lord, I who am mere dust and dross' (Moffatt). 'Please forgive my boldness in continuing to speak to you, Lord. I am only a man and have no right to say anything'. (GNB).

Cyfleu safle o ddinodedd neu o ddistadledd dyn gerbron Duw y mae 'llwch a lludw'. Fel ymadrodd y mae'n gyfystyr â 'llwch y llawr'. Diau bod y syniad o 'farwoldeb' dyn ynddo hefyd. Un enghraifft arall o 'llwch a lludw', yn yr union ystyr hwn, sydd yn y Beibl. Job, mewn edifeirwch dwys yn dweud 'Am hynny rwyf yn fy ffieiddio fy hunan, ac yn edifarhau mewn "llwch a lludw"' (Job 42: 6 BCN).

Diau i emyn neu ddau helpu i gadw'r ymadrodd yn ein genau.

Anturiaf, Arglwydd, yr awr hon,
Yn 'llwch a lludw' ger dy fron.

(Ben Davies, LLEM 23)

Magodd ystyr estynedig hefyd.

Roeddwn i wedi meddwl yn siŵr y medrwn i brynu'r tractor 'na yn ocsiwn Tŷ Mawr. Erbyn gweld, Sion Jôs, cymydog imi, yn codi yn f'erbyn i, ac iddo fo yr aeth o yn y diwedd. Pan sylweddolodd beth oedd wedi digwydd dyna fo ata'i yn 'llwch ac yn lludw' i ymddiheuro. (Gw. Llwch y Llawr.)

Llwch y llawr. Am lwch y ddaear y siaredir yn y Beibl, sef pridd y ddaear. Hawdd deall sut y daeth 'llwch y ddaear' yn 'llwch y llawr'. Fel peth diwerth yr ystyrid llwch ymhlith yr Iddewon. O'r peth diwerth hwn, sef llwch, y crewyd dyn. 'Efe a edwyn ein defnydd ni: cofia mai "llwch" ydym' (Salm 103. 14 HFC); 'Y mae ef yn gwybod ein deunydd, yn cofio mai llwch ydym' (BCN); 'For he knows how we were made, he knows full well that we are dust' (NEB).

O'r syniad am lwch fel rhywbeth gwael, diwerth, y datblygodd 'llwch y llawr' yn ymadrodd ffigurol i ddynodi statws dinod dyn gerbron Duw.

Diolch iddo
Byth am gofio 'llwch y llawr'.

(Morgan Rhys, LLEM 196)

neu

Tosturi dwyfol fawr
At 'lwch y llawr' fu'n bod,
Pan gymerth Duw achubiaeth dyn,
A'i glymu'n un â'i glod.

(Ieuan Lleyn, LLEM 97)

Gwyddom, O Arglwydd, mai glanach ydwyt dy lygaid nag y gelli edrych ar ddrwg. Does dim haeddiant na hawl gan neb ohonom i ofyn i ti, y Duw cyfiawn, i edrych arnom ni 'lwch y llawr'. (Gw. Llwch a Lludw.)

Llwybr cul. Cydrhwng Mathew a Morgan Rhys, Caerfyrddin daeth 'llwybr cul' yn ymadrodd cyfarwydd a chyffredin iawn ar wefusau crefyddwyr Cymru. Meddai Mathew, yn croniclo geiriau Iesu Grist, 'cyfyng yw'r porth a chul yw'r ffordd sy'n arwain i'r bywyd' (Mathew 7: 14 HFC) ac meddai Morgan Rhys yn ei emyn sy'n adleisio ac yn aralleirio Mathew:

> Gwnes addunedau fil
> I gadw'r 'llwybr cul,'
> Ond methu'r wy'. (LLEM 506).

Golyga'n amlwg y bywyd da, rhinweddol y mae mor anodd ei gyrraedd neu mor anodd ei ddilyn.

Anodd yw penderfynu sut y daeth 'cul yw'r ffordd' yn 'llwybr cul' ar ein gwefusau. Yr un yw'r syniad, ond bod *ffordd* wedi mynd yn *llwybr*. Tybed ai dan ddylanwad emyn Morgan Rhys, ac yntau'n ei dro yn adleisio geiriau Efengyl Mathew? Fe'i defnyddiwyd gan Bantycelyn hefyd, ac yn yr un cyfnod â Morgan Rhys, er nad yn yr un ffurf, na chyda'r un effaith. Cawn ganddo 'Cul yw'r llwybr imi gerdded' a 'mae dy lwybrau cul yn hyfryd', a 'llwybrau culion, dyrys, anodd'. Nid yw'n debyg, fodd bynnag, i Bantycelyn boblogeiddio'r term 'llwybr cul'. Tebycach o lawer mai Morgan Rhys a wnaeth hynny.

Mae gan R. E. Jones, yn ei *Ail Lyfr o Idiomau,* awgrym diddorol bod dylanwad 'narrow path' y Sais ar 'llwybr cul' y Cymro. Gwyddom am ddywediad y Sais, 'the straight and narrow path'. Cydnebydd R. E. Jones, fodd bynnag, mai geiriau Iesu ym Mathew yw ffynhonnell 'straight and narrow path'. 'Narrow is the way that leadeth unto life' a geir yn yr HFS. Felly aeth 'narrow is the way' yn 'narrow path' yn Saesneg, yn union fel yr aeth 'cul yw'r ffordd' yn 'llwybr cul' yn Gymraeg. Roedd R. E. Jones yn ddyn go siŵr o'i bethau. Eto i gyd mae'r posibilrwydd mai Morgan Rhys a drosodd y 'cul yw'r ffordd' yn 'llwybr cul' yn debygolrwydd mawr i mi. Sut bynnag yr edrychwn arni, dyled anuniongyrchol yw'n dyled i'r Beibl yn yr achos hwn. Y syniad a fenthyciwyd yn hytrach na'r union ymadrodd.

Yn gyffredin, yr agwedd foesol i'r 'llwybr cul' a bwysleisiwn ni pan yn defnyddio'r ymadrodd.

Mi fuo'r hen Harri yn bur afradlon yn'i ddydd. Roedd yr hwch yn prysur fynd drwy'r siop. Ond, chwarae teg, mae o'n ôl ar y 'llwybr cul' ers rhai blynyddoedd. Mi awn ato am gymwynas o flaen llawer.

Llyfr y Bywyd. Mae'r syniad am 'Lyfr y Bywyd' yn ymddangos yn gymharol aml yn y Beibl. Dyma'r llyfr lle y cedwir enwau'r rhai sydd i'w hachub yn nydd y Farn. Cawn Moses yn barod i'w enw gael ei ddileu ohono pe byddai hynny'n ddigon i achub ei bobl rhag canlyniadau eu pechodau (Ecs. 32: 32). Gobaith y Salmydd yw y byddai'r rhai drygionus yn cael eu dileu o'r llyfr (Salm 69: 28). Yn nydd barn gwaredir y rhai sydd â'u henwau ynddo: 'Yn yr amser hwnnw gwaredir dy bobl, pob un yr ysgrifennwyd ei enw yn y llyfr' (Dan 12: 1 BCN). Sieryd Paul am ei gydweithwyr fel rhai â'u henwau yn 'llyfr y bywyd': '. . . Clement a'm cydweithwyr eraill, sydd â'u henwau yn llyfr y bywyd' (Phil. 4: 3, BCN). Yn ôl Llyfr y Datguddiad bwrir y rhai nad ydynt yn y llyfr i'r llyn tân (Dat. 20: 15). Dim ond y rhai sydd â'u henwau yn llyfr bywyd yr Oen a wêl wynfyd (Dat. 21: 27).

Diau mai cefndir y syniad o 'lyfr y bywyd' oedd arfer brenhinoedd yn yr hen fyd o gadw cofrestr o'u dinasyddion. Pan droseddai dyn yn erbyn y wladwriaeth, neu pan fyddai farw, fe ddilëid ei enw o lyfr y dinasyddion. Dinasyddion teyrngar Teyrnas Dduw sydd â'u henwau yn 'llyfr y bywyd'.

Heb ymwybod â chysylltiadau gwreiddiol yr ymadrodd fe'i defnyddiwn yn ei ystyr Beiblaidd yn ogystal ag mewn ystyr llacach, mwy ysgafala.

Hen gymeriad nobl a chywir iawn oedd Harri; 22 carat heb os, a'i enw'n sicr yn 'llyfr y bywyd'.

Rwyt ti wedi llwyddo i gael copi o 'Cerdd Dafod' John Morris-Jones imi. Un garw wyt ti. Fedra'i ddim dweud pa mor ddiolchgar ydw'i. Dylai d'enw fod yn 'llyfr y bywyd' ar ôl hyn.

Llyfu'r llwch. 'O'i flaen ef yr ymgryma trigolion yr anialwch; a'i elynion a lyfant y llwch' (Salm 72: 9 HFC). 'Llyfu'r llwch' sydd yn y BCN hefyd. 'His enemies shall lick the dust' (HFS a'r NEB); 'May his enemies grovel in the dust' (Moffatt); 'His enemies will throw themselves to the ground' (GNB). Mae 'llyfu'r llwch' yn ymadrodd Hebreig iawn, am rywun sy'n cael ei goncro'n lân, neu ei orchfygu'n llwyr. Dyna'r ystyr sydd iddo yn ei gyd-destun gwreiddiol yn y Salm.

Er bod arlliw yr ystyr gwreiddiol iddo, magodd ail ystyr, neu is-ystyr, i ni. 'Llyfu'r llwch' y mae person sy'n plygu neu'n cyrcydu'n wasaidd — yn ymgreinio. Onid dyma'r arlliw ystyr sydd yng nghyfieithiad Moffatt — 'grovel in the dust'? 'Dyw'r GNB ddim ymhell chwaith — 'throw themselves to the ground'.

Ond, yn Gymraeg, llyfu'r llwch a wnawn pan gawn ambell i godwm corfforol hefyd.

'Mi gefais godwn oddi ar fy meic nes mod i'n 'llyfu'r llwch'.

Roedd gwraig y Plas, Lady Bonam-Pickering, yn yr archfarchnad yn siopa bore 'ma. Pwy oedd yn digwydd bod yno, fel y gallwch ddychmygu, ond Jane Jones-Lloyd. 'Tasa chi'n 'i gweld hi'n ymgreinio ac yn 'llyfu'r llwch' o flaen Lady Pickering.

Llygad am lygad. Meddai Iesu Grist: 'Clywsoch ddywedyd Llygad am lygad, a dant am ddant. Eithr yr ydwyf fi yn dywedyd wrthych chwi, Na wrthwynebwch ddrwg: ond pwy bynnag a'th darawo ar dy rudd ddehau, tro y llall iddo hefyd' (Math. 5: 38, 39 HFC). Dyfynnu ysgrythurau ei genedl y mae Iesu wrth gyfeirio at 'llygad am lygad a dant am ddant', wrth gwrs. Mae'n ymddangos i'r *lex talionis* (egwyddor dialedd), fel y'i gelwir, gyrraedd cyfraith Moses o'r gyfundrefn gyfreithiol gynharaf y gwyddys amdani, sef Côd Hammurabi ym Mabilon ddwy fil a mwy o flynyddoedd C.C. Ei phwrpas gwreiddiol oedd gosod terfynau i ddialedd a gwneud y gosb i gyfateb i'r trosedd. Er nad yw'n cyrraedd y safon a osodir gan Iesu Grist, mae'n rhaid dweud fod y ddeddf hon, yn ei chyfnod, yn gam mawr ymlaen mewn gweinyddu cyfiawnder.

Cyn belled ag y mae delio â throseddwyr yn y cwestiwn, 'does yr un gyfundrefn gyfreithiol wedi codi nemor ddim uwchlaw cyfraith 'llygad am lygad'.

Dwn i ddim be ddaeth dros y dyn: rhoi anferth o glustan galed imi ar draws fy wyneb, heb na rhybudd na rheswm. Mi gefais y gwyllt, a dyna roi 'llygad am lygad' iddo nes 'i fod o'n llyfu'r llwch.

Llygaid yr ynfyd ym mhellteroedd daear. Daeth doethineb Llyfr y Diarhebion yn ddihareb i ninnau: 'Doethineb sydd yn wyneb y deallgar, ond llygaid y ffyliaid sydd yng nghyrrau'r byd' (Diar. 17: 24 HFC). Ail ran yr adnod a ddaw i'n siarad cyffredin ni: 'ar gyrrau'r ddaear y mae llygaid ynfytyn' (BCN); 'a stupid man's eyes are roving everywhere' (NEB); 'a fool's eyes go roaming far and wide' (Moffatt); 'a fool starts off in many directions' (GNB).

Maen nhw'n eiriau addas i ni, wrth gyfeirio at berson sydd â mwy o ddiddordeb yn yr hyn sy'n digwydd ym mhellteroedd byd na'r hyn sy'n digwydd yn ei ymyl, neu i'w wlad a'i genedl ei hun.

'Mae yna gyfran o bobl yng Nghymru sydd gant-y-cant dros hunan-lywodraeth i wledydd y Baltig a'r cenhedloedd Sofietaidd. Ond mae sôn am yr un peth i Gymru yn anathema iddyn nhw. Mae 'llygaid yr ynfyd ym mhellteroedd daear.'

M

Mab afradlon. Dan ddylanwad dameg y mab afradlon, 'y mab colledig' yn y BCN, mae gan y mwyafrif o Gristnogion o leiaf bictiwr meddyliol o'r person a elwir yn 'fab afradlon'. 'Ymfudodd i wlad bell ac yno gwastraffodd ei eiddo ar fyw'n afradlon' (Luc 15: 13 BCN). Bu'r ymadrodd yn cynrychioli'n gyson fath o fyw gwrthryfelgar, gwastraffus ac anghyfrifol. Mae amser, fodd bynnag, wedi peri bod llai a llai o'r agwedd foesol i'r teitl 'mab afradlon'. Mae mwy o duedd i'w arfer am bobl ddifethgar, ddiddarbodaeth efo'u pethau materol.

'Does gan y greadures fach ddim syniad sut i drin arian. O'r llaw i'r genau'n barhaus. Mae hi'n un o'r rhai mwyaf 'afradlon' a 'nabyddais i erioed.'

'Mae rhai mor gelyd a chybyddol
Mal petaent i fyw'n dragwyddol,
A rhai eraill mor 'afradlon'
A phe baent i farw'r awrhon'. (Hen bennill)

Mae dy iaith yn dy fradychu. Wrth weld Pedr yn dal ati i wadu unrhyw gysylltiad â Christ y dywedwyd wrtho, 'y mae dy leferydd yn dy gyhuddo' (Math. 26: 73 HFC). Mae'n debyg fod gan Pedr acen Galilea gan mai yno y'i magwyd. 'Acen' yw gair y BCN. 'Y mae dy acen yn dy fradychu'. 'Your accent gives you away' (NEB). 'The way you speak gives you away' (GNB). 'Your accent betrays you' (Moffatt). 'It's obvious from your accent' (JBP).

'Mae dy iaith yn dy fradychu' neu 'mae dy acen yn dy fradychu' yw'r ffurfiau a ddefnyddiwn ni, yn ôl fel bo'r achos.

Mi wyddwn i'n syth, y tro cynta' imi siarad ag o, fod y dyn sydd wedi dod i fyw i Tŷ Coch yn ddyn wedi cael addysg. 'Roedd 'ei iaith yn ei fradychu' cyn 'i fod wedi yngan hanner dwsin o eiriau.

Maen melin am wddf. Rhywbeth sy'n faich neu'n ormes (encumbrance) yw 'maen melin am wddf.' Mae'n ffurfio rhan o rybudd Iesu i unrhyw un sy'n arwain plant ar gyfeiliorn: 'Pwy bynnag sy'n achos cwymp i un o'r rhai bychain hyn sy'n credu ynof fi, byddai'n well iddo pe crogid maen melin mawr am ei wddf a'i foddi yn eigion y môr' (Math. 18: 6 BCN). Mae'r cyfieithiadau hen a diweddar yn gwbl gytûn, heb neb yn tynnu'n groes. Ystyr llythrennol sydd i 'maen melin am wddf' gan Iesu Grist. Yn drosiadol, ac yn gyffredin i ni, golyga faich ariannol, ymgymeriad neu rwymedigaeth sy'n faich ac yn orthrwm.

Gyda'r graddfeydd llog mor uchel heddiw, mae'r bobl sydd â morgais ar dŷ, llawer ohonyn nhw, yn sicr o deimlo eu bod wedi cymryd 'maen melin am eu gwddf' am ran helaeth o'u hoes.

Maen prawf. Yr hyn a ddefnyddir yn arferol i brofi dilysrwydd meteloedd yw 'maen prawf'. 'Touchstone' y'i gelwir yn Saesneg. Yn y Cassell's *New English Dictionary* fe'i disgrifir fel 'a dark stone, usually jasper, schist or basanite, used in conjunction with touch-needle for testing the purity of gold and other alloys'. O'r defnydd llythrennol yna, cam bach oedd ei angen i'r ystyr drosiadol, sef safon, canon, criterion neu brawf. Safon i farnu oddi wrthi yw'r ystyr ffigurol mwyaf cyffredin. Ceir dihareb fel hyn yn Saesneg, 'As the touchstone trieth gold, so gold trieth man.' Efo aur, y safon i farnu oddi wrthi yw 24 carat. Dyma'r 'maen prawf'. Ac mi soniwn am ambell gymeriad mwy didwyll na'i gilydd fel un 22 carat, un agos i'w le. Gwna Ifor Williams ddefnydd cwbl briodol o'r ymadrodd. Dywed, 'Gwych odiaeth fuasai cael y Beibl yn safon a 'maen prawf' iaith Gymraeg dda yn ogystal â chrefydd bur.' *Meddai Syr Ifor*' 17. Yn llyfr Ecclestiasticus, yn yr Apocryffa, y gwelwn yr ymadrodd, lle'r ymdrinir â gwerth doethineb — 'Megis maen prawf cryf y bydd hi arno ef' (Ecclus. 6: 21 HFC); 'Bydd yn gwasgu arno fel maen prawf trwm' (BCN). Mae'n anodd meddwl nad oedd yr ymadrodd ar waith cyn cyfieithu'r Beibl. Ac eto does dim enghraifft ohono mewn llenyddiaeth Gymraeg cyn 1588, a barnu oddi wrth GPC.

Collwyd nifer o ymadroddion cyfarwydd o'r Beibl yn y cyfieithiad newydd. Roedd hynny'n anochel mae'n siŵr. Ond os yw'r Beibl yn haws i'w ddeall a'i ddilyn yn y cyfieithiad newydd, yna fedrwn ni ddim cwyno. Hwnnw yw'r 'maen prawf' o werth y cyfieithiad yn y pen draw. (gw. *Rhoi Llinyn Mesur.)*

Maen tramgwydd; craig rhwystr. Efeilliaid ysgrythurol yw 'maen tramgwydd' a 'craig rhwystr', ac efeilliaid anodd iawn eu gwahanu na gwahaniaethu rhyngddyn nhw. Mae i'r ddau yr un ystyr, a daw'r ddau o'r un adnod, yn Eseia (8: 14): 'Bydd ef yn fagl, ac i ddau dŷ Israel bydd yn faen tramgwydd ac yn graig rhwystr; bydd yn rhwyd ac yn fagl i drigolion Jeriwsalem' (BCN). Dyfynnir y geiriau gan Paul a Phedr yn eu hepistolau (Rhuf. 9: 33, 1 Pedr 2: 8). Ceir hefyd yr un syniad rai gweithiau yn y TN lle defnyddir y gair 'tramgwydd' ar ei ben ei hun. Yn wreiddiol ac yn llythrennol golyga'r ymadroddion y cerrig oedd yn rhwystr neu'n fagl ar lwybr, yr hyn a barai i ddyn faglu neu dripio ar ei daith. Nid yw'n syndod iddyn nhw fagu ystyr trosiadol am yr hyn sy'n gallu rhwystro dyn neu ei faglu ym mhob cylch o fywyd. Roedd y ddau yn eu cynnig eu hunain yn rhwydd ac yn briodol iawn i hynny. Da yw sylwi na ddiswyddwyd mohonyn nhw gan gyfieithwyr y BCN. 'Stumbling-block' yw'r Saesneg agosaf, Saesneg-bob-dydd o leiaf. 'Stone of stumbling and rock of offence' a geid yn Eseia yn yr HFS. Ond 'chydiodd y rheini ddim fel ymadroddion trosiadol arferedig yn Saesneg fel y gwnaeth 'maen tramgwydd' a 'chraig rhwystr' yn y Gymraeg.

Pennaf 'maen tramgwydd' y dyn du yn Ne Affrica yw lliw ei groen.

Malu ewyn. Ymadrodd o ddisgrifiad Marc o'r bachgen ag ysbryd mud ynddo. 'Yn y man, yr ysbryd a'i drylliodd ef, ac efe a ymdreiglodd dan falu ewyn' (Marc 9: 20 HFC). 'Syrthiodd ar y llawr, a rholio o gwmpas, dan falu ewyn' (BCN); 'Rolled about foaming at the mouth' (NEB). Dyna yw 'malu ewyn' yn llythrennol — glafoerio neu ffrothio o'r geg. Digwydd hyn yn achos anhwylderau fel ffitiau epileptig.

Yn ei ystyr drosiadol daeth yn ymadrodd am wylltio neu gynddeiriogi.

Welais i mo Owen Hughes yn y capel ers blynyddoedd, ond pan soniais wrtho fod yna fwriad i gau'r capel, dyna fo'n dechrau 'malu ewyn' am y peth.

Mamon. Gair Hebraeg am olud yw mamon. Byddai rhai yn ei gyfrif yn enw ar dduw golud. Gwêl Crist mor hawdd y gall golud ddod yn dduw i ddyn. 'Ni ddichon neb wasanaethu dau arglwydd . . . ni ellwch wasanaethu Duw a mamon' (Math. 6: 24 HFC). Bu dyn erioed yn chwannog i roi ei fryd ar gyfoeth materol. Ac, ar un ystyr, yr hyn y rhydd dyn ei holl fryd arno yw ei dduw. Yn arwyddocaol iawn, daeth mamon yn Mamon, efo 'M' fawr — yn dduw. 'Ni allwch wasanaethu Duw ac Arian', medd y BCN, sef Arian efo 'A' fawr. 'You cannot serve God and Money' (NEB).

I ninnau, mamon yw'r gair am gyfoeth materol, yn enwedig pan fo person yn rhoi ei holl fryd arno.

Mae'n dda gweld Morris yn mynd i'r capel ac yn rhoi un diwrnod i addoli Duw. Mae'n rhoi'r chwe diwrnod arall i addoli 'mamon'. (Gw. *'Gwasanaethu dau Arglwydd'*.)

Mam yn Israel. O gân Debora a Barac, yn Llyfr y Barnwyr, y daeth yr ymadrodd 'mam yn Israel'. 'Y maes-drefi a ddarfuant yn Israel: darfuant, nes i mi, Deborah, gyfodi; nes i mi gyfodi yn "fam yn Israel" ' (Barn. 5: 7 HFC). 'Darfu am drigolion pentrefi, darfu amdanynt yn Israel nes i mi, Debora, gyfodi, nes i mi godi yn "fam yn Israel" ' (BCN). 'Champions there were none, none left in Israel, until I, Deborah, arose, arose, a mother in Israel' (NEB). 'The towns of Israel stood abandoned, Deborah; they stood empty until you came, came like a mother for Israel' (GNB).

'Nid oes dim newydd dan yr haul', ac mae'n amlwg mai nid newydd yw problem diboblogi'r cefn gwlad. Adleisir y broblem yng nghân Debora a Barac. Achlysurol yw'r defnydd a wnawn ni o'r ymadrodd 'mam yn Israel'. Daw i'n siarad wrth ganmol a theyrngedu ambell i wraig dda, ddoeth a gweithgar yn ei heglwys neu yn ei chymuned yn gyffredinol; yn biler yn ei chymdeithas.

Priodol iawn oedd i'r eglwys yn Saron gydnabod gwaith a ffyddlondeb Gwendolen Edwards, ar ei phenblwydd yn 90 oed. Os bu 'mam yn Israel' erioed, yr hen Wendolen ydy honno.

Mân lwch y cloriannau. Gan Eseia y cawsom y dywediad 'mân lwch y cloriannau' (Eseia 40: 15). Y mân lwch sydd ar ôl yn y glorian ar ôl ei gwagio yw'r ddelwedd. 'Y mae'r cenhedloedd,' medd Eseia, 'fel defnyn allan o gelwrn, i'w hystyried fel mân lwch y cloriannau' (BCN). Aeth y llwch yn lleithder yn y NEB. Medd hwnnw, 'Nations are but drops from buckets, no more than moisture on the scales'. Gweld clorian sych a wna'r Cymro — 'llwch y cloriannau'. Gweld clorian wleb a wna'r Sais: 'moisture on the scales'. Gorfanylu hwyrach yw gofyn pa hylif sydd yna y byddai dyn yn ei bwyso. Mesur hylif (liquid) a wnawn ac nid ei bwyso. Yn rhyfedd iawn mi fedrwn ofyn am *beint* o bys a ffa, ond o'r ochr arall ni fedrwn ofyn am *bwys* o ddŵr neu o laeth! Ond dyna ni, 'mân lwch y cloriannau' yw pethau fel'na! Yr un yw ergyd y ddau gyfieithiad, y 'llwch' a'r 'moisture'.

Cyferbynnu y mae Eseia, wrth ddefnyddio'r ymadrodd, fawredd annirnad Duw y Creawdwr a bychander dinod, distadl dynion a chenhedloedd. Fe ddefnyddiwn ninnau'r ymadrodd am bethau dibwys, dinod, o'u cyferbynnu â phethau mwy eu pwys. Fel enghraifft o'r defnydd a wnawn ohono gellid dweud rhywbeth fel hyn am y ddau gyfieithiad uchod:

Heb gau'n llygaid i'r gwahaniaethau, mae'r ddau gyfieithiad yn dda. Yn wir, wrth ochr y rhinweddau a berthyn i'r ddau, 'dyw'r gwahaniaethau rhyngddyn nhw yn ddim ond 'mân lwch y cloriannau'.

Manna o'r nefoedd. Mae cysylltiadau hanesyddol rhai o'r ymadroddion Beiblaidd a frithodd y Gymraeg yn fwy cyfarwydd na'i gilydd. Prin bod cyd-destun 'manna o'r nefoedd' yn ddieithr i neb. Mae'n rhan o stori ryfeddol, gyfareddol yn wir, taith yr Israeliaid o'r Aifft i Ganaan, fel y'i cawn yn Ecsodus (Ecs. 16: 4-15). Cynhaliaeth wyrthiol Duw i'r Israeliaid yn yr anialwch oedd y manna. 'Dywedodd yr Arglwydd wrth Moses, 'Byddaf yn glawio arnoch fara o'r nefoedd a bydd y bobl yn mynd allan a chasglu bob dydd ddogn diwrnod' (BCN). Bara, yn yr ystyr o fwyd, yw'r gair a ddefnyddir am y ddarpariaeth wyrthiol. Ond ymhellach ymlaen yn y stori fe'i gelwir yn 'fanna' a'i ddisgrifio'n fanylach. 'Rhoddodd tŷ Israel yr enw Manna arno; yr oedd fel had coriander a'i flas fel afrlladen wedi ei gwneud o fêl' (Ecs. 16: 31 BCN). 'It tasted like a wafer made with honey' sydd gan y NEB; 'It tasted like biscuits made with honey' gan y GNB. Fy hun, byddwn wedi derbyn *bisgeden* yn lle'r gair *afrlladen* yn y BCN hefyd.

Daeth manna o'r nefoedd yn ddisgrifiad cyffredin inni o bopeth da neu fendithiol a gawn, heb eu disgwyl neu heb eu hennill. Rhyw bethau, neu fendithion, a ddaw inni heb eu disgwyl ac eto gwir angen amdanyn nhw.

'Roedd hi ar ben arna'i am gael mynd i'r coleg, ond fe ddaeth addewid am grant yn hollol annisgwyl fel "manna o'r nefoedd".'

Dyna'r math cyffredin o ddefnydd a wnawn o'r ymadrodd, gan gadw'r syniad gwreiddiol yn Ecsodus o fendith, y mae gwir angen amdani, yn dod, ond yn annisgwyl. Mae'r Saeson hefyd yn cael rhyw bethau 'like manna from heaven'.

Martha drafferthus. Pan alwodd Iesu yng nghartref Mair a Martha ym Methania, tra oedd Mair yn rhoi cyfle iddo fwrw'i galon dal ati efo'r gwaith tŷ a wnaeth Martha. 'Yn drafferthus ynghylch llawer o wasanaeth' yw disgrifiad Luc ohoni (Luc 10: 40 HFC); 'Ond yr oedd Martha mewn dryswch oherwydd yr holl waith gweini' (BCN); 'distracted by many tasks' (NEB); 'Martha was upset over all the work she had to do' (GNB); 'Martha was so busy attending to them that she became worried' (Moffatt). Rhwng pawb, dyna ddarlun da o Martha. 'Dyw'r union ymadrodd, 'Martha drafferthus', ddim yn y stori, er bod Iesu'n defnyddio'r gair 'trafferthus' wrth siarad â hi (HFC). Ond mae'n llawn haeddu'r enw.

Daeth yn ddisgrifiad cyffredin i ni o wraig tŷ wrthi-hi ac wrthi-hi yn helbulus ddibaid efo goruchwylion ei thŷ a'i chartref, a heb amser i ddim arall.

'Welais i neb tebyg i Siân Owen. Mae hi wrthi-hi o fore gwyn tan nos. Dydy hi ddim eiliad yn llonydd. Does ganddi amser i ddim arall. "Martha drafferthus" mae'r gŵr acw'n 'i galw hi.'

Y meddyg, iachâ dy hun. Dihareb, mae'n amlwg, oedd 'y meddyg, iachâ dy hun', ac fe'i dyfynnir gan Iesu wrth annerch yn y synagog yn Nasareth. Dyfalu mai dyma oedd ym meddwl y gwrandawyr y mae wrth ddyfynnu'r ddihareb: 'Diau yr adroddwch wrthyf y ddihareb, "Feddyg, iachâ dy hun", a dweud, "yr holl bethau y clywsom iddynt ddigwydd yng Nghapernaum, gwna hwy yma hefyd ym mro dy febyd" ' (Luc 4: 23 BCN).

Mae'n ddiddorol sylwi mai Luc, y meddyg, yw'r unig un o'r efengylwyr sydd wedi recordio'r ddihareb, 'Feddyg, iachâ dy hun'. Achlysurol yw'n defnydd ni ohoni.

Roeddit ti ddoe yn selog am i mi roi'r gorau i smocio, minnau'n gwrando'n sobr, ac wedi llawn fwriadu trio gwneud rhywbeth ynglŷn â'r peth. Heddiw, fodd bynnag, dyna dy ddal di wrthi'n slei bach. 'Y meddyg, iachâ dy hun'.

Meistr y gynulleidfa. Y siaradwr, yr areithiwr neu'r pregethwr sy'n medru 'hoelio diddordeb' cynulleidfa, yn medru 'dal cynulleidfa', yw 'meistr y gynulleidfa'. Dyn sydd yn rhinwedd ei huodledd a'i ddawn areithyddol, â chynulleidfa yn ei law fel clai yn llaw crochenydd, a bron nad yw'n gallu gwneud a fynno â hi. Cafodd Cymru'r gorffennol ei chyfran dda o'r meistri hyn yn ei phulpudau ac ar ei llwyfannau.

O Lyfr y Pregethwr y daeth yr ymadrodd: 'Geiriau y doethion sydd megis symbylau, ac fel hoelion wedi eu sicrhau gan 'feistriaid y gynulleidfa' (Preg. 12: 11 HFC). Tebyg iawn yw trosiad yr HFS hefyd: 'The words of the wise are as goods, and as nails fastened by the *masters of the assemblies.*'

Mae'r ymadrodd wedi ei hepgor o'r BCN a chawn ganddo, 'Y mae geiriau'r doethion fel symbylau, a'r casgliad o'u geiriau fel hoelion wedi eu gosod yn eu lle'. Does dim sôn am 'masters of the assemblies' yn y cyfieithiadau Saesneg diweddar chwaith. Y NEB yw'r agosaf efo 'they lead the assembled people'. Rhaid bod digon o gyfiawnhad dros adael allan yr ymadrodd 'meistri'r gynulleidfa', a thros newid yr ystyr ychydig. Ond mae'n rhaid inni ddiolch iddo fel ymadrodd am ei wasanaeth ffyddlon i siaradwyr y Gymraeg am genedlaethau. Does dim cymaint o ddefnyddio arno heddiw. A hwyrach mai'r gwir yw nad oes cymaint o angen amdano, ond wrth edrych yn ôl. Prin iawn yw'r rhai sy'n haeddu'r disgrifiad 'meistri'r gynulleidfa' yn ein dydd ni.

Mae'n debyg o aros yn yr iaith, fodd bynnag, tra bo'i angen a phan fo'i angen. Ffeindiodd 'masters of the assemblies' erioed ei ffordd fel dywediad i'r Saesneg, hyd y gwn i. Tybed ai am na fu cymaint o'i angen y bu hynny?

Cyn belled ag y mae celfyddyd pregethu'n y cwestiwn diau yr ystyrid J. W. Jones, Conwy gynt yn 'feistr y gynulleidfa'.

Mewn amser ac allan o amser. Meddai Paul wrth Timotheus, 'Pregetha'r gair, bydd daer mewn amser, allan o amser' (2 Tim. 4: 2 HFC). Ymwrthod â'r dywediad a wnaeth y BCN yn ffafr rhoi yr ystyr. 'Pregetha'r gair, bydd yn barod bob amser, boed yn gyfleus neu'n anghyfleus.' 'Preach the word; be instant in season, out of season' (HFS); 'Proclaim the message, press it home, on all occasions' (NEB).

Ystyr y dywediad, yn amlwg, yw 'ar bob adeg', pob cyfle posibl, yn wastadol, yn ddibaid, boed gyfleus neu anghyfleus.

Mae galw am Ddeddf Iaith yn fater o fod wrthi'n ddyfal, ddibaid, 'Mewn amser ac allan o amser'. Fedrwn ni ddim fforddio llaesu dwylo.

Mewn sachliain a lludw. Edifarhau, neu ymddiheuro mewn sachliain a lludw a wnawn. Hynny'n drosiadol neu'n ffigurol, wrth gwrs. Ond yr oedd yr Iddewon, yn gyffredin ag eraill yn y Dwyrain Canol, yn gwneud hynny'n llythrennol. I fynegi galar, gofid, neu edifeirwch gwisgent ddeunydd bras wedi ei wneud o flew geifr neu flew camelod. Gelwid hwnnw'n sachliain. Wedyn fel rhan o'r un ddefod rhoddent ludw ar eu pennau. Meddai Job: 'Gwnïais sachliain am fy nghroen, a chuddiais fy nghorun yn y llwch' (Job 16: 15 BCN).

Yn Llyfr Esther cawn yr ymadrodd yn llawn, yn union fel y defnyddiwn ni o: 'Pan glywodd Mordecai am bopeth a ddigwyddodd, rhwygodd ei ddillad a gwisgo sachliain a lludw' (Esther 4: 1 BCN).

Defnyddiwyd y dywediad gan Iesu Grist hefyd wrth gyfeirio at ddiffyg edifeirwch dwy dref: 'Gwae di, Chorasin! Gwae di, Bethsaida! Oherwydd petai'r gwyrthiau a wnaed ynoch chwi wedi eu gwneud yn Tyrus a Sidon, buasent wedi edifarhau ers talwm mewn sachliain a lludw' (Math. 11: 21 BCN).

Mae defnyddio'r geiriau'n ddull grymus ac argyhoeddiadol o fynegi edifeirwch neu ymddiheuriad gwirioneddol a dwys. Ffeindiodd y dywediad ei ffordd i'r Saesneg hefyd, a chadw'i le yn yr iaith honno: 'in sackcloth and ashes'.

Mi drois drwyn y car, heb feddwl dim, i stryd unffordd. Fu rioed y fath felltithio ar neb. A finna, druan, fedrwn i wneud dim ond ymddiheuro i'r melltithwyr, mewn 'sachliain a lludw'.

Mi a briodais wraig. O ddameg y Swper Mawr y daeth 'mi a briodais wraig'. Am wahanol resymau y mae'r holl wahoddedigion yn ymesgusodi rhag mynd i'r wledd. Esgus un oedd, ' "Mi a brïodais wraig"; ac am hynny nis gallaf fi ddyfod' (Luc 14: 20 HFC). 'Rwyf newydd briodi, ac am hynny ni allaf ddod' (BCN). 'I have married a wife; that is why I cannot come' (Moffatt). Tebyg yw'r cyfieithiadau i gyd.

Pur ysgafala yw'n defnydd ni o'r geiriau ar y cyfan, er y gall hynny fod yn gochl dros rywbeth dwysach yn aml.

Wyt ti am ddod acw am 'baned? Nag ydw'n wir, gyfaill, 'rydw i'n mynd adre'n syth; 'mi a brïodais wraig', ychan.

(Y) Mil blynyddoedd. Cyhoeddir yn Dat. 20: 2 y bydd angel yn cloi Satan yn y pwll diwaelod am fil o flynyddoedd. Am y mil blynyddoedd hynny bydd Crist ei hun, yng nghwmni rhai o'r saint, yn teyrnasu'n bersonol ar y ddaear. Cawn rai sectau Cristnogol, megis yr Adfentistiaid a'r Mormoniaid, yn arddel y syniadau apocalyptaidd hyn yn llythrennol.

Nid yw'n syndod i'r syniad hwn am fil blynyddoedd fagu ail ystyr a dod i gynrychioli cyfnod delfrydol, neu sefyllfa wynfydedig.

Gallech yn hawdd gredu, oddi wrth ddatganiadau rhai gwleidyddion, fod 'y mil blynyddoedd' ar wawrio.

Mor hyfryd yw trigo o frodyr ynghyd. 'Wele, mor ddaionus ac mor hyfryd yw trigo o frodyr ynghyd' (Salm 133: 1 HFC). 'Mor dda ac mor ddymunol yw i frodyr fyw'n gytûn' (BCN). 'How good it is, and how pleasant for brothers to live together' (NEB). 'How wonderful it is, how pleasant, for God's people to live together in harmony' (GNB).

Gall 'addoli ynghyd' neu 'addoli'n gytûn' fod yn drosiad posibl hefyd. Mewn troednodiad rhydd y NEB, 'to worship together'.

Dyma eiriau addas ryfeddol i'r mudiad eciwmenaidd ac i unrhyw ymdrech tuag at gyd-ddeall enwadol. Er mai mewn cylchoedd crefyddol y clywn y geiriau'n bennaf, maen nhw, er hynny, wedi meithrin gorwelion mwy estynedig a seciwlar. Maen nhw i'r dim i ddisgrifio unrhyw 'gwmni hoff cytûn'.

Mae yna gyfarfod gweinidogion dan gamp yn y cylch 'ma, a rhywrai o bob enwad yn perthyn iddo. Mae'r awyrgylch yn ardderchog, ac mae hynny'n beth braf. Bob tro yr a'i yno mae geiriau'r Salm yn mynnu dwad i'm meddwl, 'Mor hyfryd yw trigo o frodyr ynghyd'.

Mynwes Abraham. Yn nameg y Gŵr Goludog a Lasarus, mae'r gŵr goludog yn anwybyddu'n llwyr Lasarus y cardotyn, yn anghenus ac yn ddolurus fel yr oedd. Wedi i'r ddau farw, fodd bynnag, caiff Lasarus ei hun 'yn gwledda wrth ochr Abraham' (Luc 16: 22 BCN); 'Yn nhrigfan y meirw, ac mewn poen arteithiol' y caiff y gŵr cyfoethog ei hun (Luc 16: 23 BCN). Yn yr HFC, 'ei ddwyn i "fynwes Abraham"' a gafodd Lasarus. Ond am y gŵr goludog, 'yn uffern efe a gododd ei olwg, mewn poenau, a chanfod Abraham o hirbell a Lasarus yn ei fynwes'.

Daeth 'mynwes Abraham' yn gyfystyr â nefoedd. Dyma'n ffordd ni'n achlysurol o sôn am dynged cymeriadau da, yn enwedig ambell i un tlotach a mwy diamddiffyn na'i gilydd.

''Cherddodd 'na ddim gwell cymeriad wyneb daear erioed na'r hen ewyrth. Os oes rhywun wedi mynd i "fynwes Abraham", mae o *wedi mynd'.*

Ydy Bob, Pendraw, yn dal yn fyw?
Nag ydy, yr hen dlawd, mae o 'ym mynwes Abraham' ers tro.

N

Na ateb yr ynfyd yn ôl ei ynfydrwydd. Un o gynghorion call Llyfr y Diarhebion yw 'Na ateb ynfyd yn ôl ei ynfydrwydd; rhag dy fod yn gyffelyb iddo' (Diar. 26: 4 HFC). 'Paid ag ateb y ffŵl yn ôl ei ffolineb, rhag i ti fynd yn debyg iddo' (BCN). 'Do not answer a stupid man in the language of his folly, or you will grow like him' (NEB). 'If you answer a silly question, you are just as silly as the person who asked it' (GNB).

Mae'r geiriau'n ein hatgoffa am eiriau Iesu Grist: 'Na roddwch y peth sydd sanctaidd i'r cŵn, ac na theflwch eich gemau o flaen y moch' (Math. 7: 6 HFC).

Ar ganol yr anerchiad dyna ryw ffŵl yn gofyn i mi pam mae mwstas dyn yn gallu bod yn gringoch, er mai du ydy lliw 'i wallt. Er mwyn mymryn o hwyl, yn fwy na dim, mi awgrymais mai sug baco wrth 'i gnoi oedd yn gwneud y mwstas yn gringoch. Mi ddyfarais wneud hynny, achos 'ateb yr ynfyd yn ôl ei ynfydrwydd' oeddwn i'n amlwg.

Nac adroddwch yn Gath. Dywediad o alarnad Dafydd am Saul a Jonathan.

> 'O fel y cwympodd y cedyrn!
> Peidiwch â'i adrodd yn Gath,
> na'i gyhoeddi ar strydoedd Ascalon,
> rhag i ferched y Philistiaid lawenhau,
> rhag i ferched y dienwaededig orfoleddu'
>
> (2 Sam. 1: 19-20 BCN)

Dinas y Philistiaid oedd Gath, a byddai'r newydd am farwolaeth Saul a Jonathan yn destun crechwen ac yn fêl ar dafod y rheini.

Pan ydym yn ewyllysio cadw ambell i beth, mwy anffafriol na'i gilydd, oddi wrth eraill, y defnyddiwn ninnau'r dywediad.

Rydw'i mewn dipyn o helynt efo awdurdodau'r dreth incwm. Ddim wedi sôn am ryw gyfri banc oedd gen i. Yn y gobaith y dof allan ohoni, peidiwch a'i 'adrodd yn Gath'.

(Gw. Cyhoeddi o Bennau'r Tai)

Na fernwch yn ôl y golwg. Cyhuddwyd Iesu Grist fwy nag unwaith o dorri'r gyfraith wrth iacháu ar y Sabath. Yn Mathew 7 fe'i cawn yn ei amddiffyn ei hun gydag ymresymiad clòs a galluog. Ei brif ddadl yw y caniateid enwaedu ar y Sabath ond na chaniateid iacháu. Mae'n annog ei wrandawyr i geisio gweld yn ddyfnach na'r wyneb i bethau, a barnu'n deg: 'Na fernwch wrth y golwg, eithr bernwch farn gyfiawn' (Ioan. 7: 24 HFC). 'Peidiwch â barnu yn ôl yr olwg, ond yn ôl safonau barn gyfiawn' (BCN). 'Do not judge superficially, but be just in your judgement' (NEB). 'Stop judging by external standards, and judge by true standards' (GNB). 'Give over judging by appearances, be just' (Moffatt). 'You must not judge by the appearance of things but by the reality' (JBP).

Y rhan gyntaf, 'peidiwch â barnu'n ôl yr olwg', a ddefnyddiwn ni fel arfer. Rhown i'r geiriau yr un ystyr ag sydd i'r ddihareb, 'nid wrth ei big y mae 'nabod cyffylog'.

Mae gan fachgen y drws nesa 'cw y steil gwallt a'r dillad rhyfedda'. Fu'r fath olwg ar neb erioed: digon i wneud ichi gredu ei fod yn arch-hwligan ac yn archfandal. Ond wedi ei 'nabod y mae'n hen fachgen cwrtais a gwâr tu hwnt. Mor hawdd ydy 'barnu'n ôl yr olwg'.

Na wyped dy law aswy. Rhan o gyngor Iesu Grist ar sut i roi elusen yw 'na wyped dy law aswy'. Rhybuddio y mae rhag bod fel y rhagrithwyr yn y synagogau, yn utganu o'u blaen wrth roi elusen, er mwyn cael eu canmol gan ddynion. Meddai, 'Pan fyddi di'n rhoi elusen, paid â gadael i'th law chwith wybod beth y mae dy law dde'n ei wneud' (Math. 6: 3 BCN). Hyd yn hyn, fodd bynnag, y geiriau fel y maen nhw yn yr HFC a gofiwn ni ar lafar; 'na wybed dy law aswy pa beth a wna dy law ddehau' (HFC).

Yn gyffredin, yn ein defnydd ni o'r geiriau, mae rhan gyntaf yr adnod yn rhagdybio'r gweddill. Daeth yn rhyw fath o ddisgrifiad diarhebol o wneud daioni neu gyfrannu at achosion da, heb fod neb yn gwybod. Gellid defnyddio ymadrodd arall o'r un cysylltiadau, ac yn gyfystyr, am yr un peth, sef 'rhoi yn y dirgel', rhoi neu gyfrannu'n ddi-stŵr ac o'r golwg.

Mae'r Col. Mackintosh wedi rhoi swm anferth o arian i'r Coleg, i sefydlu ysgoloriaeth ar yr amod fod ei enw wrthi. Tybed a glywodd o 'rioed am 'na wyped dy law aswy' ac am 'roi yn y dirgel'? (Gw. Udganu o'th flaen).

Newyddion da o lawenydd mawr. Rhan o neges yr angylion i'r bugeiliaid noson geni Iesu Grist (Luc 2: 10). Yng nghorff amser estynnwyd cwmpas y geiriau gryn lawer wrth ymateb i unrhyw fath o newyddion da yn y byd a'r betws.

'Mae ffigurau diweithdra'r cylch 'ma gyda'r ucha' yng Nghymru. Mae'r rhagolygon am ffatri i gyflogi 200 yn "newyddion da o lawenydd mawr" inni i gyd.'

Nid ar fara'n unig. Dyfynnu Deuteronomium 8: 3 y mae Iesu Grist wrth ateb y temtiwr yn ei demtasiwn gyntaf i droi'r cerrig yn fara. 'Nid ar fara'n unig y bydd byw dyn ond trwy bob gair a ddaw allan o enau Duw' (Math. 4: 4 HFC). Pwynt Iesu Grist yw mai nid drwy lwgrwobrwyo pobl â bendithion materol yr oedd am eu cael i'w ganlyn. Dod â wnaeth i gyfarfod â'r newyn yn eneidiau dynion o flaen dim arall: y newyn na fedr pethau materol ei ddiwallu. Pery'r geiriau, yn enwedig y rhai cyntaf, yn erfyn grymus o hyd lle bo angen taranu yn erbyn rhoi'r holl bwyslais ar werthoedd materol yn unig.

'Roedd rheolwr y siop acw am fynnu fy mod yn gweithio ar y Sul. Mi wrthodais ar egwyddor. Wedi'r cwbl, "Nid ar fara'n unig y bydd byw dyn".'

Nid oes bwrw arfau. Llyfr y Pregethwr sy'n dweud 'Nid oes bwrw arfau mewn rhyfel' (Preg. 8: 8 BCN). Mae'r HFC a'r HFS yn mynnu cysylltu'r geiriau â'r rhyfel yn erbyn marwolaeth. '. . . ac nid oes ganddo allu yn nydd marwolaeth, ac "nid oes bwrw arfau" yn y rhyfel hwnnw' (HFC); '. . . There is no discharge in that war' (HFS). Cawn yr un cysylltiad yn y GNB: 'No one can keep himself from dying or put off the day of his death. That is a battle we cannot escape, we cannot cheat our way out.' Mae'r cyfieithiadau Saesneg eraill, fel y BCN, yn cyffredinoli'r rhyfel. 'In war no one can lay aside his arms' (NEB); 'In war there is no furlough' (Moffatt). Fodd bynnag, mae'r naill ystyr a'r llall yn cario'r syniad o ddal ati, neu o ddyfalbarhau'n benderfynol a di-ildio. Does dim lle i laesu dwylo a bod yn ddiofal.

Er bod 'bwrw arfau' i'w gael yn y 14g, yn *Ystorya de Carolo Magno* ac yn *Llyfr Coch Hergest,* gallwn honni'n bur ddiogel mai'r Beibl a'i cadwodd yn ein iaith.

Ryden ni'n brwydro fel Cymry am reolaeth effeithlon ac ystyrlon dros ein bywyd ein hunain. Fydd 'dim bwrw arfau' yn y rhyfel hwn hyd nes ei ennill.

O

O Dan hyd Beersheba. Dinas yn y pwynt mwyaf gogleddol o Balestina oedd Dan, a Beersheba yn y pwynt mwyaf deheuol. Golygai 'o Dan hyd Beersheba' o un pen i'r wlad i'r llall. Roedd yn ymadrodd digon cyffredin ac i'w gael rai gweithiau yn yr HD. 'Daeth Israel gyfan allan fel un gŵr o Dan hyd Beersheba . . .' (Barn. 20: 1 BCN).

Yng Nghymru dywedwn 'o ben Caergybi i ben Caerdydd' i gynrychioli o'r naill ben i'r wlad i'r llall. Ond weithiau fe glywn bobl o gefndir ysgrythurol go dda yn defnyddio 'o Dan hyd Beersheba' wrth sôn am hyd ambell diriogaeth neu ddarn o wlad. Mi glywais ŵr o Ddyffryn Tanat yn defnyddio'r ymadrodd mewn sgwrs ar y tebygolrwydd o ddileu'r Cynghorau Sir yng Nghymru.

'Mae Sir Powys 'ma'n cyrraedd o Langynog i Ystradgynlais. Mae hi o "Dan i Beersheba", fachgen.'

Oed yr addewid. Dywediad dan ddylanwad y Beibl yn fwy nag o'r Beibl yw 'oed yr addewid'. Ei darddiad yw geiriau yn Salm 90: 10, sy'n dweud 'deng mlynedd a thrigain yw blynyddoedd ein heinioes, neu efallai bedwar ugain mlynedd trwy gryfder, ond y mae eu hyd yn faich a blinder' (BCN). Hawdd deall sut y canfu ein cyndadau addewid yng ngeiriau'r Salm. Dod i gredu yng ngoleuni'r geiriau na fedr dyn, yn rhesymol, ddim disgwyl byw mwy na deng mlynedd a thrigain. A dyna'r geiriau'n troi yn addewid a deng mlynedd a thrigain yn dod yn 'oed yr addewid'.

Mae'r geiriau 'three score years and ten' yng ngeirfa'r Sais, ond hyd y gwn does ganddo ddim ymadrodd sy'n cyfateb i 'oed yr addewid' yn Gymraeg.

''Rwyt ti'n edrych yn dda. Faint wnei di erbyn hyn?'
''Rydw'i wedi cyrraedd ''oed yr addewid'' ers dwy flynedd.'

O enau plant bychain. Mae pob peth yng nghreadigaeth Duw yn ardderchog i'r Salmydd. 'O enau plant bychain, a rhai'n sugno, y peraist nerth, i ostegu'r gelyn a'r ymddialydd' (Salm 8: 2 HFC). 'Codaist amddiffyn rhag dy elynion, o enau babanod a phlant sugno, a thawelu'r gelyn a'r dialydd,' medd y BCN, gan ddiogelu mydr y farddoniaeth yn dda, a rhoi'r ystyr yn llawn cliriach.

Fel arfer, dim ond y darn cyntaf un o'r adnod a ddaw i'n siarad pan wnawn defnydd o'r geiriau, a hynny fel arfer yn gyfystyr â'r ddihareb, 'Gan y gwirion ceir y gwir'.

'Wyddoch chi be ddwedodd yr hen lodes fach acw bore 'ma? ''Taid, rydach chi'n pesychu o hyd. Mae isio ichi beidio smocio . . .'' ''O enau plant bychain'' yntê!'

Oer na brwd. Yr eglwys yn Laodicea oedd heb fod yn oer na brwd. O'r cyd-destun hwnnw y cafodd GPC ei enghraifft o'r ymadrodd, ac o Feibl 1620. 'Mi a adwaen dy weithredoedd di, nad ydwyt nac oer na brwd: mi a fynnwn pe bait oer neu frwd' (Dat. 3: 15 HFC) '. . . na thwymm, nac oer' oedd gan W. Morgan yn 1588. '. . . nid wyt yn oer nac yn boeth' (BCN). Fel 'tanbaid', 'gwresog' a 'selog' mae 'poeth' yn un ystyr i'r gair *brwd.* Pobl glaear, felly, yw pobl sydd heb fod yn 'oer na brwd'. Ac, yn wir, fe gawn 'claear' yn yr un cyd-destun, yn y disgrifiad o gymeriad eglwys Laodicea. 'Ond gan mai claear ydwyt, heb fod nac yn boeth nac yn oer, fe'th boeraf allan o'm genau' (Dat. 3: 16 BCN).

Byth oddi ar hynny bu claearineb eglwys ynglŷn â'i thystiolaeth a'i chenhadaeth, dan lach. Mewn cyfnod o brinder sêl a brwdfrydedd crefyddol, fel ein blynyddoedd ni, daw'r ymadrodd yn un pur ystyrlon i Gristnogion selog a brwd. Does gan grefydd, fodd bynnag, ddim monopoli ar yr ymadrodd bellach. Mae ar waith yn y cylchoedd seciwlar hefyd.

Daeth yr Aelod Seneddol i gyflwyno'r syniad o Gymru yn Ewrop. Derbyniad claear iawn a gafodd, neb yn 'oer nac yn frwd' rywsut.

Oes Aur. Yr 'oes aur' wreiddiol, yn sicr, oedd dyddiau Gardd Eden, cychwyn stori dyn ar y ddaear. Roedd y stad honno fel y'i disgrifir yn baradwys mewn hapusrwydd, ffyniant a chynghanedd, a dyn yn byw mewn cydgord â natur ac â'i gyd-ddyn. Daeth yr oes aur fore honno yn batrwm i bob 'oes aur'.

Heddiw fe alwn unrhyw oes greadigol a llwyddiannus, yn faterol, yn ddiwylliannol neu'n grefyddol, yn 'oes aur'.

Diwedd y ganrif ddiwethaf, a dechrau hon, oedd 'oes aur' anghydffurfiaeth Cymru.

Ogof lladron. Wedi clirio'r deml, meddai Iesu wrth y rhai oedd yn masnacheiddio'r lle: 'Y mae'n ysgrifenedig, "Gelwir fy nhŷ i yn dŷ gweddi, ond yr ydych chwi yn ei wneud yn ogof lladron" (Math. 21: 12-23 BCN). Cawn ysbryd geiriau Iesu Grist gan Jeremeia, yn fwy na'r geiriau fel y cyfryw, er eu bod yn rhannol yno (Jer. 7: 11).

Mae'r geiriau'n rhai a ddefnyddiwyd yn gyson, yn y cylchoedd crefyddol, am yr hyn a ystyrir yn gamddefnydd o addoldy. Yn y dyddiau a fu, os nad o hyd, gwneud y lle yn ogof lladron oedd cynnal pethau fel eisteddfod neu gyngerdd mewn capel. Ffordd rownd y feirniadaeth hon oedd cynnal yr hyn a elwid yn 'Gyngerdd Cysegredig'! Nid dieithr y geiriau i'r cylchoedd seciwlar chwaith.

'Roedd yna arwerthiant yn Festri Bethel neithiwr. Mi ddychrynais weld un o'r blaenoriaid yn gwerthu tocynnau raffl. Maen nhw'n prysur droi'r lle yn "ogof lladron".'

'Mi ddychrynech! Y casino'n orlawn o ddynion moethus yr olwg. Roedd hi fel "ogof lladron" yno.'

O'i ysgwyddau i fyny yn uwch. Am Saul y dywedwyd — 'O'i ysgwyddau i fyny, yr oedd yn uwch na'r holl bobl' (1 Sam. 9: 2 HFC); 'Yn dalach o'i ysgwyddau i fyny na neb arall' (BCN); 'A head taller than any one else' (NEB, GNB a Moffatt).

Ystyr llythrennol hollol sydd i'r geiriau wrth ddisgrifio Saul. I ni, magodd y dywediad ystyr ffigurol i ddisgrifio rhagoriaeth feddyliol neu ddiwylliannol. Mae'r sawl sy'n 'uwch o'i ysgwyddau i fyny' yn rhagori'n sylweddol mewn crebwyll, gallu, neu ddawn arbennig.

Datblygodd yr un ystyr ffigurol yn Saesneg hefyd — 'head and shoulders above'.

Fe ymgeisiodd ugain am y swydd, ond roedd y bachgen a'i cafodd hi o'i 'sgwyddau i fyny' yn well na'r un arall.

(Yr) Olaf a fyddant flaenaf. Coronir Dameg y Winllan gan Iesu â'r geiriau, 'Felly bydd y rhai olaf yn flaenaf a'r rhai blaenaf yn olaf' (Math. 20: 16 BCN). Dyma ddatgan egwyddor gwbl gyferbyniol i'r ddihareb, 'y cyntaf i'r felin gaiff falu'. Cyferbyniol hefyd i'r dywediad Saesneg, 'first come, first served'. Yn y ddameg, fodd bynnag, y mae ystyr digon derbyniol i'r geiriau.

Ar y cyfan, i ni, nid am sefyllfa deg a derbyniol y defnyddir y dywediad, ond, yn hytrach, am sefyllfa neu drefn hollol annheg ac annerbyniol, lle mae rhywun yn cael cam.

Mi fu'n rhaid imi aros am bron i ddwy awr am dwrn yn swyddfa'r nawdd cymdeithasol ddoe. Pobl yn cyrraedd y rhawg ar f'ôl i yn cael twrn o 'mlaen i. Os na chadwch chi sŵn, fel'na mae hi bob amser mewn biwrocratiaeth: 'y rhai olaf yn flaenaf'.

Olew ar friw. Tosturi ymarferol y Samariad yn nameg enwog Iesu Grist a roes 'rhoi olew ar friw' inni. Meddai'r ddameg: '. . . Aeth ato, a rhwymo ei glwyfau, gan arllwys olew a gwin arnynt' (Luc 10: 34 BCN). Roedd rhoi olew ar friw yn hen arferiad gan gredu bod i olew ei rin meddyginiaethol, yn union fel y cred llawer o bobl bod i fêl rin tebyg. O'r fan yna, yn sicr, y tarddodd yr ymadrodd 'rhoi olew ar friw' a'i efell 'eli ar friw', y ddau'n golygu'r un peth yn hollol.

Mae R. E. Jones, yn ei ALIC, yn gwneud dau bwynt trawiadol iawn. Dywed fod y geiriau 'olew' ac 'eli' o'r un gwreiddyn, a bod y ddau wedi eu cyfuno yn yr un adnod gan Marc: 'ac eliasant ag olew lawer o gleifion' (Marc 6: 13 HFC); 'ac yn iro ag olew lawer o gleifion' (BCN). Yn ôl GPC, o'r gair Lladin 'olivium' y cafwyd olew ac eli.

Yr ystyr trosiadol a rown ni i'r ymadrodd yw lleddfu briw teimlad o ryw fath: teimlad o golled, neu o siomedigaeth.

Cafodd 'i siomi'n enbyd na ddaeth y swydd 'na iddo. Mi driais 'roi olew ar friw' drwy ddweud ei fod ddigon ifanc, ac y dôi cyfle arall.

O nerth i nerth. O Salm 84 y daeth yr idiom 'o nerth i nerth'. Cawn yno bictiwr o bererinion yn awchus deithio tua Jeriwsalem i ryw brifwyl neu'i gilydd, yn ysgafn eu traed wrth feddwl am wefr y profiad oedd yn eu haros.

> Wrth iddynt fynd trwy Ddyffryn Baca
> Fe'i cânt yn ffynnon;
>
> Bydd y glaw cynnar yn ei orchuddio â bendith.
> Ânt 'o nerth i nerth'.
> A bydd Duw y duwiau yn ymddangos yn Seion'
> (Salm 84: 6, 7 BCN)

'From strength to strength' (HFS). Er wedi colli'r union ymadrodd o'r cyfieithiadau diweddar i'r Saesneg cawn yr ystyr yn glir iawn mewn dau o leiaf: 'They grow stronger as they go' (GNB); 'They are the stronger as they go' (Moffatt). Gwelodd y NEB rywbeth tra gwahanol yn y testun: 'So they pass on from outer wall to inner.'

Fel arfer, ystyr llythrennol sydd i'r idiomau hyn yn yr ysgrythur. Yn yr achos hwn, fodd bynnag, trosiadol yw'r ystyr gwreiddiol. Gwreiddiodd yr idiom yn ein hiaith, fel y gwnaeth 'from strength to strength' yn Saesneg. Mae'n ddefnyddiol iawn i ddisgrifio unrhyw fath o dwf, datblygiad neu lwyddiant mewn unrhyw faes.

Mae'r Mudiad Ysgolion Meithrin yn mynd 'o nerth i nerth', ond dylai'r Swyddfa Gymreig fod yn llawer haelach ei chefnogaeth ariannol.

Os yr Arglwydd a'i myn. Dwy enghraifft yn unig, hyd y gwelaf, sydd o'r union ymadrodd 'os yr Arglwydd a'i myn' yn y Beibl; 'Eithr mi a ddeuaf atoch ar fyrder, os yr Arglwydd a'i mynn' (1 Cor. 4: 19 HFC). 'Lle y dylech ddywedyd, os yr Arglwydd a'i myn, ac os byddwn byw, ni a wnawn hyn neu hynny' (Iago 4: 15 HFC). Gellid cyfrif geiriau Paul yn Effesus yn enghraifft arall, ddigon agos, o leiaf; 'ond os myn Duw, mi a ddeuaf yn ôl atoch chwi drachefn' (Act. 18: 21 HFC). 'Os caniatâ'r Arglwydd' a rydd y BCN yn y Corinthiaid, ond 'os Duw a'i myn' yn Iago a'r Actau. 'If the Lord will'; 'if the Lord wills'; 'if the Lord is willing'; 'if it is the will of God' a geir yn y cyfieithiadau Saesneg.

Cadwodd yr ymadrodd ei ystyr dwys gwreiddiol yn ein defnydd cyffredin ohono.

Mi fyddaf acw'n pregethu eto ymhen blwyddyn. Ond yn yr oed yma, dwy a phedwar ugain, mae'n weddus iawn imi ychwanegu 'os Duw a'i myn'.

P

Pa fodd y cwympodd y cedyrn? Daeth y cwestiwn adnabyddus hwn o alarnad Dafydd i Saul a Jonathan: 'Pa fodd y cwympodd y cedyrn?' (2 Sam. 1: 19 HFC). Ochenaid o ofid a gawn yn y BCN: 'O fel y cwympodd y cedyrn!'. 'How are the men of war fallen!' (NEB). 'The bravest of our soldiers have fallen!' (GNB). 'And heroes, alas! fallen low' (Moffatt).

Mae'n hawdd deall sut y daeth yn gwestiwn na ellir ei anghofio wrth weld colli enwogion. Fel arfer, i fynegi ein gofid o'u colli y'i defnyddiwn. Fe'i gofynnwyd mewn gwir ofid a hiraeth yn ddiweddar wrth weld colli nifer o Gymry amlwg. Ond fe ofynnwn y cwestiwn yn achlysurol o gas yn ogystal ag o gariad, mewn rhyw fath o lawenydd yn ogystal ag mewn gofid. Fe'i gofynnwyd felly gan lawer yn Nhachwedd 1990, wedi cwymp Margaret Thatcher. Dyma'r cwestiwn hefyd pan syrth pobl amlwg mewn bywyd cyhoeddus neu fyd busnes o ganlyniad i dwyll neu gamymddwyn.

Pwy fuasai'n meddwl yntê? Harri Vaughan o bawb! 'Pa fodd y cwympodd y cedyrn?'.

Paradwys. Stad o wynfyd neu o ddedwyddwch llwyr. O'r Groeg 'paradeisos' y cawsom y gair ac wedi gwneud Cymro da ohono yn y ffurf 'paradwys'. Gair benthyg oedd hwn hyd yn oed i'r Groegwr hefyd. Fe'i cafodd o Bersia. Dyma'r gair a ddefnyddiai'r Persiaid am barciau a meysydd chwarae a phleserau brenhinoedd Persia.

Yn y cyfieithiad Groeg o'r HD mabwysiadwyd y gair 'paradwys' am Ardd Eden. Yn y TN ac yn oes yr Eglwys gynnar daeth yn air am y nefoedd, trigfan y gwynfydedig. Daeth dros wefusau Iesu ar y groes yn yr union ystyr hwnnw: 'Iesu, cofia fi pan ddoi i'th deyrnas,' medd un o'r ddau leidr. Meddai Iesu, 'Yn wir, 'rwy'n dweud wrthyt, heddiw byddi gyda mi ym Mharadwys' (Luc 23: 42, 43 BCN).

Ar wahân i ddod yn air am y byd a ddaw, magodd ystyr, naill ai fel enw neu ansoddair, am bob math o sefyllfaoedd braf a hyfryd.

'Fûm i 'rioed yng Nghyprus. Maen nhw'n deud i mi 'i fod o'n 'baradwys' o le. Mi fuom i yn Tenerife. Mae hwnnw'n lle reit 'baradwysaidd' hefyd. Ond dyna fo, pam mynd i ben-draw'r byd a digon o leoedd hyfryd a braf yng Nghymru? 'Doedd Môn yn 'baradwys' i Goronwy Owen:

'Goludog, ac ail Eden
Dy sut, neu "Baradwys" hen.'

Paratoi'r ffordd. Eseia a alwodd gyntaf am baratoi ffordd yr Arglwydd, galwad a atseiniwyd gan Ioan Fedyddiwr. 'Paratowch ffordd yr Arglwydd, gwnewch yn union ei lwybrau ef' (Math 3: 3 HFC. Es. 40: 3). 'Paratowch ffordd yr Arglwydd, unionwch y llwybrau iddo' (BCN). 'Prepare a way for the Lord, clear a straight path for him' (NEB).

Gynt, pan fyddai brenin neu lywodraethwr yn ymweld â chylch, gelwid ar bobl y cylch hwnnw i unioni ac i gymhennu'r ffyrdd ar ei gyfer. Dyna'r darlun tu ôl i alwad Eseia ac Ioan Fedyddiwr.

Darn o'r alwad, sef 'paratoi ffordd', sydd wedi cartrefu yn y Gymraeg. Yr un ystyr, yn wir, sydd i'r ymadrodd 'palmantu'r ffordd'. Mae'n golygu cymryd y camau angenrheidiol ar gyfer rhywbeth newydd, — ar gyfer unrhyw newid neu ddatblygiad.

Mae yna drafodaethau ar gerdded i gael gweinidogaeth bro yn y cylch acw. Ond hyd y gwela'i, mae 'na beth wmbreth o waith 'paratoi'r ffordd' cyn y daw hi.

Parhaed brawdgarwch. Dyma'r cyntaf o gynghorion ymarferol awdur y Llythyr at yr Hebreaid ym mhennod olaf ei lythyr: 'Parhaed brawdgarwch' (Heb. 13: 1 HFC). Nid yw'r BCN mor gryno a cheir adlais rywfodd o eiriau yn ein hanthem genedlaethol: 'bydded i frawdgarwch barhau'. 'Never cease to love your fellow-Christians' (NEB). 'Keep on loving one another as Christian brothers' (GNB).

'Let your brotherly love continue' (Moffatt). 'Never let your brotherly love fail' (JBP).

Weithiau'n ddwys, weithiau'n ysgafn, yw'n defnydd ni o'r anogaeth.

Cefais addewid bendant y byddai'r siwt yn barod ymhen y mis ar ôl imi fesur amdani. 'Doedd dim sôn amdani ymhen dau fis. Bu'n rhaid imi fynd i'r briodas hebddi. 'Roeddwn i'n bur siomedig a dig ar y pryd, ac wedi bwriadu rhoi tafod go lew i'r hen siopwr, a bygwth peidio mynd trwy'i ddrws byth mwy. Ond 'parhaed brawdgarwch' fuo hi yn y diwedd.

Pechod parod i amgylchu. Mae rhedeg gyrfa bywyd fel Cristion yn debyg i redeg ras mewn chwaraeon, medd y Llythyr at yr Hebreaid; rhaid taflu unrhyw bwysau ac unrhyw faich sy'n dal y rhedwr yn ôl. 'gan roi heibio bob pwys, a'r pechod sydd barod i'n hamgylchu . . . rhedwn yr yrfa a osodwyd o'n blaen ni' (Heb. 12: 1 HFC) . . . 'gadewch i ninnau . . . fwrw ymaith bob rhwystr, a'r pechod sy'n ein maglu mor rhwydd . . .' (BCN). 'We must throw off every encumbrance, every sin to which we cling' (NEB). 'Let us rid ourselves of everything that gets in the way, and of the sin which holds on to us so tightly' (GNB). 'We must strip off every handicap, strip off sin with its clinging folds' (Moffatt).

Y dywediad 'pechod parod i'n hamgylchu', sy'n grynhoad o'r geiriau 'a'r pechod sydd barod i'n hamgylchu', a ddefnyddiwn ni'n gyffredin. Yn ein defnydd cyffredin ohono ychydig o arlliw diwinyddol a rown i'r gair 'pechod', mwy nag i'r dywediad fel y cyfryw.

Mi welais yr esgob bore 'ma. Brensiach, mae o wedi pesgi ac wedi magu bol. Ond mi glywais ddeud bod hynny yn 'bechod parod i amgylchu' esgobion ac aelodau Tŷ'r Arglwyddi!

Pennod ac adnod. Yn ein hymwneud â'r Beibl, yn ddiamau, y cawsom 'y bennod a'r adnod' fel ymadrodd. Rhannwyd llyfrau'r Beibl, nid yn unig yn benodau, ond yn adnodau hefyd, a'r rheini, wrth gwrs, wedi eu rhifo. Wrth ddyfynnu o unrhyw un o lyfrau'r Beibl, gallwn gyfeirio at yr union bennod a'r union adnod yn y llyfr hwnnw.

Yng nghwrs amser daeth 'y bennod a'r adnod' yn ymadrodd cyfleus pan geisiwn roi ein hunion awdurdod dros wneud rhyw osodiad neu'i gilydd, ar lafar neu ar bapur.

Yn ystod ymgyrch etholiad cyffredinol 1992, gwadodd y Blaid Doriaidd y byddai'n estyn y dreth ar werth i unrhyw nwyddau ychwanegol. Os oes rhywun ohonoch chi yn amau hynny dyma'r 'bennod a'r adnod' i chi.

Pêr Ganiedydd. Gelwir Dafydd frenin unwaith yn 'peraidd ganiadydd Israel' (2 Sam. 23: 1 HFC). 'Canwr caneuon Israel' (BCN). 'The sweet Psalmist of Israel' (HFS). 'The singer of Israel's Psalms' (NEB). 'The composer of beautiful songs for Israel' (GNB). Mae'n amlwg ddigon mai am ei salmau y cafodd Dafydd y teitl 'peraidd ganiadydd Israel'. 'Does dim sicrwydd faint o salmau y gellir eu priodoli iddo. Rhaid cael lliw cyn llifo, a diau bod sail i'r traddodiad am Ddafydd fel salmydd.

Gair Groeg am gân a genir gyda'r delyn, neu unrhyw offeryn llinynnol arall, yw'r gair 'salm'. Dyna felly y traddodiad dwbl am Ddafydd y salmydd a Dafydd y telynor. Enw'r Beibl Hebraeg ar *Lyfr y Salmau* yw 'Caniadau Moliant'. Os felly, purion a phriodol iawn yw eu galw'n *emynau*. Gwelwn wedyn sut y cafodd William Williams, Pantycelyn ei deitl 'Pêr Ganiedydd Cymru', ac o ble y daeth y teitl.

Philistiaid. Cenedl neu hiliogaeth o bobl yn Philistia, ar y terfyn â gwlad Canaan, ac yn ddraen gyson yn ystlys yr Israeliaid, oedd y Philistiaid. Fe'u gorfodwyd i ildio tir i'r Israeliaid wrth i'r rheini wladychu yng ngwlad Canaan. Bu'n asgwrn cynnen am genedlaethau, yn union fel mae cymryd tiroedd y Palestiniaid gan yr Israeliaid heddiw. 'Does unlle'n y byd lle mae hanes yn ei ailadrodd ei hun yn fwy nag yn y Dwyrain Canol.

Daeth y gair Philistiaid yn enw ar bobl gul ac ystrydebol eu syniadau; pobl ddiddiwylliant, anwybodus, beth bynnag am fod yn anystywallt hefyd, a'u gwerthoedd yn gwbl faterol. Dyna'n union a gynrychiolai'r gair i Matthew Arnold. O'i weld yn ei gysylltiadau beiblaidd, daeth yn label ganddo ar bobl gyffredin (*bourgeois*) y 19eg ganrif. Nid amherthnasol chwaith yw'r defnydd a wna myfyrwyr yr Almaen o'r gair 'Philister' wrth gyfeirio at bobl y tu allan i'r Brifysgol. Ond peidied neb yng Nghymru â gweiddi chwaith. Bu'n ffasiynol yma i sôn am 'y Brifysgol a'r Werin'. Caed cyfres o lyfrau dan yr union enw hwnnw.

Mi glywais ddweud, yn gellweirus ac yn ddoniol iawn ac yn gwbl ddifalais, mai'r Israeliaid y gelwir preswylwyr y carafanau ar faes yr Eisteddfod Genedlaethol, ond mai'r 'Philistiaid' y gelwir trigolion y pebyll!

Plant y byd hwn. Yn Nameg y Goruchwyliwr Anghyfiawn y down ar draws 'plant y byd hwn'. Er mai aderyn brith oedd y goruchwyliwr, mae ei feistr yn fawr ei ganmoliaeth iddo am iddo lwyddo i weld ymhell, a gweithredu'n gyfrwysgall: 'oherwydd y mae plant y byd hwn yn gallach yn eu cenhedlaeth na phlant y goleuni' (Luc 16: 8 HFC). 'y mae meibion y byd hwn yn gallach na meibion y goleuni yn eu hymwneud â'u tebyg' (BCN). 'For the worldly are more astute than the other-worldly, in dealing with their own kind' (NEB). 'The people of this world are much more shrewd in handling their affairs than the people who belong to the light' (GNB).

Yn ôl pob golwg, mae gan Gristnogion lawer i'w ddysgu oddi wrth bobl y byd seciwlar mewn rhyw bethau. Dim ond 'plant y byd hwn' a ddefnyddiwn, fel rheol, yn ein siarad. Rhagdybir y gweddill.

Gwyn fyd na ddangosai'r eglwys yr un sêl genhadol â rhai o'r pleidiau gwleidyddol. Mae'n rhyfedd, a chwithig, bod yn rhaid i 'blant y byd hwn' ddangos y ffordd iddi.

Plygu gliniau i Baal. O hanes y gwrthdaro rhwng Elias a phroffwydi Baal y daeth 'plygu gliniau i Baal'. Wedi ymsefydlu yng Nghanaan, roedd yr Israeliaid yn esgud i wrando ar broffwydi Baal, a hyd yn oed i addoli eu duw hwy. Ond fel y dengys Elias, 'roedd yna weddill yn gwbl ffyddlon i Arglwydd Dduw Israel. 'Myfi a adawaf yn Israel saith o filoedd, y gliniau oll ni phlygasant i Baal, a phob genau ar nis cusanodd ef' (1 Bren. 19: 18 HFC). 'Ond gadawaf yn weddill yn Israel y saith mil sydd heb blygu glin i Baal, na'i gusanu' (BCN).

Trwy estyniad ystyr daeth 'plygu gliniau i Baal' i olygu ildio i ddrwg-ddylanwadau, ac i ni, yng Nghymru, ildio i ddylanwadau estron.

Mae lle i fod yn ddiolchgar am Gymdeithas yr Iaith a'r miloedd o'n hieuenctid sy'n gwrthod 'plygu eu gliniau i Baal'.

Pob copa walltog. Dichon y gall y Llyfr Gweddi Cymraeg hawlio rhan o'r credyd am yr ymadrodd 'pob copa walltog'. Fe'i ceir yn y LlGC yn 1567, yn yr un lle'n union ag ym Meibl 1588, sef yn Salm 68. Rhaid bod William Morgan yn ei weld yn cyfieithu'r gwreiddiol yn ddigon da ac wedi ei dderbyn yn ei grynswth o'r Sallwyr yn y LlGC. Dyma'r ymadrodd yn ei gysylltiadau yn yr HFC: 'Duw yn ddiau a archolla ben ei elynion; a choppa walltog yr hwn a rodio rhagddo yn ei gamweddau' (Salm 68: 21).

Yn ôl safonau Cymraeg diweddar mae'n rhaid defnyddio'r bensel goch ddwywaith yn yr adnod fel y'i ceir yn yr HFC. Cawn achos o gamsillafu efo dwy *'p'* yn copa, ac achos o gamdreiglo drwy roi *copa walltog* yn lle *copa gwalltog*. Gair gwrywaidd yw *copa*, fel ei holl gyfystyron, crib, pen, corun neu brig. Benthyciad yw'r gair 'copa' o'r Saesneg Canol, 'coppe', neu 'cop' yn golygu 'summit'. Hyd y gwn, y mae'n air go anarferedig yn Saesneg bellach. Ond, yn union fel aml i air arall o'r Saesneg Canol (y gair grôt o 'groat' e.e.), fe wnaed Cymro ohono, ac fe fu'n arferedig iawn yn y Gymraeg. Fodd bynnag, cywirwyd y ddau gamgymeriad yn y BCN: 'Yn wir, bydd Duw yn dryllio pennau ei elynion, *pob copa gwalltog*, pob un sy'n rhodio mewn euogrwydd'. Er hynny, mae'n siŵr gen i mai pob 'copa walltog' (nid gwalltog) sy'n debyg o aros ar dafod y Cymro. Mae wedi ymgartrefu ac ymsefydlu yn rhy gadarn yn yr iaith i'r tafod llafar ei newid.

Mae'n werth sylwi hefyd nad oedd yr ansoddair *pob* ddim yn yr HFC. Ond fel y gwelir, ymwthiodd i'r BCN: *pob copa gwalltog*. Hynny'n ddiau am mai fel 'na y defnyddir yr idiom ar lafar yn gyffredinol. Wrth gwrs ystyr yr idiom ydy *pawb* neu *pob un*. Er y byddai rhai am fanylu a thaeru nad yw *pawb* a *phob copa walltog* yn gyfystyr. Wedi'r cwbl mae yna sawl copa moel, di-wallt! Ond y cyngor mewn mater fel hyn yw: 'Paid â manylu, paid â manylu!' Wedi'r cwbl, *pob un* yw'r ystyr a fagodd yr ymadrodd ar ein gwefusau. Fel 'na y'i deallwn o'i glywed neu o'i ddarllen. Mi ddywedwn bethau fel 'roedd pob copa walltog o aelodau'r pwyllgor yn bresennol', yn golygu pob un o'r aelodau.

Carwn nodi un peth arall a'm gogleisiodd wrth ymdrin â'r ymadrodd 'pob copa walltog'. Ar gefndir ffasiynau gwallt dynion yn ddiweddar, doniol, os nad rhybuddiol, yw dau gyfieithiad i'r Saesneg o'r ymadrodd. Yn y NEB, cawn 'those . . . with their flowing locks', a chan Moffatt 'each long haired sinner!' Da a fyddai i rai ohonom edrych yn y drych!

'Ryden ni wedi cael noson dda, noson i'w chofio. Y doniau 'ma ar eu huchelfannau. Rwy'n siŵr y bydd 'pob copa walltog' ohonon ni'n mynd o'ma â'n cwpan yn llawn.

Pob perchen anadl. Yn addas dros ben, daw Llyfr y Salmau i ben â'r anogaeth, 'Pob perchen anadl, molianned yr Arglwydd' (Salm 150: 6 HFC). 'Bydded i bopeth byw foliannu'r Arglwydd' (BCN). 'Let everything that has breath praise the Lord' (HFS, NEB). 'Praise the Lord, all living creatures' (GNB). 'Let everything that breathes praise the Eternal' (Moffatt).

Mae'n amlwg mai 'popeth byw' (BCN) yw ystyr 'pob perchen anadl', er mai am *'pawb byw'* ac nid am 'bopeth byw' y meddyliais i erioed wrth ddefnyddio 'pob perchen anadl': am greaduriaid dynol ac nid am greaduriaid byw yn gyffredinol. Yr ystyr mwy cyfyng, o *'pawb byw'*, a roes Ieuan Glan Geirionydd i'r ymadrodd yn ei gyfieithiad o emyn Perronet. 'Fyddai'r gwreiddiol ddim yn caniatáu ystyr ehangach.

> Let every tongue and every tribe,
> On this terestrial ball, (LLEM. Adran Saesneg 3)
>
> *'Pob perchen anadl',* ym mhob man,
> Dan gwmpas haul y nen (LLEM 7)

Yn ôl pob sôn, y mae cynhyrchu arfau niwcliar yn prysur fynd ar gynnydd o wlad i wlad. Mae'n hen bryd i 'bob perchen anadl' godi dani a phrotestio.

Porfa fras. Daeth yr ymadrodd 'porfa fras' o un o berlau llenyddol y Beibl, sef Salm 23. 'Porfeydd gwelltog' sydd yn yr HFC a 'porfeydd breision' yn y BCN. 'Green pastures' sydd yn yr HFS a'r NEB, er bod 'pastures of tender grass' yn y GNB, a 'meadows green' gan Moffatt. O'u cymryd efo'i gilydd cawn syniad am borfa dda, doreithiog, ddanteithiol.

Yn yr unigol, porfa fras, y defnyddiwn ni'r ymadrodd yn gyffredin. Yn yr unigol y mae hefyd gan Edmwnd Prys yn y Salm a'r gân:

> Gorwedd a gaf mewn 'porfa fras',
> Ar lan dwfr gloywlas araf (LLEM 473)

Yn drosiadol daeth i gynrychioli i ni le da (yn faterol) neu gyflwr da, ffyniannus.

Mae hwn-a-hwn yn dal pedair swydd ran amser sy'n cario cyflogau mawr. Mae o mewn 'porfa fras' iawn, 'ddwedwn i.

Profwch bob peth: deliwch yr hyn sydd dda. Dyma un o gynghorion Paul i'r Cristnogion yn Thesalonica ar ddiwedd ei lythyr cyntaf atyn nhw. Wedi eu cynghori i fod yn llawen bob amser, i weddïo'n ddibaid, i fod yn ddiolchgar, i beidio â diffodd yr ysbryd, ac i beidio â dirmygu pregethu, meddai Paul, 'Ond rhowch brawf ar bob peth, a glynwch wrth yr hyn sydd dda' (1 Thes. 5: 21 BCN). 'Test everything, hold fast to the fine thing' (WB). '. . . bring them all to the test and then keep what is good in them' (NEB). 'Put all things to the test; keep what is good . . .' (GNB). Erfyn ar y Thesaloniaid y mae Paul i wneud Crist yn faen prawf pob peth.

Ystyr braidd yn ysgafn ac estynedig iawn a rown ni i'r geiriau o'u harfer.

Mi fydda' i'n prynu ac yn darllen llyfrau o bob math; llyfrau ar ddiwinyddiaeth ac athroniaeth; llyfrau o farddoniaeth a rhyddiaith, a nofelau trwm ac ysgafn. 'Fydda'i ddim yn eu cadw i gyd o lawer. Rŵan ac yn y man mi fydda' i'n madael â swp ohonyn nhw. Polisi o 'brofi pob peth ond dal ar yr hyn sydd dda' yw fy mholisi i efo llyfrau.

Proffwyd heb anrhydedd. Lle anodd i bregethwr yw eglwys ei fagwraeth. Lle anodd fu'r synagog yn Nasareth, yn mro ei faboed, i Iesu Grist. Cafodd gynulleidfa wirioneddol galed a gelyniaethus yno. 'Pwy mae hwn yn meddwl ydy o?' 'Pwy ydy hwn i'n dysgu ni sut i fyw?' 'Dydy o'n neb ond mab Joseff y saer coed.' Dyna'r math o siarad. 'A hwy a rwystrwyd ynddo ef' (Math. 13: 57 HFC). 'Yr oedd yn peri tramgwydd iddynt' (BCN). 'They fell foul of him' (NEB). 'So they rejected him' (GNB). 'So they were repelled by him' (Moffatt). Mewn ymateb i'r elyniaeth, meddai Iesu, 'Nid yw proffwyd heb anrhydedd, ond yn ei wlad ei hun, ac yn ei dŷ ei hun' (Math. 13: 57 HFC).

Dweud rhywbeth sy'n fythol wir. Dyna fel y mae hi mor aml. Daw'r geiriau ar unwaith i'n meddyliau o gofio am rywun sydd wedi gwneud yn dda mewn rhyw faes neu'i gilydd, ond na werthfawrogir mohono yn ei fro, a chan ei bobl, ei hun.

'Rydw i'n methu deall. Mae David Tynbryn 'ma yn bregethwr campus ac yn gwneud gweinidog penigamp. Ac eto, chafodd o 'rioed wahoddiad i bregethu yng Nghyfarfod Pregethu yr eglwys lle magwyd o. Ond felna mae hi'n aml. 'Does i broffwyd ddim 'anrhydedd yn ei wlad ei hun'.

(Y) Pwll diwaelod. Mae'n weddol sicr mai o Lyfr y Datguddiad y daeth 'y pwll diwaelod', ac o bennod ryfedd y mil blynyddoedd. 'Pydew diwaelod' yw'r ffurf yn yr HFC ac yn y BCN. 'Gwelais angel yn disgyn o'r nef a chanddo yn ei law allwedd y pydew diwaelod' (Dat. 20: 1 BCN). Cawn 'bottomless pit' yn yr HFS, ond 'abyss' yn y cyfieithiadau diweddar. Ar lafar, aeth 'pydew diwaelod' yn 'pwll diwaelod'. Dyna'r ffurf sy'n debyg o lynu.

Yn y syniad hwn, ceudwll yng nghrombil eithaf y ddaear yw'r pwll diwaelod. Yno, ar dro, yr âi pechaduriaid gwaeth na'i gilydd i ddisgwyl eu penyd. Ond, yn fwy na dim, yno y carcherid y diafol am fil o flynyddoedd, yn ôl y Datguddiad.

Daeth yn ymadrodd lliwgar i gyfleu ambell i gyflwr ac ambell i sefyllfa. Ambell un â dim digon o fwyd i'w gael iddo fo, mae hwnnw fel pwll diwaelod. Does dim sicrwydd ai am y rheswm hwn, ai ynteu fel Canghellor y Trysorlys, y bedyddiwyd William Pitt yn 'Bottomless Pitt'! Ambell i fudiad wedyn yn casglu arian yn barhaus. Mae hwnnw fel pwll diwaelod.

Mae 'na gostau wedi bod ar y capel acw na fuo rioed y fath beth. Isio pres yn ddiddiwedd at rywbeth neu'i gilydd. Mae o fel 'pwll diwaelod'.

Pwys a gwres y dydd. Mae'n syndod cymaint o'r ymadroddion Beiblaidd, yn y Gymraeg, sydd wedi dod o ddamhegion Iesu. Dyma un arall. Daw 'pwys a gwres y dydd' o Ddameg y Gweithwyr yn y Winllan. Grwgnach y mae'r gweithwyr a fu'n gweithio drwy'r dydd, bod un a gyflogwyd am awr yn unig yn cael yr un cyflog â hwythau. Dyma eu cŵyn — 'gwnaethost hwynt yn gystal â ninnau y rhai a ddygasom bwys y dydd a'r gwres' (Math. 20: 12 HFC). 'Gwnaethost hwy'n gyfartal â ni, sydd wedi llafurio dryw'r dydd yn y gwres tanbaid' (BCN). 'You have put them on a level with us, who have sweated the whole day long in the blazing sun' (NEB).

Daeth 'pwys y dydd a'r gwres' yn 'pwys a gwres y dydd' yn ein defnydd trosiadol ni o'r ymadrodd. Fel rheol, y mae'n cynrychioli pen trymaf baich, neu'r darn caletaf o orchwyl neu dasg.

Mae'r busnes anrhydeddau brenhinol 'ma wedi mynd yn ffars. Cadeirydd rhan amser y Bwrdd Canolog, a hynny ar gyflog anferth, yn cael ei anrhydeddu, er mai'r gweithwyr amser llawn yn y pwerdai a'r atomfeydd sydd wedi dwyn 'pwys a gwres y dydd'.

RH

Rhai esmwyth arnynt yn Seion. Fel proffwyd cyfiawnder mae'r chwip allan gan Amos wrth annerch y rhai goludog bodlon, y rhai cysurus, moethus eu byd. 'Gwae y rhai esmwyth arnynt yn Sïon' (Amos 6: 1 HFC). 'Gwae y rhai sydd mewn esmwythyd yn Seion,' medd y BCN. 'Shame on you who live at ease in Zion' sydd gan y NEB. A chan y GNB, 'How terrible it will be for you that have such an easy life in Zion.'

Gwelais yn rhywle fod y Saeson yn defnyddio 'at ease in Zion' am y cyfoethog segur: 'the idle rich'. Hyd y gwn ni wneir y math hwnnw o ddefnydd yn Gymraeg. Yng nghyd-destun crefydd ac eglwys y daw'r ymadrodd yn un byw i ni.

''Rydw i'n teimlo ein bod yn mynd yn debycach a thebycach i eglwys Laodicea o hyd, heb fod ''yn frwd nac yn oer''. Rhaid inni gofio rhybudd y proffwyd: ''Gwae y rhai esmwyth arnynt yn Seion''.'

Rhedeg yr yrfa. Y chwaraeon Groegaidd yw cefndir yr ymadrodd, 'rhedeg yr yrfa'. 'Ras' yw un o ystyron y gair 'gyrfa'. Dyma ddameg awdur y 'Llythyr at yr Hebreaid' wrth annog y Cristnogion Iddewig i redeg gyrfa'r ffydd Gristnogol. 'Trwy amynedd rhedwn yr yrfa a osodwyd o'n blaen (Heb. 12: 1 HFC); '. . . a rhedeg yr yrfa sydd o'n blaen heb ddiffygio' (BCN); 'and run with resolution the race for which we have entered' (NEB); 'and let us run with determination the race that lies before us' (GNB); 'to run our appointed course with steadiness' (Moffatt).

Mae 'gyrfa' yn air am rawd neu daith ac yn y cylchoedd crefyddol yn air am y daith drwy'r byd. Dyna emyn David Charles:

O fryniau Caersalem ceir gweled
Holl daith yr anialwch i gyd;
Pryd hyn y daw troeon yr *yrfa*
Yn felys i lanw ein bryd. (LLEM 701)

neu emyn J. T. Job:

Ar *yrfa* bywyd yn y byd,
A'i throeon enbyd hi— (LLEM 447)

'mi a orffenais fy *ngyrfa*' (2 Tim. 4: 7 HFC); 'Yr wyf wedi rhedeg yr *yrfa* i'r pen' (BCN).

Cyd-destun amlaf yr ymadrodd 'rhedeg yr yrfa' yw mewn teyrnged i rywrai neu'i gilydd sydd wedi byw bywyd union a chadw'u ffydd i'r diwedd.

Dyn rhagorol oedd Jâms Ifans, dyn gwastad a chadarn. Simsanodd o 'rioed fel Cristion er i droeon yr yrfa fod yn anodd ar brydiau. 'Mi redodd yr yrfa' i'r pen.

(Y) Rheol euraid. Dyma'r 'rheol euraid' fel y'i mynegwyd gan Iesu Grist: 'Pa beth bynnag y dymunwch i ddynion ei wneud i chwi', gwnewch chwithau felly iddynt hwy; hyn yw'r gyfraith a'r proffwydi' (Math. 7: 12 BCN).

Wrth gwrs, dydy'r ymadrodd 'rheol euraid' ddim yn yr ysgrythur, ond o'r ysgrythur y tarddodd. Fe'i defnyddiwn yn fynych gan roi gorwelion eithaf eang iddo.

Yn y côd carafanio mae'r carafaniwr i gadw ei lecyn yn lân ac yn gymen, a'i adael cyn laned neu'n lanach nag y'i cafodd. Dyma 'reol euraid' carafanio.

Rhoi ar ben y ffordd. Dyma adlais, yn sicr, o'r anogaeth yn Llyfr y Diarhebion: 'Hyfforddia blentyn ym mhen ei ffordd; a phan heneiddio nid ymedy â hi' (Diar. 22: 6 HFC). 'Ffordd' yw bôn y ferf 'hyfforddi' sy'n golygu dysgu, cyfarwyddo neu arwain. Yn wir, y ffurfiau 'fforddio' a 'fforddi', heb y rhagddodiad 'hy' cryfhaol, a gawn lawer iawn yn y Beibl. 'Yr Arglwydd a "fforddia" gerddediad gŵr da; a da fydd ganddo ei ffordd ef' (Salm 37: 23 HFC); 'Yr Arglwydd sy'n cyfeirio camau gŵr, y mae'n ymddiddori yn ei holl gerddediad' (BCN). Dangos y ffordd drwy ryw faes neu'i gilydd yw 'hyfforddi';

rhoi arweiniad neu gyfarwyddyd i rywun. Dyna anogaeth Llyfr y Diarhebion, anogaeth i ddangos y ffordd drwy fywyd, i roi cyfeiriad mewn bywyd i blant ifanc mewn oed ffurfiannol.

Mae 'rhoi ar ben y ffordd' yn ymadrodd â llawer o ddefnyddio arno. Ystyr trosiadol sydd iddo yn y Beibl ac ystyr felly sydd iddo i ninnau.

'Roeddwn i'n medru gwneud rhyw bethau y mae crefft ynglŷn â nhw, fel 'redig a thoi tas, cyn troi allan i weini; fy nhad wedi fy 'rhoi ar ben y ffordd'.

Rhoi cyfrif o oruchwyliaeth. Dyn dan feistr yn rhoi adroddiad am ei waith fel gwas yw dyn yn 'rhoi cyfrif am ei oruchwyliaeth'. Daeth inni o ddameg y goruchwyliwr anghyfiawn. Mae'r meistr yn galw'r goruchwyliwr ato ac yn dweud wrtho: 'Dyro gyfrif o'th oruchwyliaeth' (Luc 16: 2 HFC). 'Dyro imi gyfrifon dy oruchwyliaeth' sydd yn y BCN. Stiward yw goruchwyliwr. 'Give an account of thy stewardship' sydd gan yr HFS; 'produce your accounts' gan y NEB; 'hand in a complete account of your handling of my property' gan y GNB, a 'hand in your accounts' gan Moffatt.

Arwyddocâd ariannol, mae'n amlwg, sydd i'r dywediad 'rhoi cyfrif o oruchwyliaeth' yn y ddameg. Ond yn y Gymraeg bu'n ffordd hwylus o sôn am unrhyw un mewn unrhyw swydd neu safle o ymddiriedaeth sy'n gorfod rhoi adroddiad am ei waith.

'Doedd y gweinidog ddim wedi sôn am dderbyn plant yr eglwys yn aelodau yng nghorff y pedair blynedd diwetha'. Bu'n rhaid iddo 'roi cyfrif o'i oruchwyliaeth' yn y cyfarfod swyddogion y noson o'r blaen.

Rhoi i fyny'r ysbryd. Unwaith yn unig y cawn 'rhoi i fyny'r ysbryd' yn y Beibl, a hynny yn nisgrifiad Ioan o farwolaeth Iesu Grist. '. . . efe a ddywedodd, Gorffennwyd; a chan ogwyddo ei ben, efe "a roddes i fyny yr ysbryd".' (Ioan 19: 30 HFC). Yn yr un cyd-destun ym Mathew a Marc, 'a ymadawodd â'r ysbryd' a roir (Math. 27: 50; Marc 15: 37 HFC). Mae'r BCN wedi cadw at 'rhoi i fyny ei ysbryd' yn Ioan, ond wedi rhoi 'bu farw' yn Mathew a Marc. 'He bowed his head and died' (GNB); 'He bowed his head and gave up his spirit' (NEB); 'His head fell forward and he died' (JBP); 'He bowed his head and gave up his spirit' (Moffatt).

Ymadrodd hollol Iddewig am farw yw 'rhoi i fyny'r ysbryd', yn union fel ei gymar cytras 'ymadael â'r ysbryd'. Er inni ei gael o gysylltiadau mor gysegredig, ac er ein bod yn dal i'w ddefnyddio yn ei ystyr wreiddiol o 'farw', mae'n defnydd estynedig cyffredin ni ohono yn llawer llai dwys a difrifol.

'Roedd Trebor wedi meddwl ymladd am sedd ar y Cyngor Sir, ond pan ddaeth hi'n amser cyflwyno'r enwau a gweld pwy arall oedd yn y ras, 'rhoi i fyny'r ysbryd' wnaeth o.

Mi fu'r hen A30 yn ardderchog o gar i mi. 'Chefais i rioed gar mwy didrafferth. Ond wedi mynd yn erbyn y goeden 'na, 'rhoi i fyny'r ysbryd' sy' raid iddo yntau.

Rhoi llaw ar yr aradr. Mae'r geiriau hyn yn ffurfio rhan o siars Iesu Grist i ddyn a oedd yn ei chael yn anodd i'w ddilyn, heb yn gyntaf ffarwelio â'i rieni gartref. Luc a recordiodd ei eiriau inni: 'Nid yw'r sawl a osododd ei law ar yr aradr, ac sy'n edrych yn ôl, yn addas i deyrnas Dduw' (Luc 9: 62 BCN). Fel y mae'r sawl sy'n rhoi ei law ar yr aradr yn gorfod rhoi ei holl feddwl ar y gŵys y mae'n ei thorri, felly hefyd gyda dilyn Crist. Rhaid cymryd y peth o ddifri, rhaid rhoi yr holl feddwl, a'r holl fryd, ar ei ddilyn os am wneud hynny'n iawn.

Mewn ystyr estynedig daeth yr ymadrodd i olygu ymgymryd â rhyw waith neu orchwyl neu'i gilydd sy'n hawlio bod dyn yn rhoi ei holl feddwl arno, yn canolbwyntio arno heb gloffi rhwng dau feddwl o gwbl. Sawl gwaith y'i defnyddiwyd wrth gynghori mab neu ferch yn cychwyn ar yrfa mewn coleg neu rywle arall?

'Rwyt ti heddiw'n 'rhoi dy law ar yr aradr'. Gwna d'orau, i ti fedru tynnu'r gŵys i'r pen.

Rhoi llinyn mesur. Yn llythrennol, y ffon neu'r tâp a ddefnyddir gan saer coed neu deiliwr yw 'llinyn mesur'. Ceir sawl enw yn Saesneg arno: 'measuring rod; measuring rule; measuring line; measuring tape, tape measure.' O angenrheidrwydd 'roedd y term yn bod mewn rhyw ffurf neu'i gilydd yn Gymraeg cyn cyfieithu'r Beibl i'n hiaith. Bu dyn yn mesur pethau erioed. Mae'n anodd meddwl am ddyn mor gyntefig fel nad oedd yn rhaid iddo fesur rhyw bethau. Boed fel y bo am hynny, blas y Beibl sydd ar y defnydd trosiadol a wnawn ni o'r ymadrodd 'rhoi llinyn mesur'. Down ar ei draws deirgwaith yn yr HD (Job 38: 5; Jer. 31: 39; Sach. 2: 1).

Golyga safon o farnu, neu safon i farnu oddi wrthi. Mae'n debyg o ran ystyr i 'maen prawf'. Mi soniwn am roi neu am osod 'llinyn mesur' ar bobl ac ar bethau. Caiff person go feirniadol ei ddisgrifio fel un y mae'n rhaid iddo 'gael gosod ei linyn mesur ar rywun neu'i gilydd byth a hefyd.' Beirniadu rhywun wrth ryw safonau, a'r rheini'n rhai digon mympwyol fel arfer. Mewn rhai ardaloedd yng Nghymru cyfeirir at berson felly, fel 'un sy'n gosod 'i lathen ar rywun yn barhaus'.

Un 'llinyn mesur' sydd gan y llywodraeth bresennol i fesur llwyddiant y gwasanaethau cyhoeddus; faint o elw maen nhw'n ei wneud. (Gw. *Maen prawf*).

Rhwng Pihahiroth a Baal-seffon. Dau le yn agos i gwr gogleddol culfor Suez oedd Pihahiroth a Baal-seffon. Rhwng y ddau le y gwersyllodd yr Israeliaid cyn croesi'r Môr Coch, wrth adael yr Aifft. Ond yno hefyd y'u cornelwyd gan Pharo a'i fyddin. 'Aeth yr Eifftiaid ar eu hôl . . . a'u goddiweddyd tra oeddent yn gwersyllu wrth y môr gerllaw Pihahiroth gyferbyn â Baal-seffon' (Ecs. 14: 9 BCN). Dyma argyfwng o'r iawn ryw, a 'chyfyngder eithaf caled', chwedl Pantycelyn, a wnaeth ddefnydd cofiadwy iawn o'r ymadrodd mewn pennill o emyn:

> 'Rhwng Pihairoth a Balsephon,'
> Tra bwyf byw, mi gofia'r lle,
> Mewn cyfyngder eithaf caled,
> Gwaeddodd f'enaid tua'r ne.' 'Môr o Wydr' 338.

Diau i emyn y Pêr Ganiedydd helpu i wneud argyfwng yr Israeliaid yn ddarlun o gyfyngderau bywyd yn ein siarad. Bod 'rhwng Pihahiroth a Baal-seffon' i ni yw bod rhwng dau anhawster, neu rhwng dau fygythiad mewn argyfwng.

Mi benderfynais gymryd llwybr y clogwyn i fynd adre. Y peth nesa' welwn i oedd tarw yn rhuthro amdana'i. Wyddwn i ddim beth i'w wneud; dibyn erchyll un ochr, a tharw cynddeiriog yr ochr arall. Dyna beth oedd bod 'rhwng Pihahiroth a Baal-seffon' mewn gwirionedd.

Rhyngu bodd. Yn ôl Mynegair Ysgrythurol Owen Jones, ac un Peter Williams, o ran hynny, mae'r ffurf ymadrodd 'rhyngu bodd' 22 o weithiau yn y Beibl. Dyma un enghraifft o'r ymadrodd ar waith: 'Oblegid rhyngodd bodd i'r Tad drigo o bob cyflawnder ynddo ef' (Col. 1: 19 HFC). 'Gwelodd Duw yn dda' a rydd y BCN am 'rhyngu bodd'. Ac wrth gwrs, y mae 'gweld yn dda' yn un ystyr i'r ymadrodd. (Cymharer 'os gwelwch yn dda'). Ond mae 'plesio' yn ystyr arall iddo. Yn yr HFC ceir 'A ydwyf fi yn ceisio *rhyngu bodd* dynion?' (Gal. 1: 10). Ond meddai'r BCN, 'Ai ceisio plesio dynion yr wyf?'

Er fod yr ymadrodd 'rhyngu bodd' yn swnio dipyn yn hen ffasiwn erbyn hyn, daliwn i'w roi ar waith, a hynny'n fwyaf neilltuol, hwyrach, yn y cylchoedd crefyddol, ac yn arbennig mewn gweddïau.

'Boed i bob peth a ddywedir ac a wneir yn yr oedfa hon "ryngu dy fodd".'

S

Samariad Trugarog. Pwy ymhlith Cristnogion, o leiaf, na ŵyr stori'r Samariad Trugarog? Un o straeon byrion enwoca'r byd, yn sicr. Ei byrdwn yw gwerth cymdogaeth dda, rhywbeth sydd wrth galon Cristnogaeth. Am y math o dosturi ymarferol a ddarlunnir yn y ddameg y daliwn ninnau i arfer y disgrifiad, 'Samariad', neu 'Samariad Trugarog'. Gall y Samariad fod o unrhyw genedl neu grefydd tra bo'r hyn a wna yn nhraddodiad y Samariad gwreiddiol yn y ddameg. Galwyd mudiad sy'n gwneud gwaith ardderchog yn ein blynyddoedd ni yn 'Fudiad y Samariaid'.

'Ddoe, fe aeth yr hen hogan fach 'ma ar goll. Methu'n lân â dod o hyd iddi yn unlle. Roeddwn i wedi cythryblu'n lân, yn methu gwybod ble i droi. Ond fe ddaeth rhyw ŵr diarth heibio a deall bod rhywbeth o le. Aeth yn syth at lan yr afon a'i chael yn fan'no. Roedd o'n ddyn hollol ddiarth i mi, ond "Samariad Trugarog", heb os.'

Samson. Y barnwr anhygoel ei gryfder a fradychwyd gan ei wraig Delila (Barn. pen. 13-16). Ei gryfder a'i henwogodd. O ran ei orchestion y mae'n cyfateb i Hercules y Groegiaid. Daeth nerth Samson yn ddihareb. I ni mae pob dyn sy'n ddiamheuol gryf fel Samson neu fel ceffyl!

'Brensiach, mae Twm Tynymynydd yn hen stwcyn cry'! Mi gwelais o'n codi dau hanner cant, un ym mhob llaw, fel pa bai'n codi dau ŵy iâr. Mae o fel 'Samson'.

Sanhedrin. Y 'Sanhedrin' oedd y prif Gyngor Iddewig, a'r llys barn uchaf (uchel-lys), yn amser y TN. Annelwig braidd yw ei darddiad, ond mae'n bur amlwg ei fod mewn bodolaeth cyn cyfnod y Rhufeiniaid, a bod iddo le amlwg yng ngweinyddiad llywodraeth Palesteina. 'Roedd holl faterion crefyddol yr Iddewon yn gyfrifoldeb iddo; casglai drethi a gweithredai fel llys sifil i Jeriwsalem. Dyma'r llys, wrth gwrs, a ddedfrydodd Iesu Grist i farwolaeth. Perthynai iddo ddeg a thrigain o aelodau. Yn yr HFC, y 'Cyngor' yw'r enw arno. Sanhedrin, fodd bynnag, a rydd y BCN.

Yr ychydig ddefnydd a wnawn ni o'r gair, yn y cylchoedd crefyddol y mae hynny.

'Mi driais fy ngora' i gael gan y blaenoriaid yn Soar acw symud amser oedfa'r nos o chwech i bump. Ond codi'u dwylo fel un yn erbyn a wnaeth y "Sanhedrin".'

(Y) Sawl sydd ddim efo ni yn ein herbyn. Un o ddywediadau mwyaf adnabyddus Iesu Grist. Wedi llorio'r Phariseaid, pan ddywedodd rhai ohonyn nhw ei fod yn bwrw allan gythreuliaid drwy Beelsebub, pennaeth y cythreuliaid, meddai Iesu, 'Os nad yw dyn gyda mi, yn f'erbyn y mae' (Luc 11: 23 BCN). 'He who is not with me is against me' (NEB); 'Anyone who is not for me is really against me' (GNB).

Yn yr ystyr sydd i'r geiriau yn eu cyd-destun gwreiddiol y defnyddiwn ninnau nhw. Nid dieithr o lawer i'r pleidiau gwleidyddol yw'r geiriau, yn enwedig wrth roi cyfarwyddyd i ganfaswyr adeg etholiad.

'Os nad ydy pobl yn addo eu cefnogaeth yn bur groyw, gallwn gymryd yn ganiataol nad ydyn nhw ddim efo ni. Os nad ydyn nhw efo ni, yna "yn ein herbyn" ni y mae'n rhaid eu cyfri nhw!'

Sefyll yn yr adwy. Rhyw deirgwaith y ceir 'sefyll yn yr adwy' yn y Beibl (Esec. 13: 5; Esec. 22: 30; Salm 106: 23). Yn y BCN cawn y gair *bwlch* yn lle'r gair *adwy*. Bwlch mewn clawdd neu wrych yw ystyr cyffredin y gair *adwy*. 'Llwm yw'r ŷd lle mae'r adwy,' medd Edmwnd Prys, gan awgrymu canlyniadau colledus adwy (bwlch) mewn clawdd. Mae'r naill air a'r llall, fodd bynnag, mor arferedig â'i gilydd ar dafod Cymro. Gellid yn hawdd ddweud mai adwy mewn clawdd neu wrych yw bwlch! Mae'r ddau yn amlwg yn gyfystyr gan Saunders Lewis yn araith Emrys Wledig yn *Buchedd Garmon.* 'Deuwch ataf i'r adwy/Sefwch gyda mi yn y bwlch'. Yn yr hen Feibl Saesneg 'stand in the gap' a geir, ac yn y NEB 'stand in the breach'. Rhydd Moffatt 'man the breach'. Yn fwy cwmpasog, ond yn graffig o ddisgrifiadol, 'guard the places where the walls have crumbled' sydd gan y GNB. Sefyllfa o *argyfwng* yw cefndir yr ymadrodd. *Argyfwng* o ryw fath yw ei gynefin. Yno y mae yn ei rym. Argyfwng cenedlaethol-crefyddol yw ei gartref gwreiddiol yn hanes Israel. Wrth feddwl am argyfwng ei genedl y defnyddir yr ymadrodd gan Saunders Lewis. A dyna, yn wir, ei le a'i ystyr o hyd: bod o gymorth mewn argyfwng yw 'sefyll yn yr adwy', dod rhwng rhywun neu rywbeth a pherygl. Pa alwad sy'n daerach arnom fel Cymry heddiw yn ein hargyfwng iaith a'n hunaniaeth nag am inni 'sefyll yn yr adwy'?

'Chyrhaeddodd y pregethwr ddim bore ddoe am ryw reswm. Rhaid bod rhyw ddryswch yn rhywle. Wrth lwc roedd yr athro gartre i fwrw'r Sul, ac mi 'safodd o yn yr adwy'.

Sodom. Diarhebol am eu drygioni a'u hanniweirdeb oedd Sodom a Gomorra. Er fod y ddau le yn cael eu cyplysu fel dau efell yn ein meddyliau, fel y gwneir dro ar ôl tro yn y Beibl, Sodom sydd wedi mynnu aros yn symbol o anlladrwydd. Dichon bod hynny oherwydd yr hyn a ddywedir am Sodom yn Genesis: 'Yr oedd gwŷr Sodom yn ddrygionus, yn pechu'n fawr yn erbyn yr Arglwydd' (Gen. 13: 13 HFC). Gan mor ddiarhebol oedd drygioni Sodom a Gomorra fe'u defnyddir sawl gwaith yn y Beibl fel rhybudd yn erbyn drygioni. Daw geiriau rhybuddiol Iesu Grist i'r cof: 'Gwae di, Chorasin! Gwae di, Bethsaida! . . . rwy'n dweud wrthych y caiff tir Sodom lai i'w ddioddef yn Nydd y Farn na thi' (Math. 11: 21, 24 BCN). Deil Sodom yn label hwylus i'w roi ar ambell i le neu sefyllfa waeth na'i gilydd mewn moesau.

'Mae Llanllwgu yn ddigon drwg, Duw a'i helpo. Ond mae Llanllanast yn "Sodom" o le.'

'Edrych i "Sodom" a wna dyn, oni bydd ganddo rywle gwell i edrych iddo' (Kate Roberts, 'Newid Byd').

Swmbwl yn y cnawd. Paul a boenid gan 'swmbwl yn y cnawd' —rhyw wendid corfforol neu feddyliol nad oes neb, er pob dyfalu, yn sicr beth oedd. Ond mae'n ymddangos i'r Apostol fethu â chael gwared â'r gwendid, ac iddo ddysgu ei dderbyn a byw efo fo. 'Rhag imi ymddyrchafu o achos rhyfeddod y pethau a ddatguddiwyd imi, rhoddwyd "draenen yn fy nghnawd", cennad oddi wrth Satan, i'm poeni, rhag imi ymddyrchafu' (2 Cor. 12: 7 BCN); 'Swmbwl yn fy nghawd' sydd yn yr HFC; 'A sharp physical pain' (NEB); 'A painful physical ailment' (CNB); 'Thorn in the flesh' (HFS a Moffat). 'Swmbwl' oedd y ffon flaenfain a ddefnyddid wrth aredig ag ychen i 'sbarduno'r anifeiliaid yn eu blaenau. O 'swmbwl' y daeth 'symbylu', yn union fel y daeth "sbarduno' o 'sbardun'. Dichon mai'r tir âr yw'r darlun tu ôl i eiriau Paul. Neu gall fod yn 'ddraenen'. Onid ymadrodd yn codi o'r un sefyllfa yw 'draen yn f'ystlys'? Fodd bynnag, 'swmbwl yn y cnawd' yn hytrach na 'draenen yn y cnawd' sy'n debyg o aros yn y Gymraeg lafar.

Daeth yn ymadrodd am unrhyw beth sy'n achos blinder dibaid, rhywbeth neu rywun sy'n fwrn ac yn niwsans.

'Gyda'i fod wedi symud i'r Bryn i fyw, dyna'r creadur gwirion yn mynnu nad oedd llwybr cyhoeddus heibio i dalcen ei dŷ. Mae o wedi bod yn 'swmbwl yn fy nghnawd' o'r dechrau. Ond ddoe yn y llys, diolch byth, fe'i rhoed yn ei le, ac fe dynnwyd 'draen o f'ystlys' innau. (Gw. Draen yn f'ystlys.)

Sŵn ym mrig y morwydd. O stori am Ddafydd Frenin, ar orchymyn Duw, yn ymosod ar y Philistiaid, y daeth y dywediad. Yr oedd i wneud yr ymosodiad 'gyferbyn â'r morwydd' (*mulberry trees*). Y gorchymyn i Ddafydd oedd, 'Yna pan glywi sŵn cerdded ym mrig y morwydd, dos yn dy flaen, oherwydd yr adeg honno bydd yr Arglwydd yn mynd allan o'th flaen i daro gwersyll y Philistiaid' (2 Sam. 5: 24 BCN). Gwnaeth Dafydd yn union felly a choncro'r Philistiaid.

'Trwst cerddediad' a gawn yn yr hen Feibl lle mae 'sŵn cerdded' yn y Newydd. Mae'n werth sylwi bod *cerdded* (cerddediad) wedi diflannu o'r dywediad yn y defnydd cyffredin ohono. Am *sŵn ym mrig y morwydd* y soniwn ac nid am *sŵn cerdded ym mrig y morwydd.* Awgrym credadwy R. E. Jones yn ei ALIC yw mai emyn David Humphreys,

Llanrhaeadr-ym-Mochnant (1813-1863) a'i poblogeiddiodd yn y ffurf hon:

'Clywir "sŵn ym mrig y morwydd",
Deulu Seion, ymgryfhewch' (720 LLEM.)

Arwyddion pethau mwy ac argoelion o bethau gwell yw'r arwyddocâd. Dyna oedd 'sŵn cerdded ym mrig y morwydd' i Ddafydd, a dyna hefyd yw 'sŵn ym mrig y morwydd' i ninnau.

Mae'r sefyllfa grefyddol yng Nghymru yn ddi-ffrwt ddifrifol. Ac eto rwy'n teimlo weithiau fod yna 'sŵn ym mrig y morwydd'.

Symud mynyddoedd. Wrth droed mynydd y Gweddnewidiad cawn y disgyblion yn methu â bwrw allan gythraul o lencyn ifanc, wedi i'w dad erfyn am ei iachâd. Wedi i Iesu ddod i'r cwmni a llwyddo lle'r oedd ei ddisgyblion wedi methu, maen nhw'n gofyn iddo pam na allent hwy fod wedi gwneud. Mewn ateb meddai yntau, 'Pe bai gennych ffydd megis gronyn o had mwstard, chwi a ddywedech wrth y mynydd hwn, symud oddi yma draw, ac efe a symudai' (Math. 17: 20 HFC). Go brin fod Iesu am i'w eiriau gael eu deall mewn ystyr llythrennol. Siarad yn ffigurol y mae. Mae'n ymddangos bod 'symud mynyddoedd' yn idiom gyfarwydd ymhlith yr Iddewon am gael gwared â rhwystrau ac anawsterau o bob math. 'Roedd athro (Rabbi) a fedrai ddehongli'r ysgrythurau yn dda, gan lwyddo i egluro'r hyn oedd yn aneglur, yn 'symudwr mynyddoedd'.

Pan ofynnais i'r Cyngor am ganiatâd cynllunio i godi tŷ ar ddarn o dir, fe godwyd rhwystrau ac anawsterau lu. Mi rois y mater yn llaw'r Aelod Seneddol. Fuon nhw fawr o dro'n ymateb, a hynny'n bositif. Un da am 'symud mynyddoedd' ydy'r Aelod.

Syrthio ar dir caregog. Adlais unwaith eto o un o ddamhegion Iesu — Dameg yr Heuwr. 'Peth arall a syrthiodd ar greigleoedd lle ni chafodd fawr ddaear . . .' (Math. 13: 5 HFC). 'Syrthiodd peth arall ar *leoedd creigiog,* lle ni chafodd fawr o bridd . . .' sydd yn y BCN.

Ar lafar, ac yn drosiadol, 'tir caregog' a ddywedwn gan amlaf. Daeth 'syrthio ar dir caregog' yn ymadrodd am rywun yn traethu syniadau ond heb nemor ddim ymateb oddi wrth ei gynulleidfa.

Daeth yr Ysgrifennydd Cyffredinol i'r Henaduriaeth i gyflwyno'r hyn a elwir yn strategaeth, yr angen am bolisi a chynllun yn wyneb y gormodedd o adeiladau sydd o fewn tiriogaeth yr Henaduriaeth. Ond 'syrthio ar dir caregog' iawn a wnaeth ei anerchiad, 'rwy'n ofni, er iddo gyflwyno'r mater yn dda ac yn ddoeth iawn.

T

Taflu'r garreg gyntaf. Ymadrodd sy'n ffurfio rhan o ateb Iesu i'r Phariseaid, wedi iddyn nhw ddod â gwraig ato a oedd wedi ei dal yn godinebu. Dweud y maen nhw fod cyfraith Moses yn gorchymyn ei llabyddio, ac yn gofyn am ei farn. Un arall o'u hymdrechion i'w rwydo. Ateb Iesu oedd: 'Yr hwn sydd ddibechod ohonoch, tafled yn gyntaf garreg ati hi' (Ioan 8: 7 HFC). 'Pwy bynnag ohonoch sydd ddibechod, gadewch i hwnnw fod yn gyntaf i daflu carreg ati' (BCN).

Annog goddefgarwch a thosturi y mae'r ymadrodd, at bobl sydd wedi gwneud rhywbeth sy'n foesol annerbyniol a hynny, fel arfer, wedi dod yn wybodaeth gyhoeddus. Gwrthod bod yn orbarod i feirniadu a chondemnio eraill.

Mae'r creadur dyn 'na wedi gwneud peth hyll iawn yn siŵr. Ond pwy ydw i i farnu? Dydw innau'n gwneud petha digon hyll, mae'n siŵr, pe bawn i'n gweld hynny. Pwy sydd am 'daflu'r garreg gynta' ydy hi o hyd.

Taflu gemau (perlau) o flaen moch. Hanner dywediad Iddewig yw hwn. 'Rhoi'r hyn sy'n sanctaidd i'r cŵn a thaflu gemau o flaen moch' yw'r dywediad cyfan. Mae'n esiampl dda, er nad hollol gyflawn, o gyfochredd — y nodwedd arbennig a berthyn i farddoniaeth yr Iddew. Gwneir gosodiad neu ofyn cwestiwn mewn un llinell, ac yna eu hailadrodd mewn geiriau lled debyg, neu eiriau lled wahanol ar dro, yn y llinell nesaf. Mae adnod gyntaf Salm 15 yn enghraifft dda: 'Arglwydd, pwy a drig yn dy babell? Pwy a breswylia ym mynydd dy sancteiddrwydd?' Y cwestiwn cyntaf yn cael ei ailofyn mewn geiriau fymryn yn wahanol yn yr ail gwestiwn. Dyma hefyd yn sicr yw'r dywediad, 'Rhoi'r hyn sy'n sanctaidd i'r cŵn a thaflu gemau o flaen y moch'.

Mae'n amlwg mai ailadrodd syniad a wneir. Drwy i Iesu Grist ei ddefnyddio (Math. 7: 6) y cawsom ni'r dywediad. Golyga gynnig pethau da a gwerthfawr i rai sydd heb fedru eu gwerthfawrogi. Mae'r syniad o wastraffu pethau gwerthfawr yn y dywediad. Gall pregethwr neu fardd neu ddigrifwr deimlo fel hyn o flaen ambell gynulleidfa. Cadwodd ei le yn y BCN ond bod perlau wedi disodli gemau. 'Perlau' (*pearls*) a geid yn y Saesneg bob amser.

'Roedd yno'r gynulleidfa sala'n bod i noson lawen. Yr arweinydd, druan, mi wnaeth 'i ora', mi dynnodd bob stop 'fedra' fo allan, mi ddywedodd straeon gwirioneddol ddoniol, ond 'doedd dim yn tycio. 'Bwrw perlau o flaen moch' a fu hi o'r dechra' i'r diwedd.

Taith diwrnod Sabath. Diwrnod o orffwys, yn ddi-ffael, oedd y Sabath i'r Iddewon. Rhag i grwydro fynd yn weithio, gwaherddid teithio mwy na hyn-a-hyn. 'Arhoswch bawb gartref, nac aed un o'i le y seithfed dydd' (Ecs. 16: 29 HFC). Yn wreiddiol, 'taith diwrnod Sabath' oedd honno oddi wrth arch y cyfamod i ben draw eithaf y gwersyll. Roedd hynny ar draws tri chwarter milltir. Yn Llyfr yr Actau yn unig y down ar draws yr ymadrodd 'taith diwrnod Sabath'. 'Yna troisant i Jerwsalem o'r mynydd a elwir Olewydd, yr hwn sydd yn agos i Jerwsalem, sef "taith diwrnod Sabath"' (Act. 1: 12 HFC).

I ni, ar dro o leiaf, daeth yr ymadrodd cwbl Iddewig hwn yn enw ar bellter rhesymol neu swrnai gymharol fer, swrnai y gellir ei theithio'n hwylus.

'Lle 'rwyt ti'n byw rŵan?'
'Yn y Rhuddlan'.
'Ydy'r Rhuddlan ymhell o'r Rhyl?'
'Na, mae o yn ymyl: "taith diwrnod Sabath", ychan'.

Tân a brwmstan. Sylffur yw brwmstan. Cawsom y gair brwmstan o'r Saesneg Canol 'brenston' neu 'brymstone'. A barnu oddi wrth GPC mae'r gair brwmstan ar waith mewn Cymraeg ysgrifenedig ers saith canrif. Rhydd enghraifft ohono yn *Brut Dingestow* o'r 13eg ganrif. Erbyn 1567, pan gaed y cyfieithiad o'r TN, aeth 'brunstan' yn 'brwmstan'. Mae wedi aros yn y ffurf honno ac ymddengys hefyd mai yn y Beibl y daeth y gair 'tân' a'r gair 'brwmstan' yn bartneriaid am y tro cyntaf.

Mae tân ac mae brwmstan yn ddelweddau digon cyffredin yn y Beibl am gosb Duw i'r drygionus neu'r annuwiol, yn y byd hwn ac yn y byd a ddaw. 'Brwmstan a thân' a lawiodd Duw ar Sodom a Gomora (Gen. 19: 24); cawn 'brwmstan a halen' yn Deuteronomium (Deut. 29: 23); yn Llyfr Job brwmstan ar ei ben ei hun a geir (Job 18: 15); yn Eseia gwelir 'anadl yr Arglwydd fel afon o frwmstan'; yn un o'r Salmau sonnir am 'faglau, tân a brwmstan' (Salm 11: 6), ac yn ôl Ioan yn y Datguddiad, 'llyn yn llosgi gan "dân a brwmstan" ' yw uffern (Dat. 21: 8).

Daw'r ymadrodd 'tân a brwmstan' i'n siarad ar dro. Er nad oes cymaint o wneud hynny o bulpudau erbyn hyn, er drwg neu er da, deil ambell i bregethwr i anadlu *'tân a brwmstan'* ar ei gynulleidfa.

'Roedd y pregethwr ddoe yn ein hysgwyd ni uwchben tân uffern yn go arw, ac yn glawio 'tân a brwmstan' ar ein pennau ni.

Tan ganu. Rhydd GPC un enghraifft o'r idiom 'tan ganu' yn *Llyfr Coch Hergest* o'r 14eg ganrif cyn rhoi'r ail enghraifft o Lyfr Seffaneia. Digon teg yw tybio mai'r defnydd Beiblaidd o'r ymadrodd a'i cadwodd yn y Gymraeg. 'Yr Arglwydd dy Dduw . . . a ymddigrifa ynot "dan ganu" ' (Seff. 3: 17 HFC). 'Llawenycha ynot â chân' (BCN). 'He will joy over thee with singing' (HFS). 'He will sing and be joyful over you' (GNB). 'He will exult over you with a shout of joy' (NEB).

Yn ei ystyr fanwl, llythrennol, mae'r ymadrodd yn golygu canu wrth wneud rhywbeth. Yn Seffaneia mae'n golygu canu mewn hapusrwydd a bodlonrwydd. Hawdd i'r person sy'n cael bodlonrwydd yn ei waith yw canu wrth ei waith. Datblygodd yr ystyr o wneud rhywbeth yn hapus i wneud rhywbeth yn rhwydd, yn hawdd, yn ddiymdrech.

Mae Eluned am wneud ei doethuriaeth mewn cerddoriaeth. Fe'i gwna 'dan ganu'!

Taro llaw. Yn ôl pob tebyg, bu'r hen arfer o 'daro llaw' i selio bargen neu gytundeb yn un cyffredin a chyffredinol iawn. Roedd hynny'n arbennig o wir pan na cheid cytundebau yn ysgrifenedig. Câi'r weithred o 'daro llaw' yr effaith o gadarnhau a selio cytundeb ar lafar rhwng dau.

Wedi i'r Israeliaid wladychu yng Nghanaan cawn fod cryn lawer o fechnïo yn eu bywyd. Mae'r ffaith fod cymaint o rybuddio ynglŷn â mechnïo, fel yn Llyfr y Diarhebion, e.e, ynddo'i hun yn brawf ei fod yn beth cyffredin, yn enwedig yn y cyfnod ar ôl y gaethglud. Mae'n amlwg hefyd fod 'taro llaw' yn ffordd o selio cytundeb wrth fechnïo. 'Dyn heb bwyll a "dery ei law" ac a fechnïa o flaen ei gyfaill' (Diar. 17: 18 HFC). Collodd yr ymadrodd ei le yn y BCN. 'Dyn di-synnwyr sy'n rhoi ernes'. 'Striketh hands' sydd yn yr HFS. 'A man is without sense who gives a guarantee' (NEB). 'He is devoid of sense who goes bail' (Moffatt). 'Only a man without sense would promise to be responsible for someone else's debts' (GNB).

Yn Llyfr Job gwneir defnydd trosiadol o 'taro llaw'. Wedi iddo fethu cael unrhyw gysur gan ddyn mae'n ymbil am gael dod i gytundeb â Duw. 'Dyro i lawr yn awr, dyro imi feichiau gyd â thi: pwy ydyw efe a "dery ei law" yn fy llaw i?' (Job 17: 3 HFC).

Mae'r arfer o 'daro llaw' wrth ddod i gytundeb neu wrth 'daro bargen' (yr un *taro*, yn siŵr) wedi prinhau. Ond mae digon ohonom sy'n fyw yn cofio'r arfer fel un pur gyffredinol wrth brynu a gwerthu anifeiliaid ac wrth gyflogi gweision. 'Cytuno' oedd gair y llanciau am gyflogi i le. Caent hefyd ernes a 'tharo llaw' wrth gytuno.

Mae Twm Edwards yn fargeiniwr caled. Mi fuon ni'n dau am hydion cyn cytuno ar bris am yr heffrod 'na. Ond 'taro llaw' fu hi yn y diwedd. Felna mae o bob blwyddyn.

Teilwng i'r gweithiwr ei gyflog. 'Arhoswch yn y tŷ hwnnw, a bwyta ac yfed yr hyn a gewch ganddynt, oherwydd y mae'r gweithiwr yn haeddu ei gyflog' (Luc 10: 7 BCN). 'Canys teilwng yw i'r gweithiwr ei gyflog' (HFC). Dyma ran o gyfarwyddyd Iesu Grist i'r 'deuddeg a thrigain' ar achlysur eu hanfon at eu cenhadaeth. Gallent ddibynnu y byddai rhywrai yn gofalu am eu hangenrheidiau corfforol ym mhobman. 'Roedd yna draddodiad Iddewig i ofalu am gynhaliaeth feunyddiol i athrawon dilys (Rabiniaid). Y syniad oedd lleihau eu gofalon beunyddiol er mwyn iddyn nhw fedru canolbwyntio ar eu priod waith. 'Y mae'r gweithiwr yn haeddu ei fwyd' sydd ym Mathew, wrth anfon allan y 'deuddeg' (Math 10: 10). Cawn Paul hefyd, wrth sôn am gydnabyddiaeth i'r henuriaid, yn dyfynnu ysgrythur a dweud, 'Y mae'r gweithiwr yn haeddu ei gyflog' (1 Tim. 5: 18 BCN).

Am weithwyr yn gyffredinol y daw 'teilwng i'r gweithiwr ei gyflog' i'n siarad ni. Ac nid hawdd i neb fedru anghytuno â'i wirionedd fel gosodiad. Mae mor hunan-amlwg o wir.

'Faint sydd arna'i iti am y gwaith?' 'O, rhowch rywbeth ydach chi'n feddwl.' 'Na, na, wnaiff hynny mo'r tro; "teilwng i'r gweithiwr ei gyflog", fachgen.'

Teulu'r codwm. Dydy'r ymadrodd 'teulu'r codwm' ddim yn y Beibl, ond o'r stori a'r syniad beiblaidd am gwymp dyn y tarddodd. 'Hen deulu'r gollfarn' a rydd Gwilym Cyfeiliog yn ei emyn (LLEM 297) a 'Hil syrthiedig Adda' gan Bantycelyn (LLEM 307).

Daeth i sefyll am ddynoliaeth neu'r teulu dynol yn ei stad bechadurus.

Mae Elin Owen yn ymddangos yn ddynes dda, dduwiol. Ac mae'n siŵr ei bod hi. Ond mae'n dda iddi hi, fel pawb ohonon ni, gofio mai un o blant Adda a 'theulu'r codwm' ydy hithau wedi'r cwbl.

Tewi â sôn. Roedd hi'n ddydd o lawen chwedl i bedwar o wahangleifion a ddaeth at wersyll y Syriaid, oedd wedi bod yn gwarchae ar Samaria, a darganfod fod y Syriaid wedi dianc am eu heinioes. Ar ben hynny, darganfu'r gwahangleifion fod y Syriaid wedi dianc ar frys mawr ac wedi gadael arian ac aur, bwyd a gwin a dillad ar eu holau. Manteisiodd y pedwar gŵr gwahanglwyfus ar y sefyllfa gan guddio rhan helaeth o'r ysbail. Ond daeth ton o euogrwydd drostyn nhw a meddent wrth ei gilydd, 'Y dydd hwn sydd ddydd llawen-chwedl, ac yr ydym ni yn "tewi â sôn"' (2 Bren. 7: 9 HFC). 'Dydd o newyddion da yw heddiw (i'r Israeliaid, wrth gwrs) a ninnau'n dweud dim' (BCN). 'This is a day of good news, and we are keeping it to ourselves' (NEB).

Datblygodd yr ymadrodd yn un i fynegi syndod ar dro, fel yn y dywediad 'Tewch â sôn'! Dro arall daw'n hwylus wrth gyfeirio at rywun wedi ei dewi'n llwyr mewn dadl neu drafodaeth. Hyd y cofiaf, fodd bynnag, 'ddefnyddiwn ni mwyach mo'r ymadrodd yn ei ystyr wreiddiol o gadw'n dawel ynghylch rhywbeth.

Mi fynnai'r bachgen alw pum llyfr cynta'r Beibl yn Bum Llyfr Moses a chredu mai Moses a'u hysgrifennodd. Pan ddywedais innau fod hanes marw Moses yn un o'r pump, ac mai go brin felly y gallai Moses fod wedi sgrifennu hwnnw, 'tewi â sôn' reit ddiseremoni wnaeth o.
(gw. Dydd o lawen chwedl).

Thomas. Fel amheuwr yr adwaenwn Thomas. Gwrthodai gredu fod Iesu wedi atgyfodi, heb yn gyntaf gael gweld ôl yr hoelion yn ei draed a'i ddwylo. Daeth yn ddihareb. Pob dyn neu ddynes sy'n tueddu i amau popeth, yn ddrwgdybus o bopeth, neu'n ymarhous i gredu pethau, rhai o 'deulu Thomas' ydy'r rheini.

Fuaswn i ddim yn trafferthu i ddweud wrth d'ewyrth dy fod wedi cael y swydd 'na. Mi wyddost amdano, chredith o mo'not ti; mae llawer gormod o waed 'Thomas' yno fo.

Tir angof. 'A adwaenir dy ryfeddod yn y tywyllwch, a'th gyfiawnder yn nhir angof?' (Salm 88: 12 HFC). Dyma'r unig dro, yn y Beibl i gyd, y down ar draws y priod-ddull hwn: 'tir angof'. Dyma'r unig enghraifft ohono a rydd GPC hefyd. Er newid geiriad y gweddill o'r cwestiwn, cadwyd at 'tir angof' yn y BCN. 'A yw dy ryfeddodau'n wybyddus yn y tywyllwch, a'th fuddugoliaethau yn "nhir angof"?'. 'Land of forgetfulness' (HFS). 'Land of oblivion' (NEB). 'In the land of the forgotten' (GNB).

Gair yn Gymraeg sy'n gyfystyr â 'tir angof' yw 'ebargofiant'. O 'abar' yn golygu llesg, swrth, y daw 'ebar'. Cof llesg neu swrth, felly, yw ystyr darddiadol 'ebargofiant'. Y gair Saesneg sy'n cyfateb iddo yw 'oblivion'. Da gweld bod y BCN wedi cadw 'tir angof'. Ond o ran ystyr byddai 'a'th fuddugoliaethau yn ebargofiant' wedi bod yr un mor gywir, beth bynnag am fod mor farddonol.

'Does dim llawer er pan luniwyd cynllun i ffrwyno'r llanw yn Afon Menai i gynhyrchu pŵer. Ond ddaeth dim o'r peth. Mae wedi mynd i 'dir angof' ers tro, rwy'n ofni.

(Y) Tlodion gyda chwi (ni) bob amser. Condemnio gweithred Mair yn tywallt y blychaid o ennaint drudfawr ar ben Iesu a wnaeth Jwdas. Harddach o lawer fyddai gwerthu'r ennaint a rhoi'r arian i'r tlodion. Wrth ymateb i sensoriaeth Jwdas, meddai Iesu, 'Canys bob amser y cewch y tlodion gyda chwi, a phan fynnoch y gellwch wneuthur da iddynt hwy, ond myfi ni chewch bob amser' (Marc 14: 7 HFC). 'Bydd y tlodion gyda chwi bob amser, a gallwch wneud cymwynas â hwy pa bryd bynnag y mynnwch, ond ni fyddaf fi gyda chwi bob amser' (BCN). 'You have the poor among you always, and you can help them whenever you like; but you will not always have me (NEB). Cyfeiriad digamsyniol Iesu Grist at ei farwolaeth, a hynny'n fuan. Mae'n ychwanegu, 'Achubodd y blaen i eneinio fy nghorff erbyn y gladdedigaeth' (Marc 14: 8 BCN).

Gellir gwneud rhyw bethau unrhyw amser. Ond mae pethau eraill, os na wnawn ni nhw pan ddaw cyfle, 'wnawn ni mohonyn nhw byth.

Mi fydd yn edifar gen i am byth na f'aswn wedi gofalu fod gan hen wraig fy mam wres canolog yn ei thŷ, fel 'roeddwn i wedi llawn fwriadu. Rhoi at achosion dyngarol o bob math a cholli'r cyfle efo mam. Anghofio fod 'y tlodion gyda ni bob amser'.

Traed o bridd. Nebuchodonosor, yn ei freuddwyd enwog, a welodd ddelw anferth ac iddi, yn rhannol o leiaf, draed o bridd. 'Yr oedd pen y ddelw yn aur coeth, ei bron a'i breichiau'n arian, ei bol a'i chluniau'n bres, ei choesau'n haearn, a'i thraed yn gymysgedd o haearn a phridd' (Dan. 2: 32-33 BCN). Bu'r pridd yn y traed yn achos codwm a dinistr y ddelw wedi i garreg fawr ei tharo yn ei thraed.

Dyna gefndir 'traed o bridd'. 'Feet of clay' a ddywed y Sais. 'Feet of clay' sydd ym mhob cyfieithiad hen a newydd. Cawn lawer o Gymry yn dynwared y Saesneg yma, fel mewn llawer gormod o ymadroddion eraill, ac yn arfer y ffurf 'traed o glai'. Y ffurf gywir yn Gymraeg, yn siŵr, yw 'traed o bridd'. Dyna a gawn yn yr HFC ac yn y BCN.

O weld yr ymadrodd yn ei gyd-destun gwreiddiol mae'n un disgrifiadol a lliwgar: y ddelw fel y cyfryw o ddefnyddiau cryf a chadarn, a disgwyl iddi wrthsefyll popeth. Ond roedd pridd yn y traed a chafodd ei chwymp. Nid rhyfedd felly i 'traed o bridd' ddod yn ymadrodd hwylus a darluniadol lle gwelwn grac yng nghymeriad rhai o'n heilunod, a.y.y.b., pobl yn ein hedmygedd ohonyn nhw na fedrwn mo'u dirnad yn gwneud dim o'i le. Mae yna rai pobl yn gwirioni ar y teulu brenhinol. 'Fedran nhw wneud dim o'i le yng ngolwg y rheini. Ond mae'n amlwg bod i aelodau'r teulu brenhinol 'draed o bridd' fel pawb arall.

Dyna weinidog arall wedi gorfod ymddiswyddo o'r 'Cabinet', yr ail mewn tri mis. Roedd gan hwn eto 'draed o bridd', mae'n amlwg.

Troi efo pob awel (dysgeidiaeth). Cawn Paul yn annog y Cristnogion yn Effesus i fyw'n agos at Grist er mwyn tyfu yng Nghrist. Dyma'r unig ffordd o beidio â pharhau'n fabanod yng Nghrist. 'Fel na byddom mwyach yn blantos yn bwhwman, ac yn ein cylch-arwain â phob awel dysgeidiaeth' (Effes. 4: 14 HFC). ' . . . yn cael ein lluchio gan donnau a'n gyrru yma a thraw gan bob rhyw awel o athrawiaeth' (BCN). 'Blown about by every shifting wind of teaching' (GNB). 'Blown hither and thither by every wind of teaching' (WB). 'Whirled about by every fresh gust of teaching' (NEB). 'At the mercy of every chance wind of teaching' (JBP).

Mae'n amlwg fod ffasiynau mewn crefydd ac athrawiaeth yn broblem yn yr eglwys o'r dechrau. Gan wneud llong ar drugaredd y gwynt a'r tonnau yn ddameg, rhydd Paul ddarlun byw o Gristnogion Effesus. Byth oddi ar hynny mae pobl y ffasiynau mewn athrawiaeth, fel y tlodion, gyda ni bob amser.

'Troi efo pob awel' yw'r ffurf gyffredin a rown ni i'r ymadrodd.

Harold druan, a siarad yn enwadol, mae o wedi profi pob peth. Yn eu tro, mae o wedi perthyn i bob enwad a sect y gwn i amdani. Sect y Mormoniaid ydy'r ddiweddara'. Mae'r hen greadur yn 'troi efo pob awel'.

Troi cleddyfau'n sychau. Dyma ddelfryd o leiaf ddau o broffwydi'r HD — Eseia a Micha. 'Hwy a gurant eu cleddyfau yn sychau, a'u gwaywffyn yn bladuriau' (Es. 2: 4 HFC. Gwel. hefyd Micha 4: 3). 'Curant eu cleddyfau'n geibiau, a'u gwaywffyn yn grymanau' sydd yn y BCN. 'They shall beat their swords into mattocks, and their spears into pruning-knives' (NEB). 'They will hammer their swords into ploughs, and their spears into pruning-knives' (GNB).

Erys yn freuddwyd ac yn obaith dynolryw o hyd. Daeth y geiriau i'w hoed heddiw: dyddiau o ddiarfogi, i raddau, beth bynnag. Anaml iawn y medrwn weddïo am heddwch byd heb i'r geiriau ffeindio'u ffordd i'n gweddi.

'Does gan Brydain ddim gelyn, bellach, ond yn nychymyg rhai pobl. Dylai fod yma lawer mwy o ddiarfogi ac o 'droi cleddyfau'n sychau'.

Trwy chwys dy wyneb. Dyma oedd rhan o'r gosb i Adda, am i Efa ac yntau fwyta ffrwyth pren gwybodaeth da a drwg, er cael gorchymyn pendant i beidio. Un cymal o ddedfryd Duw oedd, 'Trwy chwys dy wyneb y byddi'n bwyta bara, hyd oni ddychweli i'r pridd' (Gen. 3: 19 BCN). Mae'r ystyr yn ddigon clir. 'In the sweat of thy face' a geir yn yr HFS hefyd. Ond gan y NEB a Moffat cawn 'by the sweat of your brow' — trwy chwys dy *dalcen*. Hynny hwyrach am mai ar y talcen y gwelwn chwys gyntaf! Wrth gwrs, 'sweat of your brow' yw'r ffurf gyffredin ar yr ymadrodd yn Saesneg. A'r NEB wedi derbyn y ffurf honno, yn hytrach na 'sweat of thy face'. Trwy 'chwys dy wyneb' a ddywedwn yn Gymraeg. 'Chafodd y BCN ddim achos i'w newid.

Golyga wneud rhywbeth drwy ymdrech egnïol, drwy galedwaith, drwy lafur caled, neu drwy lawer o ddiwydrwydd. Dyna'r ystyr yn Genesis a dyna hefyd yr ystyr trosiadol a rown i'r ymadrodd. Y gwahaniaeth yw na siaradwn bellach am ddyn yn ennill ei fara beunyddiol 'drwy chwys ei wyneb', fel un yn cael cosb, ond yn hytrach fel credyd iddo ac mewn edmygedd ohono.

Chware teg iddo, mae Owen wedi llwyddo, ac wedi llwyddo'n onest a 'thrwy chwys ei wyneb'.

(Y) Tu (ffordd) arall heibio. Adlais o ddameg y Samariad Trugarog. 'A aeth o'r tu arall heibio' a ddywedir am yr offeiriad a'r Lefiad: 'tu arall heibio' i'r truan a syrthiodd ymysg lladron (Luc 10: 31. 32 HFC). 'Aeth heibio o'r ochr arall' (BCN). 'Passed by on the other side' (HFS). 'He went past on the other side' (NEB). 'He went past on the opposite side' (Moffatt).

Glynodd y dywediad yn ein hiaith fel disgrifiad o berson sy'n osgoi ei gyfrifoldeb tuag at ei gyd-ddyn, yn osgoi estyn cymorth ymarferol lle mae angen amlwg am hynny. Magodd y dywediad ddefnydd estynedig. Fe'i defnyddiwn wrth gyfeirio at ambell un sy'n osgoi materion anodd a dyrys.

Mae pregethwyr yn pregethu'n gyson am aberth Iesu Grist, ond yn mynd y 'tu arall heibio' i'w atgyfodiad.

Tŷ wedi ymrannu. O ateb Iesu Grist i gyhuddiad y Phariseaid ei fod yn bwrw allan gythreuliaid drwy Beelsbebwl, pennaeth y cythreuliaid, y cawsom 'tŷ wedi ymrannu'. 'Ni bydd yr un dref na thŷ a ymrannodd yn ei erbyn ei hun yn sefyll. Ac os yw Satan yn bwrw allan Satan, y mae wedi ymrannu yn ei erbyn ei hun. Sut felly y saif ei deyrnas?' (Math. 12: 24-26 BCN). Mae tŷ yn golygu teulu neu dylwyth wrth gwrs. Defnyddiwn y dywediad 'tŷ wedi ymrannu' am rwyg mewn teulu neu mewn eglwys, neu lle mae unrhyw gynnen mewn unrhyw fudiad neu gorff o ddynion, neu blaid wleidyddol.

Gallem fod wedi cael Senedd a Deddf Iaith yng Nghymru ers blynyddoedd oni bai ein bod ni fel cenedl yn 'dŷ wedi ymrannu'.

Tyn dy esgidiau. Gorchymyn i Josua oedd hwn yn wreiddiol gan gymeriad lledrithiol sy'n cael ei ddisgrifio fel 'tywysog llu yr Arglwydd'. 'Dywedodd tywysog llu'r Arglwydd wrth Josua, "Datod dy esgidiau oddi am dy draed, canys y lle yr wyt ti yn sefyll arno sydd sanctaidd" ' (Jos. 5: 15 HFC). Mae'r ystyr yr un fath yn y BCN, ond wedi newid rhai o'r geiriau. Atebodd pennaeth llu yr Arglwydd, "Tyn dy sandalau oddi am dy draed, oherwydd y mae'r lle yr wyt yn sefyll arno yn gysegredig' (BCN). Er mai 'tyn dy sandalau' sy'n naturiol ac yn gywir, mae'n siŵr, mi fuaswn i'n proffwydo mai 'tyn dy esgidiau' sy'n mynd i aros fel ymadrodd. (Gw. hefyd Ecs. 3.5.)

Mae tynnu esgidiau i'r Iddew a'r Moslem yn arwydd o barch. Tyn y Moslem ei esgidiau wrth ddrws y Mosg. Mae hyn yn arwydd o ostyngeiddrwydd. Ar ben hynny, mae lledr yn cael ei gyfrif yn aflan.

Braidd yn chwareus yw'n defnydd ni o'r dywediad 'tyn dy esgidiau'. Mae'n cario'r syniad o barch ac o ostyngeiddrwydd, ond 'chymerwn ni mohono yn ormod o ddifri mewn byd nac eglwys.

Mi alwais i weld yr athro Cymraeg. Wrth fynd drwy'r drws i'w stafell meddwn i'n chwareus, 'Ydy olynydd Syr John Morris-Jones yma?' 'Ydy, mae o, "tyn dy sgidia",' meddai yntau yr un mor chwareus.

Tywyllu cyngor. 'Pwy yw hwn sydd yn tywyllu cyngor . . . heb wybodaeth?' (Job 38: 2 HFC). 'Pwy yw hwn sy'n tywyllu cyngor â geiriau diystyr?' (BCN). 'Who is this whose ignorant words cloud my design in darkness?' (NEB). 'Who darkens my design with a cloud of thoughtless words?' (Moffatt). 'Who are you to question my wisdom with your ignorant, empty words?' (GNB).

Mae ystyr yr ymadrodd yn ei gyd-destun gwreiddiol yn ddigon clir. Datblygodd yn ddisgrifiad o berson sy'n taflu oddi ar ei hechel ambell i ymdriniaeth neu drafodaeth ar fater neilltuol. Mae'n gwneud hynny fel arfer drwy ddwyn i'r drafodaeth bethau hollol ymylol neu amherthnasol.

Roedd y drafodaeth yn mynd rhagddi'n burion. Ond dyna'r colbar Twm 'na yn rhoi 'i big i mewn, a dechrau chwythu niwl a 'thywyllu cyngor'.

U

Uchelfannau'r Maes. Does dim dadl nad o gân Debora a Barac y daeth y dywediad 'uchelfannau'r maes'. 'Pobl Sabulon a roes eu heinioes i farw; felly Nafftali *ar uchelfannau'r maes.*' (Barn. 5: 18). Mae'r BCN yn goleuo peth ar yr ystyr. 'Pobl a fentrodd eu heinioes hyd angau oedd Sabulon a Nafftali hefyd, ar uchelfannau maes y gad.' Cawn gan y NEB 'on the heights of the battlefield'. Fel mae'r cyfieithiad i'r Gymraeg a'r Saesneg yn awgrymu, ystyr llythrennol hollol oedd i'r geiriau'n wreiddiol. Ond defnydd hollol ffigurol neu drosiadol a wnaed o'r geiriau yng Nghymru, a hynny'n wreiddiol ac yn bennaf yn y cylchoedd crefyddol. Mae'n fwy na thebyg i'r ymadrodd ffeindio'i ffordd i'n iaith yn nyddiau y pregethu mawr *ar y maes* (yn yr awyr agored neu mewn pabell). Magodd ystyr arbennig, ac arbennig i ni'r Cymry, yn y fan honno. Onid oedd pob pregethwr oedd yn cael hwyl, 'ar uchelfannau'r maes'? Hynny wrth gwrs yn y rhyfel yn erbyn y diafol a'r drwg. Ni chyfyngwyd yr ymadrodd, fodd bynnag, i gylch pregethu. Yn araf rhoed mwy o waith iddo. Ac fe'i defnyddir mewn cysylltiadau llawer ehangach a thra gwahanol. Mae canwr yn aml ar ei *uchelfannau.* Felly hefyd amaethwr o gael pris mwy na'r disgwyl am anifeiliaid. Ac onid yw rhywun sy'n ennill ar y pyllau pêl-droed yn gallu bod *ar ei uchelfannau,* beth bynnag am fod ar uchelfannau'r maes? 'Run peth yw'r ddau ac o'r un tarddiad.

Yr hyn sy'n fy nharo ynglŷn â'r ymadrodd 'uchelfannau'r maes' yw ei fod yn enghraifft ragorol o ddawn y tadau i gydio mewn ymadroddion, a hynny ar dro o leoedd diarffordd iawn yn y Beibl, a throsi eu hystyr i'w pwrpas eu hunain. Gwelsom enghreifftiau o hyn o'r blaen fel gyda'r ymadrodd 'gwreiddyn y mater'.

Am fustach o Benrhiw y caed y pris ucha'n y farchnad heddiw. Roedd Wil Jôs 'ar ei uchelfannau'. (Gw. *Ar ei uchelfannau.*)

Un amser. O addewid y diafol i Grist, pe bwriai ei hun i lawr o binacl y deml, y daeth 'un amser'. 'Rhydd orchymyn i'w angylion amdanat, a hwy a'th ddygant yn eu dwylo, rhag taro ohonot "un amser" dy droed wrth garreg' (Math. 4: 6 HFC). Dyfyniad yw'r addewid o Salm 91: 11-12. 'Lest "at any time" thou dash thy foot against a stone' (HFS). Mae'r BCN wedi hepgor 'un amser', yn union fel mae'r trosiadau diweddar i'r Saesneg wedi hepgor 'lest at any time'. Diflannodd y ffactor o amser o'r cyfieithiadau. 'Rhydd orchymyn i'w angylion amdanat; byddant yn dy godi ar eu dwylo rhag iti daro dy droed yn erbyn carreg' (BCN). Cael ei hepgor a wnaeth 'un amser' hefyd o'r unig enghraifft arall o'r ymadrodd yn y Beibl, sef Heb. 2: 1.

Ei hepgor neu beidio, mae'r ymadrodd wedi ei sefydlu ei hun yn y Gymraeg. Nid bod llawer o ddefnyddio arno yn yr iaith lafar bellach, ond down ar ei draws yn achlysurol yn yr iaith ysgrifenedig. Dyma enghraifft ddiweddar iawn o'r gyfrol o farddoniaeth *O'r Haul a'r Heli* (1992), D. Hughes Jones, t.42.

'Gwneud amser bob amser i ddyrchafu hunan
Heb amser 'un amser' i arall a'i gwynfan.'

Hen fachgen iawn, ar sawl cyfri, ydy Dafydd. Y clenia'n bod. Ond 'ddaw o 'un amser' i unrhyw fath o gymdeithas na chlwb.

(Yr) Unfed awr ar ddeg. Un o ddamhegion Iesu, y gweithwyr yn y winllan, yw cynefin gwreiddiol 'unfed awr ar ddeg'. 'Ac efe a aeth allan yng nghylch yr unfed awr ar ddeg' (y Meistr) (Math. 20: 6 HFC). Roedd diwrnod yr Iddew yn cychwyn am 6 y bore, ac yn ddiwrnod gwaith o ddeuddeg awr, o chwech tan chwech. Lle cawn yn yr HFC 'y drydedd awr', 'y chweched awr', a'r 'nawfed awr', ceir yn y BCN 'naw o'r gloch y bore', 'hanner dydd' a 'thri o'r gloch' (gw. e.e., Marc 15: 25-39 BCN). Yr unfed awr ar ddeg o ddiwrnod gwaith, felly, oedd pump o'r gloch. Dyna a gawn yn y BCN: 'Tua phump o'r gloch aeth allan'. Pump o'r gloch oedd 'yr unfed awr ar ddeg', sef yr awr olaf o ddiwrnod gwaith, a'r awr olaf posibl i gael gwaith. Daeth yr ymadrodd yn un digon cyffredin yn Gymraeg, fel, yn wir, 'the eleventh hour' yn

Saesneg, i bwysleisio ambell gyfle olaf posibl, cyn iddi fynd yn rhy ddiweddar i ryw ddiben neu'i gilydd.

Er i'r 'unfed awr ar ddeg' gael ei ddisodli gan 'pump o'r gloch' yn y BCN, anodd iawn yn sicr fydd ei ddisodli ar wefusau'r rhai ohonom sy'n gyfarwydd â'r HFC.

Aeth yn ffrae wyllt rhwng y rheolwyr a'r gweithwyr yn y gwaith acw heddiw ar fater awr ginio. Ar 'yr unfed awr ar ddeg' yn unig y llwyddwyd i osgoi streic.

(Yr) Un iod. O'r bregeth ar y mynydd y cawsom 'yr un iod nac un tipyn'. 'Nid â un iod nac un tipyn o'r gyfraith heibio, hyd oni chwblhaer oll' (Math. 5: 18 HFC); 'Ni dderfydd yr un llythyren na'r un manylyn lleiaf o'r Gyfraith nes i'r cwbl ddigwydd' (BCN); 'Not a letter, not a stroke, will disappear from the Law until all that must happen has happened' (NEB)' 'Not an iota, not a comma, will pass from the Law, until it is all in force' (Moffatt); 'one jot or one tittle shall in no wise pass from the law, till all be fulfilled' (HFS).

'Iota' oedd enw'r llythyren leiaf yn yr wyddor Roeg. Dyna sut y cafwyd 'iod' yn Gymraeg a 'jot' yn Saesneg. Y dot ar ben yr 'iota' (i), yn ôl pob tebyg, oedd yr hyn a gyfieithwyd yn 'tipyn' yn yr HFC ac yn 'manylyn lleiaf' yn y BCN. Ac mae'r Saesneg 'tittle' (Lladin 'titulus') yn golygu'r marc uwchben llythyren.

Dim ond 'yr un iod' a ddywedwn ni fel arfer wrth ddefnyddio'r ymadrodd; mae'n cynrychioli'r mymryn lleiaf o rywbeth.

'Roedd y pen-blaenor yn awgrymu fy mod yn rhy wleidyddol fy efengyl. Ond dydw i'n malio'r "un iod" yn'o fo.'

Udganu o'th flaen. Utgorn ganu, neu ganu utgorn yw 'udganu'. Daw o rybudd Iesu ar fater elusennu. 'Pan wnelych elusen na udgana o'th flaen, fel y gwna'r rhagrithwyr yn y synagogau ac ar yr heolydd, fel y molianner hwy gan ddynion' (Math. 6: 2 HFC). 'Pan fyddi'n rhoi elusen paid â chanu utgorn o'th flaen' (BCN). 'When you do an act of charity, do not announce it with a flourish of trumpets' (NEB). 'When you give something to a needy person, do not make a show of it' (GNB).

Dyma bechod parod i amgylchu elusenwyr a dyngarwyr pob oes.

Yng nghorff amser lledodd ein defnydd o'r ymadrodd i gynnwys ambell un sy'n ei ganmol ei hun neu yn ei frolio ei hun am rywbeth neu'i gilydd. Mae 'chwythu ei gorn ei hun' cystal â bod yn gyfystyr, ac wedi ei seilio ar yr un ddelwedd o 'ganu corn'. Mae'n siŵr gen i mai yn hanner direidus, er yn fwriadol, y dewisodd y diweddar Cynolwyn Pugh *Ei Ffanfer ei Hun* yn deitl ar ei lyfr hunangofiannol.

Mae Syr Anthony wedi gadael miloedd yn ei 'wyllys i'w hen ysgol ar yr amod bod ei enw wrth yr ysgoloriaeth a sefydlir. Tipyn o 'udganu o'i flaen' os ca'i ddweud.

'Udganu o'i flaen' yn go arw yr oedd Deio bore 'ma. Wedi ennill ar yr unawd dros 60 neithiwr. (Gw. *Na wyped dy law aswy.)*

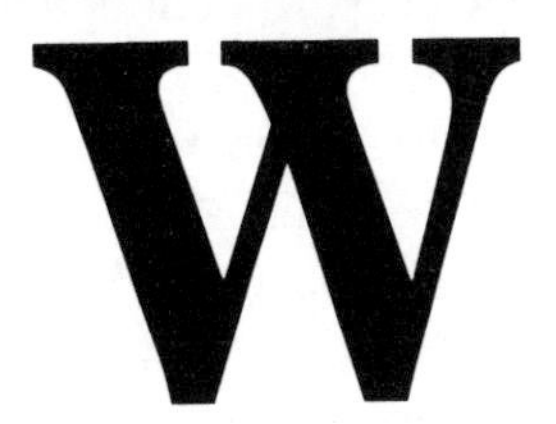

Wrth eu ffrwythau. O'r Bregeth ar y Mynydd y cawsom y dywediad 'wrth eu ffrwythau'. 'Gochelwch rhag gau-broffwydi, sy'n dod atoch yng ngwisg defaid, ond sydd o'u mewn yn fleiddiaid rheibus. "Wrth eu ffrwythau" yr adnabyddwch hwy' (Math. 7: 15-16 BCN).

Mewn defnydd o'r geiriau mi ddywedwn, fel arfer, 'Wrth eu ffrwythau y mae eu nabod nhw.' Gweinidog neu flaenor, pobl y disgwylir safon arbennig o ymddygiad oddi wrthyn nhw, wedi creu siarad amdano'i hun. Mewn achos felly mi glywn rywbeth fel hyn: 'Ie, wel, dyna fo, wrth eu ffrwythau y mae eu nabod nhw'; h.y., nid yn y pulpud nac yn y sêt fawr.

Mewn ystyr ehangach, lle bo gwleidydd neu blaid wleidyddol yn addo'n dda, nid dieithr geiriau tebyg i hyn: 'Gawn ni weld'. 'Wrth eu ffrwythau' y down i wybod.

Mae yna lu o ddieithriaid wedi symud i'r cylch 'ma i fyw. Mi gafwyd cyfarfod dan nawdd 'Pont' y noson o'r blaen er mwyn ceisio pontio'r gagendor iaith. Chwarae teg, mi addawodd y mwyafrif wneud eu gorau i ddysgu'r iaith. Ond cawn weld. 'Wrth eu ffrwythau' y medrwn fesur y llwyddiant.

Wrth draed. Ysgol, neu sefydliad hyfforddiant o ryw fath, yw cysylltiadau'r dywediad 'wrth draed' (hwn-a-hwn). Cefndir nodweddiadol ddwyreiniol sydd iddo. I ddysgu eisteddai'r disgybl bob amser 'wrth draed' ei athro. Drwy'r defnydd a wneir ohono yn y Beibl y daeth yr ymadrodd yn rhan o'n siarad ni. Hwyrach mai'r enghraifft fwyaf adnabyddus, a'r fwyaf uniongyrchol, yw honno o araith Paul wrth ei amddiffyn ei hun yn Jerwsalem. Meddai: 'Iddew wyf fi, wedi fy ngeni yn Nharsus yn Cilicia, ac wedi fy nghodi yn y ddinas hon. Cefais f'addysg "wrth draed" Gamaliel yn ôl llythyren Cyfraith ein tadau . . .' (Actau 22: 3 BCN). Tebyg iawn mai ystyr hollol lythrennol sydd i'r geiriau 'wrth draed Gamaliel'. Dyna oedd y dull. Pan ymwelodd Iesu â Bethania dywedir am Mair, 'eisteddodd hi "wrth draed" yr Arglwydd a gwrando ar ei air' (Luc 10: 39 BCN).

Pan soniwn ninnau am rywun sydd wedi cael hyfforddiant mewn lle da, yn academaidd neu'n alwedigaethol, mi ddywedwn iddo fod 'wrth draed Gamaliel' mewn edmygedd o ryw hyfforddwr neu'i gilydd, ac mewn edmygedd o fedrusrwydd ei ddisgybl.

Saer coed diguro ydy Robin. Mae'n grefftwr gloyw. Ond pa syndod? Mi fwriodd 'i brentisiaeth 'wrth draed Gamaliel', Thomas Jôs y saer.

Wylo'n hidl. Mae'n fendigedig o addas mai yng Ngalarnad Jeremeia y ceir un o'r ddwy enghraifft o 'wylo'n hidl' yn y Beibl! Dylaswn ddweud, yr hen Feibl. Mae'n ddisgrifiad byw a graffig o un yn beichio wylo. Llestr â'i waelod yn rhwyllog fân at hidlo gwlybwr neu hylif yw 'hidil' fel y dywedir ar lafar. 'Strainer', mae'n debyg, fyddai'r Saesneg amdano. O dywallt hylif iddo, ni ellir ei rwystro rhag llifo allan drwy'i waelod rhwyllog. Onid dyna yw 'wylo'n hidl'? Methu cadw'r dagrau rhag ymdywallt mewn amgylchiadau arbennig. Gresyn garw iddo gael ei alltudio o'r BCN. 'Beichio wylo' a geir bellach yn ei le yn Eseia 15: 3, a 'wylo'n chwerw' yn Galarnad 1: 2. Wrth gwrs fod y rhain a'r brawd cryfach 'wylo'n chwerw dost' yn cyfleu'r un peth â 'wylo'n hidl', ond nid hanner mor ddarluniadol a disgrifiadol. Mae'r *hidl* yn ddelwedd mor rymus. Gyda llaw, 'wylo'n chwerw' a wna Pedr hefyd yn y BCN ac nid yn 'chwerw dost' (Math. 26: 75).

Testun syndod yw bod ymadroddion fel 'gwreiddyn y mater' a 'wylo'n hidl', gyda dim ond un enghraifft o'r naill a dwy o'r llall yn y Beibl i gyd, wedi dod yn ymadroddion mor gyffredin ac arferedig yn y Gymraeg.

'Welodd o mo'i fam ers blynyddoedd. Mi ddywedais wrtho ei bod yn yr ysbyty ac yn bur wael. 'Wylo'n hidl' wnaeth o.

Y

Ychwanegu at (ei) faintioli. Yng nghanol y sylw a rydd i ofal a phryder, gofyn Iesu Grist gwestiwn rhethregol, 'Pwy ohonoch gan ofalu a ddichon chwanegu un cufydd at ei faintioli?' (Math. 6: 27 HFC). Mae cufydd yn ddeunaw modfedd, a'r cwestiwn yn swnio'n afresymol rywfodd. Yn y BCN (1975) cawn 'Prun ohonoch a all ychwanegu un fodfedd at ei daldra trwy bryderu?' Dwy fodfedd ar bymtheg o wahaniaeth! Yn y BCN (1988) gofynnir y cwestiwn yn wahanol eto, ond yn fwy synhwyrol yn sicr, yn nhermau amser yn hytrach nag yn nhermau maint a mesur. 'Prun ohonoch a all ychwanegu un funud at ei oes trwy bryderu?' Gallwn weld sut y gall cysylltiad fod rhwng pryder a hyd oes dyn, ond nid rhwng pryder a maintioli dyn. Deil y cyfieithiadau Saesneg, fodd bynnag, i roi'r dewis rhwng maintioli dyn a hyd ei oes. Mae'r naill yn droednodiad lle mae'r llall yn y testun. Diflannodd y gair cufydd yn gyfan gwbl, er, yn achos y NEB, dim ond yn ffafr y gair 'foot' (troedfedd).

'Chadwn ninnau mo'r gair cufydd yn ein defnydd cyffredin o'r dywediad. Bodlonwn ar ddweud 'chwanegu at (ei) faintioli.'

Hwyl sâl ddifrifol a gafodd yr Athro ar gyflwyno'i fater neithiwr. Dim ateb ganddo i gwestiynau pobl ac yn amlwg yn ansicr o'i lwybr. ''Chwanegodd o ddim at ei faintioli' yng ngolwg pobl, dd'wedwn i.

Ymgeledd cymwys. Yn Genesis, ar ôl creu dyn, cawn Dduw yn dweud, 'Nid da bod y dyn ei hunan, gwnaf iddo ymgeledd cymwys (Gen. 2: 18 HFC). Ar ymyl y ddalen rhoir 'cymorth cymwys'. 'Ymgeledd cymwys' a rydd y BCN hefyd. 'I will provide a partner for him' (NEB); 'I will make a helper to suit him' (Moffatt); 'I will make a suitable companion to help him' (GNB).

Daeth 'ymgeledd cymwys' yn ymadrodd stoc am wraig dda, addas. Mae cofiannau gweinidogion yn gynefin iddo, wrth gyfeirio at eu gwragedd. Ar lafar daeth yn 'ymgeledd gymwys', y treiglad meddal, gan mai am wraig y mae'n sôn!

Rydw i'n nabod y ferch 'ma rydech chi'n ei phriodi, yn dda iawn. Gwnewch yn fawr ohoni. Mae hi'n siŵr o wneud 'ymgeledd gymwys' iawn ichi.

Yn bopeth i bawb. Er mwyn llwyddo yn ei genhadaeth, haera Paul iddo'n fwriadol geisio'i orau i fynd i fyd ei wrandawyr: mynd at y gweiniaid fel un gwan, mynd at yr Iddewon fel Iddew, mynd at y cenedlddynion fel cenedlddyn. 'Yr wyf wedi mynd yn bob peth i bawb, er mwyn imi, mewn rhyw fodd neu'i gilydd, achub rhai' (1 Cor. 9: 22 BCN).

Rhywfodd neu'i gilydd 'chadwodd 'popeth i bawb' mo'i ystyr dda wreiddiol. I ni, dydy'r rhai sy'n 'bob peth i bawb' mo'r rhai a edmygwn fwyaf o lawer. Pobl sydd am gadw'r ddysgl yn wastad efo pawb, ceisio plesio pawb, heb fod o blaid nag yn erbyn dim, yw pobl sy'n bopeth i bawb yn ein golwg ni. Dichon bod yr hyn a alwn yn ddemocratiaeth yn gyfrifol am fagu llawer o'r bobl yma, wrth orfod bod â'u llygaid ar bleidleisiau'n ddiddiwedd!

'Ydy, mae o'n gwneud cynghorydd digon diwyd a derbyniol i bawb. Ond dyn sy'n dipyn o 'bopeth i bawb' ydy o.'

Yn ei bryd. Dyw GPC ddim wedi cyrraedd yn ddigon pell yn y llythyren 'P' pan wy'n ysgrifennu'r nodyn hwn. Does gen i felly ddim ffordd o wybod a oedd yr ymadrodd 'yn ei bryd' ar arfer cyn cyfieithu'r Beibl. Mae'n swnio'n ddigon Beiblaidd inni fedru cymryd y ganiataol mai drwy'r Beibl y'i cawsom. 'Efe (y dyn da) a fydd fel pren wedi ei blannu ar lan afonydd dyfroedd, yr hwn a rydd ei ffrwyth yn ei bryd' (Salm 1: 3 HFC). Cawn yr ystyr yn dda yn y BCN: 'ac yn rhoi ei ffrwyth yn ei dymor.' 'Which yields its fruits in season' (NEB); 'Bear fruit at the right time' (GNB); 'Bears fruit in due season' (Moffatt).

Trefn ryfeddol iawn yw trefn natur, pob tymor yn dod yn ei dro, a phob ffrwyth a chnwd 'yn ei bryd'.

Yn fy myw. 'Molaf yr Arglwydd "yn fy myw", canaf i'm Duw tra fyddwyf' (Salm 146-2 HFC); 'Molaf yr Arglwydd tra byddaf byw, canaf fawl i'm Duw tra byddaf' (BCN). 'As long as I live, I will praise the Lord, I will sing Psalms to my God all my life long' (NEB).

Dyma'r cyfochredd, neu'r ailadrodd sy'n nodweddu barddoniaeth yr Iddew. Ystyr 'yn fy myw', yn amlwg, yw 'drwy 'mywyd', neu 'drwy f'oes'. Tynnir ein sylw gan R. E. Jones yn ei LLIC, at y defnydd a wna Ellis Wynne yn ei *Rheol Buchedd Sanctaidd,* a hynny yn ei ystyr gwreiddiol, wrth sôn am y cybydd: 'Yn gyfoethog "yn ei fyw", ac yn resynol wrth farw.'

Datblygodd gwawr ystyr ychydig yn wahanol i'r ymadrodd. Pan ddywedwn 'fedra'i yn fy myw' wneud y peth-a'r-peth: h.y., waeth faint ymdrecha'i, pe bawn wrthi am f'oes, fedra'i mo'i wneud o. Cymh. 'for my life' a 'for the life of me' yn Saesneg.

Rydw'i wedi syrthio mewn cariad efo'r adnod 'ma, ac wedi bod wrthi'n ceisio deor pregeth ohoni, ond fedra'i 'yn fy myw' gael hwyl arni.

Yn ffau'r llewod. Glynodd Daniel at ei etifeddiaeth Iddewig yn y gaethglud ym Mabilon. Bu'n rhaid iddo ddioddef am hynny. 'Felly gorchmynnodd y brenin iddynt ddod â Daniel a'i daflu i ffau'r llewod (Dan. 6: 16 BCN). Dangosodd Daniel ddewrder a hunanfeddiant anhygoel mewn sefyllfa mor anodd ac mor sensitif ag yn ffau'r llewod.

Daeth sôn am rywun yn 'ffau'r llewod' yn ddisgrifiad o berson dewr mewn sefyllfa anodd.

Aeth y plismon ifanc i'r neuadd i geisio cael trefn ar bethau. Drwy ei ddewrder, ei hunanfeddiant a'i ddoethineb, mi lwyddodd, yn y diwedd, er ei fod mewn 'ffau'r llewod' o sefyllfa.

Yn gall fel y sarff. Iesu Grist, wrth anfon ei ddeuddeg disgybl at eu gwaith a'u cenhadaeth, sy'n eu siarsio i fod 'yn gall fel y sarff', ac yn ddiniwed fel y golomen: "byddwch chwithau gall fel y seirff, a diniwed fel y colomenod"' (Math. 10: 16 HFC). Ail adrodd yr HFC a wna'r BCN fwy neu lai: 'felly byddwch yn gall fel seirff ac yn ddiniwed fel colomenod'. 'be wary as serpents, innocent as doves' (NEB). Cafodd y GNB hwyl ar gyfleu'r ystyr: 'you must be as cautious as snakes and as gentle as doves'.

Y cymal cyntaf o'r anogaeth a ddefnyddiwn ni, fel rheol, gan droi'r lluosog seirff yn sarff yn yr unigol; 'yn gall fel sarff'.

I wneud 'i waith yn gyffredinol, ac yn arbennig i drin pobl, mae gofyn i weinidog fod 'yn gall fel sarff'.

Yn gyfraith iddynt eu hunain. O ymresymiad Paul ar fater perthynas y cenhedloedd â'r Gyfraith Iddewig, o'u cyferbynnu â'r Iddewon eu hunain, y daw'r geiriau, 'yn gyfraith iddynt eu hunain'. Mae'n dadlau, os yw'r cenhedloedd yn cadw gofynion y Gyfraith, hyd yn oed heb ei bod ganddyn nhw'n ysgrifenedig, mae hynny'n profi fod y Gyfraith wedi ei hysgrifennu yn eu calonnau; mae ganddyn nhw wybodaeth wrth reddf o'r da a'r drwg. 'Pan yw Cenhedloedd sydd heb y Gyfraith yn cadw gofynion y Gyfraith wrth reddf, y maent, gan eu bod heb y Gyfraith, "yn gyfraith" iddynt eu hunain' (Rhuf. 2: 14 BCN). 'are a law unto themselves' (HFS). 'they are their own law' (NEB, GNB).

Ystyr cymeradwy a ffafriol iawn sydd i'r geiriau gan Paul. Ond eu defnyddio'n geryddgar a wnawn ni, i anghymeradwyo rhyw bethau neu'i gilydd yn ymddygiad rhyw bobl.

Gwrthod ymuno â phedair eglwys arall i ffurfio gofalaeth y mae Soar. Mae'n well ganddyn nhw aros yn ddi-fugail a ffeindio eu pregethwyr eu hunain. Ond dyna ni, felna mae Soar wedi bod erioed: 'yn gyfraith iddi'i hun'.

Yn gyfyng o'r ddeutu. Paul sy'n cyfaddef ei bod yn 'gyfyng o'r ddeutu' arno. 'Ni wn beth i'w ddewis. Y mae'n gyfyng arnaf o'r ddeutu. Y mae arnaf awydd ymadael, a bod gyda Christ . . . ond y mae aros yn fy nghnawd yn well er eich mwyn chwi' (Phil. 1: 23-24 BCN). Mae ystyr yr ymadrodd yn ddigon clir yn ei gyd-destun: gorfod gwneud dewis anodd rhwng dau beth. 'I am torn two ways' (NEB); 'I am torn in two directions' (JBP); 'I am in a dilemma between the two' (Moffatt). Mae'n ymddangos i mi fod y dywediad Saesneg, 'on the horns of a dilemma', yn weddol gyfystyr.

Yn achos treth y pen, aeth 'yn gyfyng o'r ddeutu' ar y llywodraeth. Ar y naill law byddai diddymu'r dreth yn gyfaddefiad o gamgymeriad o'r radd fwyaf, ond ar y llaw arall, byddai dal at y dreth yn sicr o golli'r etholiad iddi.

Yn y cnawd. Ceir y gair 'cnawd' mewn sawl cyfuniad yn y Gymraeg. Dyna 'cnawd ac esgyrn' am y corff dynol yn gyfan; 'cnawd ac enaid' am y dyn cyfan, a 'pob cnawd' am bob person dynol. Wedyn cawn 'yn y cnawd' am berson dynol yn bersonol bresennol neu'n bersonol weladwy.

'Oedd 'yn y cnawd' yn ymadrodd cyffredin cyn cyfieithu'r Beibl? Mae hi'n anodd dweud. Gwir bod GPC yn nodi dwy enghraifft ohono mewn llenyddiaeth o'r 15g. Ond mewn dogfennau neilltuedig ac uchelwrol iawn y mae'r rheini, sef *Llawysgrif Hendregadredd* a *Myvyrian Archaiology of Wales.* Prin y gellir gwneud hynny'n sail dros gredu fod yr ymadrodd yn un cyffredin ar lafar yn y cyfnod hwnnw. Mentraf haeru mai drwy'r Beibl, ac o'r TN yn arbennig, y daeth 'yn y cnawd' i'n siarad. Down ar ei draws ynglŷn ag ymgnawdoliad Iesu Grist. 'A daeth y Gair "yn gnawd",' h.y., yn berson dynol (Ioan 1: 14 BCN). Dyna ni wedyn yn cael '. . . mawr yw dirgelwch ein crefydd; ei amlygu ef "yn y cnawd",' h.y., ei amlygu mewn person o gig a gwaed (1 Tim. 3: 16 BCN). Yn llythyr cyntaf Ioan ceir 'Pob ysbryd (h.y., pob un) sy'n cyffesu bod Iesu Grist wedi dod "yn y cnawd", o Dduw y mae,' h.y., wedi dod yn berson dynol (1 Ioan 4: 2 BCN). Daeth yn air cyfleus wrth sôn am ymddangosiad personol neu bresenoldeb gweledig rhywun.

'Roeddwn wedi clywed llawer am y dyn ond 'rioed o'r blaen wedi ei weld 'yn y cnawd.'

Oherwydd gwaeledd fedr y cadeirydd ddim bod yma heno, ond rwy'n siŵr, os nad ydy o yma 'yn y cnawd' ei fod yma yn yr ysbryd.

Ysbïo'r wlad. Ymadrodd a'n cyrhaeddodd o hanes llwythau Israel yn gwladychu yng ngwlad yr addewid yw '*ysbïo'r wlad*'. 'A meibion Dan a anfonasant o'u tylwyth bump o wŷr o'u bro, gŵyr grymus, . . . i "ysbïo'r wlad", ac i'w chwilio' (Barn. 18: 2 HFC). 'Anfonodd y Daniaid bump o ddynion teilwng ar ran y llwyth cyfan . . . i ysbïo'r wlad a'i chwilio' (BCN). '. . . to spy out the land' (HFS). '. . . to explore the land' (NEB a GNB). '. . . to explore and examine the country' (Moffatt).

Daliwn ninnau i wneud defnydd llythrennol a throsiadol o'r ymadrodd.

Ar ôl ymddeol mi garwn fyw yn rhywle yng nghyffiniau Pont y Borth. Rhaid imi ddechrau 'ysbïo'r wlad' am dŷ.

Mae gen i awydd mynd ati i 'sgrifennu rhyw fath o atgofion, hynny yw os gwela'i fod gen i ddigon o ddefnyddiau. 'Rydw'i wedi dechra' ''sbïo'r wlad'.

(Yr) ysbryd yn barod ond y cnawd yn wan. Pan gafodd y disgyblion yn cysgu, yng Ngardd Gethsemane, meddai Iesu, 'Gwyliwch a gweddïwch, fel nad eloch i brofedigaeth. Yr ysbryd yn ddiau sydd yn barod, eithr y cnawd sydd wan' (Math. 26: 41 HFC); 'Y mae'r ysbryd yn barod ond y cnawd yn wan' (BCN)' 'The spirit is eager, but the flesh is weak' (Moffatt).

I ni, yn ein siarad bob dydd, mae'r dywediad yn cyfleu cyflwr corfforol pan na fedrwn wneud yr hyn a garem neu a ddymunem ei wneud. Gall hynny fod yn ganlyniad oedran, anabledd, afiechyd neu ddamwain.

'Fe garwn i ymweld â'r Wladfa ym Mhatagonia. 'Rydw'i wedi bod isio mynd erioed, ond yn yr oed yma, ac efo'r holl grydcymalau 'ma, mae'r peth allan o'r cwestiwn 'rwy'n ofni. ''Mae'r Ysbryd yn ddigon parod, ond y cnawd yn wan''.'

Ysgrifen ar y mur. Ym mhalas Belsasar, ym Mabilon (rhan o Iraq heddiw) y gwelwyd yr ysgrifen ar y mur: 'gweld bysedd llaw dyn yn ysgrifennu ar galch y pared gyferbyn â'r canhwyllbren yn llys y Brenin' (Dan. 5: 5 BCN). Neges o wae ar Belsasar a ysgrifennid: 'Mene, Mene, Tecel, Uparsin' (Dan. 5: 25 BCN). Daniel a ddaeth i'r adwy i ddehongli'r ysgrifen, oedd yn darogan drwg i Belsasar. Roedd ei ddyddiau wedi eu rhifo ac ar ddod i ben (Mene); yr oedd wedi ei bwyso yn y glorian a'i gael yn brin (Tecel); ei deyrnas wedi ei rhannu a'i rhoi i'r Mediaid a'r Persiaid (Uparsin).

Hawdd yw deall sut y daeth 'ysgrifen ar y mur' yn ymadrodd cyfleus a da i fynegi rhagolygon drwg mewn unrhyw gylch o fywyd. Mewn sefyllfa lle mae arwyddion o berygl neu o fethiant tebygol, yna mae'r 'ysgrifen ar y mur' yn y fan honno, h.y., y mae'r rhagolygon yn ddrwg.

Wrth gwrs, 'dyw'r geiriau 'ysgrifen ar y mur' ddim yn Llyfr Daniel, ond mae'r 'ysgrifen' yno, ac y mae'r 'mur' yno. Codi o'r amgylchiadau a wnaeth yr ymadrodd. Yn ei le un da ydy o hefyd. Anodd meddwl am ei well. Gweld y 'golau coch' a wnawn ni lawer heddiw, ac mae hwnnw'n gyfystyr.

'Mi welodd Dic yr "ysgrifen ar y mur" mewn digon o bryd ac mi newidiodd 'i swydd y cyfle cynta'.'

Ysgwyd y llwch. I'r Iddew roedd llwch ffyrdd a thiriogaeth gwlad arall yn halogedig. Pan groesai'r Iddew y ffin o wlad arall i'w wlad ei hun, byddai'n ysgwyd y llwch oddi ar ei draed: yn ei ddadlychwino ei hun. Lle na chaent groeso ar eu cenhadaeth, mewn tŷ neu ddinas, 'roedd disgyblion Iesu Grist, wrth adael y lleoedd hynny, i ysgwyd y llwch oddi wrth eu traed. 'Ac os bydd rhywun yn gwrthod eich derbyn a gwrthod gwrando ar eich geiriau, ewch allan o'r tŷ hwnnw neu'r dref honno ac ysgydwch y llwch oddi ar eich traed' (Math. 10: 14 BCN). 'Then as you leave that house or that town, shake the dust of it off your feet' (NEB); 'Shake off the very dust from your feet' (Moffatt). (Gw. hefyd Act 13: 51).

Talfyrrir y geiriau fel arfer a defnyddio 'ysgwyd y llwch' fel ffordd o ddweud ein bod yn drwg-hoffi ambell i le ac yn ymadael, heb unrhyw fwriad i ddod yn ôl.

Oherwydd gorthrwm y meistri tir, ymhlith pethau eraill, penderfynodd 153 o Gymry 'ysgwyd y llwch' ac ymfudo i Batagonia yn 1865 a sefydlu gwladfa Gymreig yno.

Ysgwydd dan yr arch. Nid rhoi ysgwydd dan arch câr neu gyfaill, fel y gwneir ar ddiwrnod angladd, sydd yn y ddelwedd hon, ond cyfeiriad at Arch y Cyfamod yn yr HD. 'Ac fe gludodd y Lefiaid arch Duw ar eu hysgwyddau gyda pholion, fel y gorchmynnodd Moses yn ôl gair yr Arglwydd' (1 Cron. 15: 15 BCN).

Bu llawer o ddefnyddio ar y ddelwedd wrth ganmol cefnogaeth rhywrai neu'i gilydd i achos Iesu Grist. Daeth 'rhoi ysgwydd dan yr arch' yn gyfystyr â helpu i gynnal yr Achos. Fe'i defnyddiwn hefyd wrth werthfawrogi cefnogaeth, neu wrth apelio am gefnogaeth, i achosion mwy seciwlar, yn arbennig achosion diwylliannol.

Do, fe fu'r brawd yn ffyddlon i'w gapel ar hyd 'i oes, a rhoi'i 'ysgwydd dan yr arch' i'r diwedd.

Mae yma nifer fach o rai teyrngar ryfeddol yn perthyn i'r gymdeithas 'ma. Ond mi fyddai'n dda gweld rhagor 'yn rhoi'u hysgwydd dan yr arch'.